NELLY MAUCHAMP

IRESCO (Institut de recherche sur les sociétés contemporaines) : CNRS
Université de Paris III (Sorbonne Nouvelle)

LES FRANÇAIS

Mentalités
et comportements

Avec la collaboration de BÉATRICE DE PEYRET

C L E
international

Sommaire

Avant-propos

Cet ouvrage permet de mieux comprendre les mentalités et les comportements des Français. Une approche sociologique, complétée par un éclairage historique, met en valeur les fondements de la culture, les permanences et les évolutions de la société française : les valeurs transmises par l'école, le rapport à la loi, les croyances et les superstitions, l'humour, l'attachement au passé et à la langue française, le rôle des intellectuels, les rituels de la vie et de la mort, les plaisirs de la table et de la fête, les relations entre les hommes et les femmes et au sein de la famille, les relations sociales, les bonnes et les mauvaises manières, etc.

De nombreux documents illustrent et animent cette analyse : données statistiques, articles et dessins de presse, publicités, affiches, photos, points de vue d'étrangers.

Chaque chapitre est prolongé par des activités permettant au professeur de faire travailler les apprenants sur le vocabulaire et la civilisation.

En fin d'ouvrage, un lexique explique, dans une langue simple, le sens des mots difficiles ou techniques et des expressions imagées.

Comment peut-on être Français ?

pourrait-on dire en pastichant* Montesquieu…

C'est à l'évidence essentiellement par l'école

que, de génération en génération,

se transmettent les valeurs républicaines

et les symboles de l'identité nationale.

À L'ÉCOLE DE LA RÉPUBLIQUE

QU'EST-CE QU'UNE NATION ?

On oppose traditionnellement deux conceptions de la nation. D'une part, il y a la conception allemande, qui repose sur « le droit du sang » et la notion de « peuple » : la nationalité s'enracine dans la filiation*, les liens culturels sont créés par l'appartenance à une langue et à une race. D'autre part, il y a la conception française, fondée sur « le droit du sol », qui privilégie l'aspect spirituel de l'identité : la nationalité n'est pas une détermination naturelle, c'est la résidence sur le territoire national qui permet de « s'intégrer », d'adhérer à la communauté nationale, d'obtenir le statut de « citoyen » français. Alors que le peuple est une communauté fondée sur le sang et le sol, la nation est une « communauté de rêves » (Malraux), une histoire commune, qui assure la cohésion et la solidarité de l'ensemble.

On cite généralement, pour illustrer cette conception française de la nation, le texte d'une conférence d'Ernest Renan, datant de 1871 : « Qu'est-ce qu'une nation ? » Rappelons le contexte dans lequel a été écrit ce texte. Les relations entre la France et l'Allemagne étaient extrêmement conflictuelles*. Ernest Renan polémiquait* avec un historien allemand, à propos du rattachement de l'Alsace et de la Lorraine au territoire national. Il voulait montrer que la volonté d'adhérer à la France était plus importante que la race, la langue ou la culture. « Une nation est une âme, un principe spirituel. Deux choses qui, à vrai dire, n'en font qu'une, constituent cette âme, ce principe spirituel. L'une est dans le passé, l'autre est dans le présent. L'une est la possession en commun d'un riche legs de souvenirs ; l'autre est le consentement actuel, le désir de vivre ensemble, la volonté de faire valoir l'héritage qu'on a reçu indivis* ».

Ces théories se retrouvent en partie actuellement dans les débats sur une réforme du code de la nationalité. Jusqu'à ces dernières années, on a considéré que le fait de suivre les enseignements de l'école républicaine et celui de résider en France créaient suffisamment d'intégration socio-culturelle, de liens affectifs et sociaux avec la nation française, pour justifier l'attribution automatique de la nationalité aux enfants d'étrangers nés en France. La loi réservait, cependant, la possibilité de s'opposer à l'acquisition de la nationalité française « pour défaut* d'assimilation ».

Dans les années 1980, une partie de l'opinion publique s'est montrée sensible aux thèses de certains hommes politiques mettant en avant le risque que la France devienne multiculturelle, qu'elle perde son unité et son identité nationale. L'Assemblée nationale, après un change-

LE TOUR DE LA FRANCE
PAR DEUX ENFANTS

«Le Tour de la France par deux enfants», écrit par Madame Fouillée sous le pseudonyme* de G. Brunot (édité aux environs de 1874 et sans cesse réédité jusqu'à aujourd'hui) est le livre de lecture qui a instruit et éduqué plusieurs générations de Français. Dans les milieux modestes, c'était «le livre» (quasiment unique) pour tous les enfants et même pour beaucoup d'adultes. Ce fut un des moyens qui a le plus contribué à forger le sentiment national des jeunes Français. Le projet d'éducation républicaine est clairement annoncé dans la préface:

«La connaissance de la patrie est le fondement de toute véritable instruction civique [...]. En racontant (aux enfants) le voyage courageux de deux jeunes Lorrains à travers la France entière (ils fuyaient la Lorraine parce qu'elle venait d'être annexée par les Allemands en 1871), nous avons voulu leur montrer comment chacun des fils de la mère commune arrive à tirer profit des richesses de sa contrée et comment il sait, aux endroits même où le sol est pauvre, le forcer par son industrie à produire le plus possible. [...] En même temps, ce récit place sous les yeux de l'enfant tous les devoirs en exemples, car les jeunes héros [...] ne parcourent pas la France en simples promeneurs désintéressés: ils ont des devoirs sérieux à remplir et des risques à courir. En les suivant le long du chemin, les écoliers sont initiés peu à peu à la vie pratique et à l'instruction civique en même temps qu'à la morale; ils acquièrent des notions usuelles sur l'économie industrielle et commerciale, sur l'agriculture, sur les principales sciences et leurs applications [...].

En groupant ainsi toutes les connaissances morales et civiques autour de l'idée de la France, nous voulons présenter aux enfants la patrie sous ses traits les plus nobles, et la leur montrer grande par l'honneur, par le travail, par le respect profond du devoir et de la justice.»

G. Bruno, Belin.

ment de majorité, a voté en mai 1993 une réforme du code de la nationalité. L'acquisition automatique de la nationalité a été supprimée. Les étrangers nés en France pourront dorénavant devenir Français, à condition d'en manifester expressément «la volonté» entre 16 et 21 ans (et à condition de n'avoir eu aucune condamnation pénale*).

C'EST TOUTE UNE HISTOIRE

L'enseignement de l'histoire de France est devenu obligatoire sous la Troisième République. Dispensé à travers le manuel d'histoire de Lavisse au XIXe siècle, puis par les manuels de Mallet et Isaac au XXe siècle, il a largement contribué à façonner la conscience nationale et le sentiment patriotique. Pour les fondateurs de l'enseignement «laïc, gratuit et obligatoire», il ne s'agissait pas seulement d'apprendre aux enfants à lire-écrire-compter, il s'agissait aussi de leur enseigner les valeurs de la Nation française et d'en faire de bons républicains.

La France s'est constituée à partir des rois capétiens (avec Hugues Capet, devenu roi en 987), mais puisque les Capétiens avaient succédé aux Carolingiens et aux Mérovingiens, la tradition royale considérait que l'origine du royaume de France remontait à Clovis, à la fin du Ve siècle.

À travers le «Lavisse», s'est imposé «le mythe hexagonal». En montrant que les frontières françaises étaient des frontières «naturelles», on a inculqué l'idée que la France n'était que l'aboutissement d'une évolution normale qui avait commencé avec la Gaule.

La République a imposé la thèse de l'origine gauloise de la France, faisant de Vercingétorix (défenseur malheureux des Gaulois contre les Romains) le premier héros de l'histoire nationale. La référence commune – «Nos ancêtres les Gaulois» – a entériné l'idée d'une unité territoriale et a effacé toutes les disparités de peuples, tant sur le plan ethnique que sur le plan linguistique.

Le culte des héros devait développer la fierté nationale et donc la cohésion nationale. L'identité française a été façonnée par des personnages de légende. Vercingétorix, le chef gaulois, a lutté vaillamment contre les puissants conquérants romains. Charles Martel a arrêté les Arabes à Poitiers. Charlemagne (à la barbe fleurie) a inventé l'école. Saint Louis (Louis IX) rendait la justice sous un chêne. Jeanne d'Arc, une jeune paysanne illettrée*, a eu le courage et l'audace de résister aux envahisseurs anglais. Henri IV souhaitait que tous les Français puissent manger la poule au pot le dimanche…

La Révolution française est toujours présentée comme l'événement majeur, qui coupe l'Histoire de France en deux périodes. Avant la Révolution, il y avait «la France de l'Ancien Régime», avec l'oppression par la monarchie et les inégalités. Après la Révolution, c'est la France de la Déclaration des Droits de l'Homme et du Citoyen.

La philosophie du siècle des Lumières, la Révolution, la Déclaration des Droits de l'Homme, en faisant de la France le premier pays véritablement moderne, en ont fait une nation d'exception. Les Français ont la certitude d'être la civilisation de référence, que le monde entier leur envie! Les combats pour la liberté, la justice, les droits de l'homme confèrent* à leur pays un rôle international important. La France ne

et Vercingétorix Alésia

31 mars-18 juillet 1994

Musée
des Antiquités
nationales

Place du Château
78103 Saint-Germain-en-Laye

À 20 mn de Paris par le RER A
Ouvert tous les jours, sauf le mardi,
de 9h. à 17h.15

Exposition organisée avec le soutien de la
B.P.ROP
BANQUE POPULAIRE

m Réunion
des Musées
Nationaux

Le chauvinisme

Les Français sont souvent critiqués – sans doute avec raison – pour leur chauvinisme, c'est-à-dire leur admiration, leur attachement un peu partial à leur pays... Mais qui était donc ce soldat Chauvin, resté si célèbre pour son patriotisme ?

« Le soldat Chauvin, qui aurait fait les guerres de la Révolution et de l'Empire, et serait revenu chez lui à la Restauration couvert de dix-sept blessures à la face et d'autant de décorations, n'a en fait jamais existé. C'est un mythe créé par les chansonniers du XIXe siècle. » (Pierre Nora).

TÉMOIGNAGE

« J'en témoigne : fils d'immigré, c'est à l'école et à travers l'histoire de France que s'est effectué en moi un processus d'identification mentale. Je me suis identifié à la personne France, j'ai souffert de ses souffrances historiques, j'ai joui de ses victoires, j'ai adoré ses héros, j'ai assimilé cette substance qui me permettait d'être en elle, à elle, parce qu'elle intégrait à soi non seulement ce qui est divers et étranger, mais ce qui est universel. Dans ce sens, le « nos ancêtres les Gaulois » que l'on a fait ânonner aux petits Africains ne doit pas être vu seulement dans sa stupidité. Ces Gaulois mythiques sont des hommes libres qui résistent à l'invasion romaine, mais qui acceptent la culturisation dans un Empire devenu universaliste après l'édit de Caracalla. Dans la francisation, les enfants reçoivent de bons ancêtres, qui leur parlent de liberté et d'intégration, c'est-à-dire de leur devenir de citoyens français. Il y a eu certes des difficultés et de très grandes souffrances et humiliations subies par les immigrés, vivant à la fois accueil, acceptation, amitié, et refus, rejet, mépris, insultes. Les réactions populaires xénophobes, la permanence d'un très virulent antisémitisme, n'ont pu toutefois empêcher le processus de francisation, et, en deux ou au plus trois générations, les Italiens, Espagnols, Polonais, juifs laïcisés de l'Est et de l'Orient méditerranéen, se sont trouvés intégrés jusque dans et par le brassage du mariage mixte. Ainsi, en dépit de puissants obstacles, la machine à franciser laïque et républicaine a admirablement fonctionné pendant un demi-siècle. »

Edgar Morin, *Le Monde*, 5 juillet 1991.

L'UNIFICATION LINGUISTIQUE

Il suffit souvent d'une génération pour que les immigrés délaissent leur langue d'origine pour le français : dans 95 % des familles d'origine étrangère, les parents s'adressent à leurs enfants en français.

D'après *Libération*, décembre 1993.

LES COULEURS DANS LA POLITIQUE FRANÇAISE

«Le blanc et le rouge [...], c'est toute l'histoire électorale, et plus qu'électorale (passionnelle, culturelle, etc.) du peuple français sous la Troisième République, du moins dans les régions à fortes polarisations*. "Blanc", le conservateur, de tradition royaliste ou non, mais attaché en tout cas à la défense de l'Église et de ses positions d'influence dans la société. Bref, le clérical. "Rouge", en face, désigne le républicain avancé, le républicain de combat, de "défense républicaine" c'est-à-dire, en fait, le "laïque" et "l'anti-clérical" – ce qui ne veut pas dire forcément le révolutionnaire social. [...]

Un avatar* du bleu politique [est] celui qui s'est accroché à la notoriété vite acquise du testament de Jules Ferry. Il demandait à reposer avec les siens, au cimetière, "en face de cette ligne bleue des Vosges d'où monte jusqu'à mon cœur fidèle la plainte touchante des vaincus" (les Alsaciens). Rien ne prouve vraiment que Jules Ferry ait voulu [dans son testament] faire de la symbolique politicienne. [...] La toponymie* universelle est pleine de «montagnes bleues». Mais personne après lui n'a jamais plus cité la ligne des Vosges sans la qualifier de "bleue". Au XXᵉ siècle, le "bleu" en symbolique politique signifie [...] le patriotisme. Pour nommer la majorité issue des élections législatives de 1919 [Clemenceau, Bloc National, Anciens Combattants], le mot de "Chambre bleu horizon" fera fortune. Référence aussi, bien sûr, à la vareuse d'uniforme que bien des nouveaux députés, rescapés de la guerre, portaient encore. Le bleu est donc la couleur la plus solidement liée à la nation.

Jaune n'est pas politique à proprement parler. Il désigne le mauvais syndicaliste dans l'argot du syndicaliste révolutionnaire, soit que "le jaune" soit un briseur de grève, soit – pire encore – qu'il appartienne à un syndicat ami du patronat ou de l'État.

combat jamais que pour la bonne cause : puisqu'elle incarne le Bien, rien de ce qui se fait en son nom, rien de ce qui contribue à sa gloire et à sa grandeur ne saurait être injuste et condamnable ! Le nationalisme français a ainsi pu confondre facilement sa cause avec celle de l'humanité tout entière. L'Histoire de France s'est en revanche longtemps montrée très discrète sur certaines atrocités commises, que ce soient les guerres de Napoléon ou les guerres coloniales...

La politique humanitaire de la France, très active dans cette seconde moitié du XXᵉ siècle, est généreuse et utile, mais montre, d'une certaine façon, le sentiment et la volonté des Français d'être exemplaires et universels.

L'histoire a idéalisé la « République une et indivisible » voulue par la Révolution française. Tous les citoyens sont devenus «libres et égaux en droit », avec l'abolition des privilèges dont bénéficiaient la noblesse et le clergé. Toutes les régions de France ont été soumises aux mêmes lois, par la suppression des statuts particuliers des provinces. La séparation de l'Église et de l'État visait à contenir l'influence de l'Église catholique, jugée hostile à la République, et à la maintenir dans la

sphère privée. La doctrine républicaine a toujours refusé la constitution de communautés distinctes, que ce soit des communautés ethniques, linguistiques ou religieuses. Elle a souhaité – et à peu près réussi – l'intégration et l'assimilation rapide des immigrés, en particulier ceux d'origine européenne : Polonais, Italiens, Espagnols, Portugais.

LIBERTÉ, LIBERTÉ CHÉRIE

L'abolition des privilèges, votée dans la nuit du 4 août 1789, devait bouleverser la société. « Elle emportait, cette nuit, l'immense et pénible songe des mille ans

du Moyen Âge », écrit le grand historien du XIXe siècle, Michelet. Et il poursuit : « Les Français furent assez fiers de leur cause et d'eux-mêmes pour croire qu'ils pourraient être égaux dans la liberté. »

Les Français sont très pointilleux* sur l'attachement au principe de l'égalité. Et pourtant, régulièrement, des journaux ou des émissions de télévision peuvent faire leurs gros titres sur « ces privilèges qui ont la vie dure » et qui font de la France « un des pays les plus inégalitaires du monde » : les énormes écarts de salaires, les avantages matériels ou fiscaux* attachés à certaines fonctions ou à certains métiers, l'inégalité des personnes devant la maladie ou devant l'espérance de vie en fonction de leur profession.

Le privilège de la naissance n'a pas disparu. Le sociologue Pierre Bourdieu a bien montré comment fonctionne en France « la reproduction » sociale et culturelle. Les diplômes ont sans doute plus d'importance en France que dans d'autres pays et, à diplôme égal, l'origine sociale favorise l'accès à certains postes. Même si l'école est obligatoire pour tous, elle ne permet pas d'accéder pleinement à « l'égalité des chances » et ne fait, le plus souvent, que reproduire la hiérarchie sociale.

L'argent est un puissant facteur de ségrégation sociale. Les fortunes sont certes moins spectaculaires que sous l'Ancien Régime, mais les contrastes sont flagrants* entre des gens qui vivent – si ce n'est toujours dans l'opulence – du moins dans la sécurité matérielle, et des gens qui sont dans une très grande pauvreté. En France, l'argent reçu de naissance est moins mal considéré que celui qui a été acquis par ceux que l'on qualifie du terme péjoratif* de « nouveaux riches ».

Rose enfin [...]. Le parti socialiste refondé par François Mitterrand s'est doté d'un emblème inédit, la rose au poing. [Une rose rouge, d'ailleurs, mais le nom de la rose est aussi un nom de couleur]. [...] Or il se trouve que le langage politique avait, depuis au moins 1900, l'habitude d'attribuer le rouge au parti le plus avancé vers l'extrême-gauche, et – ironiquement mais logiquement – le rose au parti un peu moins avancé. [...] En 1981, un journaliste a parlé de la "marée rose" qui déferlait au Palais Bourbon. »

Maurice Agulhon,
in « Ethnologie française » n° 4,
octobre – décembre 1990.

● ● ● ● ● ● ● ● ● ● ● ●

● ● ● ● ● ● ● ● ● ● ● ●

L'ÉLITISME RÉPUBLICAIN

Puisque la République accorde une grande importance à l'école, le savoir (attesté par les diplômes) est le garant des qualités de l'administration et de l'impartialité de l'État : la méritocratie* remplace les privilèges de la naissance et légitime la hiérarchie sociale.

Au terme d'une sélection sévère, les très bons élèves intègrent les « Grandes Écoles ». Les plus prestigieuses de ces écoles, l'École Polytechnique et l'École Normale Supérieure, ont été créées pendant la Révolution. À l'issue des études, ceux qui obtiennent les meilleurs classements accèdent aux « Grands Corps » de l'État, c'est-à-dire aux plus hautes fonctions de l'administration. En France, toute l'élite administrative, politique et économique sort de ces « Grandes Écoles » et constitue par son esprit de corps ce que Bourdieu appelle une « noblesse d'État ».

Le recrutement des personnels de la fonction publique se fait sur concours : des jurys sélectionnent et classent les candidats sur la seule base de leur niveau de formation et de leur savoir. Le recrutement des fonctionnaires par concours garantit la qualité de l'Administration et son impartialité vis-à-vis des hommes politiques.

● ● ● ● ● ● ● ● ● ● ● ●

LAÏC OU LAÏQUE?

On confond souvent les termes « laïc » et « laïque » alors qu'ils ne sont pas synonymes. Le « laïc » – celui qui n'est pas un clerc – est un croyant, mais il ne fait pas partie du clergé. Le « laïque » s'oppose au « clérical », car il est partisan de la laïcité et de l'État laïque, il lutte pour que la société soit indépendante de toute confession religieuse. L'enseignement laïque s'oppose à l'enseignement confessionnel.

L'ÉTAT C'EST AFFREUX, L'ÉTAT DOIT CASQUER*...

Ils se disent libéraux et, pourtant, ils demandent toujours plus d'État !

« Pourquoi Jacques Calvet, le tumultueux* PDG de Peugeot-Citroën, est-il si populaire parmi les patrons de PME ? Parce que, comme eux, il passe une moitié de sa vie à pourfendre* l'interventionnisme des pouvoirs publics, et l'autre à exiger qu'ils lui viennent en aide. Cette attraction-répulsion ne vaut pas que pour l'économie : l'âme française tout entière est tricotée ainsi, une maille d'anarcho-grognardise*, une maille de rigueur jacobine. Comment pourrait-elle entretenir un rapport équilibré avec son État ? Lorsque, recevant pour un bicentenaire un aréopage* de chefs d'État étrangers, les pouvoirs publics entreprennent de bloquer la capitale avec de clinquants* cortèges de motards, les Parisiens s'offusquent des grotesques idiosyncrasies* mitterrandiennes, pestent contre ce faste de république bananière*. Mais le soir, debout par centaines de milliers dans les contre-allées des Champs-Élysées, ils regarderont, la fierté au cœur, l'impeccable ordonnancement du défilé, en remerciant les autorités de le leur servir si parfait. Les Français aiment leur État. Et ils le détestent !

La vague libérale, si puissante à la fin des années 80, aurait pourtant dû leur permettre de couper le cordon avec le Léviathan*. N'en avaient-ils pas ras-le-

UNE SOCIÉTÉ LAÏQUE

Aux débuts de la Troisième République, la laïcité était partie intégrante de la « bonne vieille morale de nos pères ». La laïcité de l'État devait garantir la liberté et l'unité de la patrie. La laïcité de l'enseignement devait permettre de sortir les enfants de l'influence de l'Église et de celle de leurs parents, et donc d'élargir leur horizon social et culturel. La laïcité – c'est-à-dire l'indépendance des institutions vis-à-vis de l'Église – est étroitement liée à l'idéal républicain. La loi du 9 décembre 1905, séparant les Églises de l'État, est une des grandes lois de la République. Elle stipule*, d'une part que « la République assure la liberté de conscience » mais, d'autre part, que « la République ne salarie ni ne subventionne aucun culte ». Il n'y a donc pas, comme dans d'autres pays, de paiement d'impôts pour l'une ou l'autre église. La République des citoyens est fondée sur le partage d'une culture commune et non sur le rattachement à une communauté. La société française est toujours marquée d'une façon sans doute plus forte que dans d'autres pays européens, par une opposition entre l'espace public – l'État, les institutions, l'école – et l'espace privé : la famille, la religion. L'État agit pour l'universel et donc la modernité, tandis que la famille et la religion appartiennent à l'affectivité et à la tradition.

On ne peut pas comprendre les grands débats qui ont agité à plusieurs reprises la France entière à propos du « voile islamique » (des enseignants refusant d'accepter en classe des jeunes filles musulmanes parce qu'elles portent le voile islamique), sans se référer à cette conception historique de la laïcité. Ce n'est pas le droit à la pratique religieuse qui est mis en cause, mais l'affichage de signes religieux à l'intérieur de l'école publique. Pour les défenseurs de l'école laïque, l'école doit être un lieu où tous les enfants sont égaux, un lieu où ils sont soustraits à la contrainte que peut éventuellement exercer sur eux leur milieu familial.

LE RÔLE DE L'ÉTAT

Le rôle très important de l'État – qui constitue un particularisme tel qu'on peut parler d'État « à la française » – a une longue histoire. L'idée d'État a été développée en France dès la fin du Moyen Âge. Durant tout l'Ancien Régime, les souverains qui incarnaient l'État (« L'État, c'est moi », disait Louis XIV) ont cherché à imposer leur pouvoir absolu dans tous les domaines. Dans la vie politique, ils ont éliminé tout contre-pouvoir local. Dans le domaine économique, l'interventionnisme de l'État s'est manifesté très tôt sous le nom de « colbertisme » (Colbert était ministre de Louis XIV).

Avec la Révolution française, la nation est devenue la « source exclusive de souveraineté ». La souveraineté qui était auparavant exercée par le roi a été transférée aux représentants de la nation. L'idéologie révolutionnaire a contribué à imposer le concept moderne d'État-Nation. Selon « le principe des nationalités » (qui s'est manifesté dans de nombreux pays au XIXᵉ siècle), toute nation a le droit d'affirmer son identité et son indépendance et de se doter d'un État.

La doctrine républicaine a conforté la nécessité d'un État puissant et centralisé (le jacobinisme), pour renforcer l'unité nationale. Cette idée s'est imposée tout au long du XIXᵉ siècle et au XXᵉ siècle, jusque dans les années 80, lorsqu'ont été votées les lois de décentralisation. La France était, de tous les pays occidentaux, le plus centralisé, prenant en charge des secteurs qui relèvent ailleurs d'organismes régionaux, locaux ou privés. L'État républicain incarne l'intérêt national. Il peut intervenir en toutes circonstances pour défendre les intérêts de la Nation et donc des citoyens. L'État-protecteur réalise l'unité, freine les intérêts particuliers, défend les libertés fondamentales. L'État-éducateur organise l'enseignement. L'État hygiéniste assiste les individus qui sont dans la pauvreté et la détresse. L'État-providence fixe des règles de distribution sociale fondées sur la justice. L'État est aussi le garant de la croissance économique et du progrès social. Il doit jouer un rôle moteur dans la régulation et la modernisation de l'économie. Ce rôle a été très important, en particulier dans l'industrialisation au XIXᵉ siècle, et dans la période de reconstruction après la Seconde Guerre mondiale.

L'État français se caractérise aussi par des spécificités juridiques. Pour préserver son autonomie, l'État s'est doté d'un droit distinct du droit commun (« le droit administratif »). Pour que les fonctionnaires ne soient pas soumis à l'arbitraire du pouvoir politique, ils sont recrutés par concours et sont protégés par le statut de la fonction publique (qui leur garantit un emploi à vie, leur donne la possibilité de se syndiquer et le droit de faire grève).

L'omniprésence de l'État crée chez les Français des sentiments contradictoires, qui relèvent quasiment de la schizophrénie* ! Ils aiment l'État… et le détestent en même temps. Au nom du libéralisme, ils réclament qu'un rôle plus grand soit laissé à la société civile. L'État les opprime, mais l'État doit payer… La pression fiscale est considérée comme intolérable, mais les Français attendent de l'État « toujours plus » : plus d'écoles et d'enseignants, plus de protection sociale, plus d'allocations pour les chômeurs et pour les pauvres, plus de policiers, plus de soutien aux secteurs économiques en difficulté, etc. ■

bol* de ses réglementations tatillonnes*, de ses cotisations sociales, de sa bureaucratie, de ses corruptions, de son énarchie ? À quoi bon continuer de vénérer un État impuissant à résoudre la crise – voire suspect de la nourrir ? C'était dit, on allait se débrouiller sans lui. Privatiser les entreprises. Abandonner les politiques industrielles. Dégraisser* la fonction publique. Rendre son autonomie à la société civile. Diminuer une fois pour toutes les impôts. Et, à la guerre comme à la guerre, se passer d'une partie des filets de protection sociale, si voraces en prélèvements obligatoires.

L'ennui, c'est qu'il fait froid dehors. Le chômage, les bas salaires, la concurrence japonaise, la nouvelle pauvreté, la croissance qui se traîne, les avantages acquis effrités, la précarité, la Sécu en danger, l'angoisse du lendemain… Tout se passe comme si les Français avaient choisi le plus mauvais moment pour s'émanciper de leur père nourricier. Car sans État, pas de Smic. Pas de retraite garantie, pas d'assurance maladie, pas de subventions, pas de construction navale. Et, horrible perspective, personne à qui s'en prendre quand tout va mal. L'État français "parfait et omniprésent", comme le décrit le sociologue Michel Crozier, constitue un bouc émissaire* tout trouvé, un irremplaçable exutoire*. Impossible de faire sans lui ?

Alors, très vite, les Français sont retombés dans les vieilles habitudes. Comme un adolescent en fugue découvre, l'œil mouillé, combien il reste dépendant de son père, ils ont couru se blottir de plus belle dans le giron* de leur État. "Le libéralisme a glissé sur le pays sans l'atteindre". Seul en est demeuré le discours, accroissant l'impression de schizophrénie ambiante. Pour le reste… Les industriels du bâtiment, ex-champions du "moins d'État", pleurnichent à nouveau pour obtenir une relance de leur secteur. Les routiers pour se faire refiler quelques avantages. Les assurés sociaux pour qu'on continue à rembourser les médicaments "de confort". Bref, tout est rentré dans l'ordre. Inutile État, que serait-on sans toi ? »

L'Événement du Jeudi,
17 au 23 septembre 1992.

••••••••••••••••••

1
CONTRÔLEZ VOS CONNAISSANCES EN HISTOIRE DE FRANCE

À quelle époque de l'histoire se rattachent ces personnages ?

1. Charlemagne
   a. Iᵉʳ siècle après J.-C.
   b. IIᵉ siècle
   c. VIIIᵉ siècle

2. Dreyfus
   a. XVIIIᵉ siècle
   b. Révolution
   c. IIIᵉ République

3. Le Général de Gaulle
   a. Guerre de 14-18
   b. Guerre de 39-45
   c. Vᵉ République

4. Henri IV
   a. Moyen Âge
   b. Massacre de la Saint-Barthélemy (1572)
   c. Révolution française

5. Jeanne d'Arc
   a. XIIᵉ siècle
   b. Guerre de Cent Ans (1337-1453)
   c. XVIIIᵉ siècle

6. Jules Ferry
   a. Révolution
   b. IIIᵉ République
   c. Guerre de 39-45

7. Louis XIV
   a. XVIᵉ siècle
   b. XVIIᵉ siècle
   c. XVIIIᵉ siècle

8. Napoléon
   a. XVIᵉ siècle
   b. XVIIᵉ siècle
   c. XIXᵉ siècle

9. Saint-Louis (Louis IX)
   a. Moyen Âge
   b. XIᵉ siècle
   c. XVIIᵉ siècle ?

10. Vercingétorix
    a. Iᵉʳ siècle avant J.-C.
    b. Iᵉʳ siècle après J.-C.
    c. Xᵉ siècle ?

2
QUEL BEAU PAYS, LA FRANCE !

Un intellectuel allemand, Sieburg, a écrit en 1930 un ouvrage polémique sur la France : *Dieu est-il français ?*. Dans l'extrait ci-dessous, il décrit avec une certaine ironie le sentiment de fierté qu'ont les Français à l'égard de « leur beau pays ».

« Si, en compagnie d'un Français, on regarde la carte de son pays, dans la plupart des cas il en accompagnera les contours d'un geste presque tendre de la main, il suivra les lignes de la Seine ou du Rhône, palpera les courbes adoucies que la mer creuse dans le pays, et son regard brillant ne s'en détachera finalement que sur cette exclamation : « Quel beau pays ! ». Fidèle à sa conception de la nature, le Français estime que le mérite de cette élégance géographique lui revient un peu. Car, encore qu'il n'en soit pas le créateur, c'est lui qui a choisi et qui a unifié ce pays, sous cette forme si heureuse avec laquelle il nous apparaît aujourd'hui. Il sent devant cette carte l'action de l'esprit – et de quel esprit, sinon du sien ? »

Friedrich Sieburg, *Dieu est-il français ?*, Grasset, 1930.

Suivez la description que Sieburg fait de la géographie de la France en regardant une carte.

En quoi, selon vous, l'école contribue-t-elle à forger ce sentiment ?

3
UN ESPACE POUR LA LIBERTÉ

L'Abbé Pierre se bat, depuis le début des années 50, contre l'exclusion sous toutes ses formes : il soutient les sans-logis, il aide les pauvres et ceux qui sortent de prison, etc. En juin 1994, à l'occasion du cinquantième anniversaire du débarquement allié en Normandie, il a fait cette déclaration, reproduite dans de nombreux journaux et sur des affiches placardées dans les rues :

«La liberté, pour moi, elle est :

Ou bien émerveillement, quand je sais que c'est ce qui me rend capable d'amour.

Ou bien épouvante, si c'est la liberté du loup au milieu des agneaux.

Ou bien dégoût de vivre, si pour les hommes, la vie n'a pas de sens.

La liberté est ce qui peut donner à la vie de chacun la certitude de n'être pas " pour rien", mais un peu de temps pour – si tu veux – apprendre à aimer pour la rencontre de l'Éternel Amour».

Pourquoi faire une déclaration sur la liberté à l'occasion du cinquantième anniversaire du débarquement allié sur la côte normande ?

S'agit-il pour vous d'une définition religieuse de la liberté ou bien d'une définition à laquelle des laïcs peuvent adhérer ?

4
INSTRUCTION CIVIQUE

Associez chacun des mots et expressions à la définition qui lui correspond.

1. accomplir son devoir de citoyen
2. assimilation
3. émigré
4. immigré
5. les droits civiques
6. fraternité
7. intégration
8. jacobinisme
9. laïque
10. nationalité

a. appartenance d'une personne à un pays déterminé
b. doctrine politique qui privilégie un État centralisé
c. indépendant de toute confession religieuse
d. sentiment de lien entre les membres d'une même famille ou d'une même communauté
e. processus par lequel des étrangers ne se différencient pas de l'ensemble des membres du pays d'accueil
f. voter
g. le contraire de l'isolement, de l'exclusion (de « la ségrégation »)
h. une personne venue d'un pays pauvre pour travailler dans un pays industrialisé
i. une personne expatriée, qui a quitté son pays d'origine
j. les droits du citoyens

5
LA GUERRE SCOLAIRE

Le 16 janvier 1994, plusieurs centaines de milliers de personnes participaient à Paris à une manifestation pour la défense de la laïcité de l'enseignement.

« L'école, depuis deux siècles, [...] est tombée dans l'inconscient collectif. À son seuil, l'État et l'Église y ont mené des guerres, des combats politiques, des luttes idéologiques. Aujourd'hui encore, l'école prouve qu'elle seule, en dernier ressort, sait cristalliser la grogne et le mécontentement. Elle seule, mieux que la crise ou le chômage en tout cas, sait jeter la vindicte populaire dans la rue ».

Le Monde, 16-17 janvier 1996.

En vous aidant du texte du chapitre, expliquez pourquoi l'école est un enjeu si important en France depuis deux siècles.

Qu'appelle-t-on « la guerre scolaire » ?

En quoi peut-on dire que la laïcité de l'enseignement est un thème plus sensible en France que dans la plupart des autres pays occidentaux ?

Les Français se comportent avec la loi
d'une façon qui peut sembler assez laxiste* à beaucoup d'étrangers.
Chacun considère que la loi est un cadre nécessaire...
mais qu'en de nombreuses circonstances, il n'est pas forcément mal vu
de l'interpréter en sa faveur, de la contourner
ou même de la transgresser.

NUL N'EST CENSÉ IGNORER LA LOI

LA LOI DE LA JUNGLE

Tocqueville se désolait que les Français accordent aussi peu de respect à la loi. Il a montré que c'était là un héritage de l'Ancien Régime. Ce n'était pas la loi qui protégeait de l'arbitraire* du Prince, mais «une espèce de liberté irrégulière et intermittente...toujours liée à l'idée d'exception et de privilège». «On se plaint souvent, disait-il, de ce que les Français méprisent la loi; hélas! Quand auraient-ils pu apprendre à la respecter? On peut dire que chez les hommes de l'Ancien Régime, la place que la notion de loi doit occuper dans l'esprit humain était vacante. Chaque solliciteur* demande qu'on sorte en sa faveur de la règle établie avec autant d'insistance et d'autorité que s'il demandait qu'on y rentrât, et on ne la lui oppose jamais, en effet, que quand on a envie de l'éconduire*.»

Puisqu'on peut toujours invoquer une situation spéciale pour bénéficier de passe-droits* et trouver des arrangements particuliers, l'application stricte de la loi est pratiquement considérée comme une sanction. Pierre Daninos note, dans «Les carnets du major Thomson», qu'il entendit un douanier français dire à un voyageur qui avait commis deux infractions: «Si ça continue, vous allez m'obliger à appliquer le règlement»...

Savoir utiliser ses relations, trouver les points faibles du règlement, argumenter pour se faire disculper sont des signes de débrouillardise, voire d'intelligence. On a tellement l'habitude de contourner les règles officielles que bien souvent personne ne songe sérieusement que les innombrables notes ou interdictions affichées dans les lieux publics pourraient être prises à la lettre.

Un étranger pouvait s'étonner par exemple en lisant, il y a encore peu de temps, dans tous les wagons du métro parisien, la liste des personnes à qui l'on devait, dans l'ordre, céder une place

LA FRANCE QUI TRICHE

Question: *Pour chacune des choses suivantes, pouvez-vous dire si elle vous paraît tout à fait, plutôt, pas vraiment ou pas du tout condamnable moralement?*

	A	B
■ Frauder aux élections	93	5
■ Frauder la Sécurité sociale, les Allocations familiales	96	3
■ Toucher le chômage et travailler en même temps	91	8
■ Faucher* chez un petit commerçant	91	8
■ Tricher aux examens	88	12
■ Voler dans un grand magasin, un supermarché	87	11
■ Frauder le fisc	84	15
■ Tricher sur les assurances	86	13
■ Tricher sur les horaires de travail	79	19
■ Ne pas payer dans les transports en commun	78	21
■ Se garer sur un parking pour handicapés	77	22
■ Tricher dans une partie de sport	74	24
■ Truquer son dossier pour échapper au service militaire	62	36
■ Tricher sur les notes de frais	74	23
■ Tricher au jeu	62	35
■ Tricher pour ne pas payer la redevance télé	69	30
■ Doubler dans une file d'attente	69	30
■ Faire « sauter »* des contraventions	57	42
■ Frauder en travaillant au noir	60	39
■ Faire jouer ses relations pour obtenir une faveur	35	63
■ Tricher sur son âge	24	74

Réponse A: tout à fait ou plutôt condamnable moralement (en %).
Réponse B: pas vraiment ou pas du tout condamnable moralement (en %).

Sondage SOFRES,
Le Nouvel Observateur, 21 juillet 1994.

assise: 1° les mutilés de guerre; 2° les aveugles civils, les invalides du travail, les infirmes civils; 3° les femmes enceintes et les personnes accompagnées d'enfants de moins de quatre ans. Si par hasard différentes personnes appartenant à chacune de ces catégories s'étaient présentées en même temps, comment le problème aurait-il pu être réglé au niveau juridique? Nul doute qu'aucun Parisien ne s'est jamais posé une question aussi saugrenue*. Une telle situation aurait été réglée de manière informelle. Jamais la menace d'une sanction pour infraction au règlement n'aurait été mise en avant.

Comme un certain nombre de pays, la France a adopté dernièrement un décret anti-tabac (appelé « la loi Evin »). Entrée en vigueur le 1er novembre 1992, cette loi interdit de fumer dans les lieux publics (le métro notamment); elle oblige les cafés et les restaurants à prévoir des espaces séparés pour les fumeurs et pour les non-fumeurs; elle prévoit que dans les entreprises, il est interdit de fumer dans les espaces collectifs, sauf dans certaines zones signalées.

La plupart des bistrots et des restaurants se sont trouvés dans l'incapacité (ou n'ont pas eu envie) d'avoir deux salles séparées. Certains ont affiché dans un coin – en général l'endroit le moins agréable, près des toilettes par exemple! – « lieu non-fumeurs ».

D'autres ont carrément tourné la loi en ridicule en affichant à l'entrée de leur établissement « Non-fumeurs tolérés »! Après la mise en application de la loi, on pouvait se rendre compte qu'aucune plainte n'avait été enregistrée, qu'aucune amende n'avait été infligée aux fumeurs récalcitrants*, pourtant nombreux à l'évidence… Les agents chargés officiellement de verbaliser ont reçu la recommandation de ne pas appliquer* la loi à la lettre. Quant aux

non-fumeurs, ils ont préféré s'en tenir à une cohabitation pacifique avec les fumeurs.

SYSTÈME D

On dit que « le système D » (D comme débrouillardise), la « combine », la « resquille », la « magouille » font partie de la culture des Latins. Mais la frontière est parfois bien floue entre la débrouillardise et la véritable fraude.

Le resquilleur essaie d'entrer partout sans payer ou de s'infiltrer dans des cocktails ou des soirées auxquels il n'a pas été invité. Il échappe à la vigilance du personnel de surveillance en se faisant tout petit ou grâce à son air innocent et son sourire charmeur. Il « récupère » tout ce qu'il peut.

Tout Français se sent persécuté par l'État, qui veut lui prendre de l'argent : impôts directs, TVA sur les produits et services qu'il achète, contraventions. Il se mobilise en permanence pour essayer de ne pas payer ou de payer moins, sans considérer le moins du monde qu'il commet un délit*. Il est en situation de légitime défense face à l'agresseur qu'est pour lui l'État ! La fraude fiscale – considérée comme un véritable sport national et relativement bien tolérée même par ceux qui ne la pratiquent pas – est de loin le délit qui coûte le plus cher à la collectivité, puisqu'on estime qu'elle représente un manque à gagner d'au moins cent milliards de francs par an. Elle va de la tricherie dans les déclarations de revenus au non-paiement total des impôts.

Peu nombreux sont les Français n'ayant jamais pratiqué un jour ou l'autre le paiement de factures de la main à la main ou n'ayant jamais payé

Je vole, tu triches, il trafique*, mais... nous payons tous !

Le prix d'une journée ordinaire
42 237 francs d'amende
et six semaines de prison avec sursis

Bip... bip..., 7 heures. En pleine forme, Jean saute du lit et enfile son peignoir, griffé aux armes d'un grand hôtel où Jean l'a «emprunté» ❶. Douche, petit déjeuner, Jean sort sa voiture du garage, construit au noir. Ni vu ni connu et sans TVA ❷. Avant de démarrer, il vide sur le trottoir son cendrier bourré de mégots ❸. L'air est vif. Barnabé, le fidèle chien de Jean, est attaché dehors. Comme tous les jours il va aboyer toute la journée ❹. En voiture, un petit air de musique sur l'autoradio récupéré pour pas cher auprès d'un copain du copain d'un copain ❺. Déjà la gare de banlieue, le train, Jean saute le tourniquet ❻ : un peu de sport ne fait pas de mal. Arrivé au bureau, Jean allume son ordinateur et lance son tableur préféré, dont un copain – encore – lui a vendu une copie le quart du prix officiel ❼. Puis il appelle tatie Josiane à Nice, pour son anniversaire. Sacrée tatie, avec elle on passe toujours une demi-heure au téléphone ❽. Après une journée bien remplie, Jean va s'offrir quelques livres. Dont deux passés dans ses poches au nez et à la barbe du commerçant ❾, d'ailleurs la culture devrait être gratuite. Sympa, le garagiste a facturé un pare-brise à la place de l'aile froissée qu'il avait redressée ❿.

→ BILAN D'UNE JOURNÉE ORDINAIRE :

54 522 F en amendes et pénalités diverses, plus un mois et demi de prison avec sursis. Et encore est-ce sans compter les mille et une infractions quotidiennes commises par chaque automobiliste comme les excès de vitesse, notamment en ville (mais qui les respecte ?).

→ DÉTAILS DE L'ADDITION :

❶ 700 F de peignoir, que l'hôtel aurait pu facturer,

❷ 27 000 F de TVA et de charges sociales impayées,

❸ 250 F d'amende pour les mégots par terre,

❹ 600 F d'amende pour le chien qui aboie,

❺ 10 000 F d'amende pour le recel et quinze jours avec sursis, plus confiscation de l'autoradio, 1 500 F,

❻ voyager sans billet, 385 F d'amende et de frais de dossier,

❼ 10 000 F d'amende, plus confiscation des logiciels piratés, 8 000 F,

❽ 87 F de téléphone dus à l'employeur,

❾ 2 000 F d'amende por vol et un mois avec sursis,

❿ remboursement de l'assurance, 3 500 F.

50 Millions de consommateurs, 15 mars 1993.

LES FRANÇAIS ET L'AUTORITÉ :
LA VISION D'UN AMÉRICAIN

« À l'école, le jeune Français respecte, dans son professeur, le détenteur du savoir, mais il est prompt* à manifester collectivement par le chahut sa défiance envers le gardien de l'ordre. Devenu citoyen, il oscillera de même entre l'attachement à la règle et la rebellion contre ceux qui exercent l'autorité. À en juger par cette analyse d'un observateur étranger, c'est tout le fonctionnement de la vie politique française qui serait marqué par le phénomène de la "communauté délinquante".

L'explication de texte apprend à l'enfant la magie du beau langage. […] À ceux qui ont du style beaucoup sera pardonné. […] Pour le professeur, c'est la capacité de commander l'attention et de dominer toute situation imprévue (un rire d'élève, un oiseau qui entre par la fenêtre) par les mots qui recréent l'ordre prévisible, le silence, la sécurité. Quand le professeur a du style, les enfants et lui sont soudés dans le consensus de la communauté culturelle, l'infériorité des élèves perdant son caractère humiliant dans la reconnaissance de la légitimité du pouvoir professoral. S'il ne sait pas dominer sa classe, par le ton, par les mots, il sera chahuté sans merci. Le chahut fait partie de l'apprentissage des termes de l'engagement dans le groupe des camarades. […] Le groupe des élèves se soude contre l'autorité défaillante de certains professeurs, s'empare de la direction de la classe et crée une sorte de happening où enfin l'élève est libre d'exprimer sa volonté, son désir de parler, et ceci dans la miraculeuse unanimité avec tous ses camarades (enfin, presque tous, car il y a toujours des lèche-bottes* et des polards* qui se tiennent en dehors). À l'opposé de l'unanimisme de la communauté culturelle il y a l'unanimisme de la communauté délinquante. Elle est "délinquante" parce qu'elle n'existe que dans la rebellion contre l'autorité constituée. […]

Les rôles intrinsèques à la constitution et à l'activité de la communauté délinquante sont intériorisés par les

— *C'est à qui le tour de tricher aujourd'hui ?*

certains travaux « au noir* », afin d'éviter le paiement de la TVA ou de charges sociales à l'État. En déclarant une fausse adresse lors de l'achat d'un téléviseur, beaucoup espèrent échapper au paiement de la redevance due par tout possesseur d'un poste de télévision.

Les transports en commun, métro, bus et train, sont des services publics fréquemment victimes de la fraude. Chaque jour, près de 7 % des voyageurs du métro et du RER parisiens sont en infraction. Ce ne sont pas uniquement des jeunes ou des personnes sans ressources, ce sont tout aussi bien des cadres, des mères de famille, des personnes âgées, etc. Parfois c'est parce qu'ils n'ont plus de tickets et ne veulent pas perdre de temps au guichet, parfois aussi c'est pour « se dédommager » d'avoir par exemple subi un retard ou une grève du métro, ou tout simple-

ment pour le petit frisson dû au plaisir d'être en infraction ! Un voyageur avec ticket refusera rarement qu'un voyageur sans ticket passe avec lui dans le tourniquet bloquant l'accès aux quais. Cette manifestation de solidarité est bien le signe que toute personne a déjà été elle-même en situation de frauder ou sait qu'elle pourrait l'être un jour.

LA RESQUILLE

Le resquilleur ne se considère pas comme un voleur. Les petits plaisirs de la resquille s'exercent dans de nombreuses situations de la vie quotidienne : passer avant son tour dans une file d'attente, se précipiter quand l'autobus arrive pour avoir plus de chance d'avoir une place assise, « emprunter » (de façon définitive !) un magazine dans la salle d'attente du dentiste, essayer en différentes occasions de ne pas payer ou de bénéficier de réductions auxquelles on n'a pas droit.

Mais la resquille peut s'apparenter aussi à un véritable délit. Beaucoup de Français se jugeant pourtant très honnêtes sont prêts à se compromettre avec la loi lorsque cela les arrange. S'il y a beaucoup de vols, par exemple, c'est bien parce qu'il y a beaucoup d'acheteurs d'objets volés. Un automobiliste à qui on aura volé son auto-radio sera tout heureux la semaine suivante de pouvoir en racheter un à bon prix, un appareil volé évidemment. Il se considérera totalement non coupable alors qu'au regard de la loi, il est receleur* d'objet volé et risque la prison.

Beaucoup de Français ont tendance à considérer que les commerçants sont à priori tous « des voleurs ». Certains estiment qu'ils ne font que récupérer une part de ce qui leur est pris indûment en pratiquant de temps en temps « la fauche » dans les magasins, que ce soit le vol ou le changement d'étiquettes (à la baisse bien sûr !). Parmi ceux qui avouent « piquer dans les magasins » alors qu'ils ne sont absolument pas dans le besoin, la plupart déclarent qu'ils ne volent jamais chez les petits commerçants.

C'est une distinction subtile. En pratiquant la fauche dans les grands magasins uniquement, ils se donnent bonne conscience en se persuadant qu'il s'agit d'un acte de rébellion contre une entreprise capitaliste, (tandis que chez un petit commerçant, ce serait véritablement un vol contre une personne). D'ailleurs, on constate que beaucoup de Français ne sont pas indignés outre mesure des vols dans les grands magasins, car ils considèrent que c'est la rançon de l'abondance des marchandises exposées à la convoitise du public.

LA PEUR DU GENDARME

Les automobilistes ont la réputation de se conduire en de nombreuses occasions comme de véritables goujats. Il leur arrive souvent de dépasser les limitations de vitesse, de circuler en ville dans les couloirs réservés aux autobus, de ne pas ralentir sur les passages piétonniers alors même que des piétons sont engagés (les piétons n'étant d'ailleurs pas très disciplinés eux-mêmes), de se garer n'importe où, y compris devant un arrêt d'autobus ou devant une sortie de garage. C'est la loi du plus fort et du « Pas vu, pas pris ». Ce qui amène à respecter le règlement, c'est surtout la peur du gendarme ! Et la solidarité entre automobilistes fonctionne quand il s'agit de lui résister ! Sur une route, dès qu'un conducteur a vu les policiers ou les gendarmes, ou a repéré un radar de contrôle de vitesse, il se doit de faire des appels de phares à tous les automobilistes qu'il croise pour les avertir !

Quant aux contraventions, il est de bon ton de ne pas les payer. On estime qu'à Paris, plus de 30% des PV ne sont jamais payés. Il n'est pas rare de voir des automobilistes déchirer et jeter dans le caniveau une contravention pour stationnement interdit trouvée sur leur parebrise. Certains peuvent se flatter d'avoir des relations qui leur permettent de faire « sauter » leurs PV, mais c'est devenu plus difficile depuis que le système est informatisé. D'autres attendent en fait qu'ils arrivent plus tard à leur domicile (beaucoup plus tard... mais avec une grosse majoration !), espérant toujours qu'un miracle s'accomplisse entre-temps, par exemple une amnistie* après des élections présidentielles. ■

élèves et deviennent une partie de leurs prédispositions d'adultes [...] :

1) Aucune autorité ne peut s'attendre à être respectée du fait de son utilité fonctionnelle ou de son statut traditionnel. Il faut que l'autorité démontre sa possession de la magie des mots, qu'elle sache parler, avec les mots qui inspirent ou qui tuent [...]. L'autorité peut écouter, elle ne peut pas dialoguer sans nier sa supériorité.

2) L'autorité ne dialogue pas, mais discrètement on peut souvent s'arranger [...].

3) Il faut que les menaces de l'autorité soient crédibles, cela fait partie du style, mais jamais, ou pour ainsi dire jamais, l'autorité ne fait appel à la force physique pour imposer sa loi.

4) Le pouvoir appartient à ceux qui peuvent le prendre. Des enfants peuvent prendre le pouvoir à un professeur incapable de présence ou de style.

5) Le chahut donne la joie qui réconcilie tous les élèves dans l'unanimisme du contre, mais il ne menace pas les cadres de la vie scolaire maintenus par les professeurs non chahutables. [...]

Hors l'unanimisme de la communauté culturelle ou de la communauté délinquante, et hormis les amis intimes, il est pour ainsi dire impossible de s'unir dans des buts communs. Chacun cherche son intérêt personnel. »

Jesse R. Pitts, *Français, qui êtes-vous ?
Des essais et des chiffres*,
la Documentation française, 1981.

APPORTEZ-MOI LE DOSSIER DES FUTURES LOIS À CONTOURNER.

DIRECTION

1
SENS INTERDITS

Dans quel(s) lieu(x) pensez-vous que l'on peut trouver les inscriptions suivantes ?

1. Défense d'afficher
2. Danger. Défense d'entrer
3. Reproduction interdite
4. Pelouse interdite
5. Défense de fumer
6. Passage interdit
7. Stationnement interdit
8. Interdiction de photographier
9. Pour votre sécurité, il est interdit de parler au conducteur
10. Il est interdit d'interdire !

2
CHOIX INDIVIDUELS ET INTERDITS

Les Français ont tendance à considérer que c'est à chaque individu de déterminer «en son âme et conscience» ce qui est «bien» et ce qui est «mal»...

Parmi les actes ou les conduites présentés dans le sondage suivant, pouvez-vous distinguer, en commentant vos réponses :

a. ce qui relève d'un choix moral individuel

b. ce qui est une infraction à la loi

Réponses données à l'aide d'une liste	Une faute morale %	Une erreur %	Un péché %	Une affaire personnelle %	L'effet des conditions de vie %	Ne se prononcent pas %
– La vie en couple sans être marié	3	5	4	75	12	1
– La fraude fiscale	32	22	5	23	15	3
– L'infidélité conjugale	23	16	18	34	8	1
– L'homosexualité	9	11	8	59	8	5
– Un vol dans un grand magasin	28	22	12	11	25	2
– L'avortement	10	7	13	55	13	2
– Un excès de vitesse en auto	20	41	2	22	11	4

Sondage CSA paru dans *Le Monde*, le 12 mai 1994.

3

QUESTION DE POINT DE VUE !

Un même comportement peut être considéré de manière positive ou négative selon que l'on est plus ou moins laxiste avec la loi ou la morale.

Les phrases suivantes expriment un point de vue plutôt positif.

1. Il sait se débrouiller pour ne pas payer beaucoup d'impôts.

2. Il a l'art de se faufiler dans une file d'attente.

3. C'est un conducteur qui respecte scrupuleusement le code de la route.

4. Il a su utiliser ses relations pour faire une belle carrière.

Pour chacun de ces comportements, choisissez, parmi les adjectifs qui suivent, le plus adéquat pour exprimer une appréciation négative :

a. arriviste – b. fraudeur – c. resquilleur – d. timoré

4

IMPOSSIBLE N'EST PAS FRANÇAIS !

Cette phrase célèbre, attribuée généralement à Napoléon, est devenue une sorte de proverbe, souvent cité avec ironie. Voici le descriptif d'un film qui s'appelle justement *Impossible pas Français* (critique parue dans le journal Télérama).

Vérifiez que vous comprenez bien le vocabulaire utilisé en choisissant la définition adéquate dans la liste qui suit :

a. vaudeville – b. petit-bourgeois – c. univers conventionnel – d. bagout –

e. « des acteurs qui en font des tonnes » – f. de « vieilles plaisanteries »

1. facilité à parler, à baratiner, souvent pour faire illusion ou pour tromper

2. que l'on connait déjà, qui ont perdu de leur intérêt

3. qui en font beaucoup trop, qui exagèrent

4. comédie légère

5. qui possède tous les défauts de la petite bourgeoisie : mesquin, matérialiste, conformiste

6. très conforme aux normes sociales, peu naturel ou peu sincère

Imaginez une scène du film utilisant le système D – spécialité bien française – pour obtenir un effet comique.

Impossible pas français

Film français de Robert Lamoureux (1974).
Précédente diffusion : mars 1992.
Robert Lamoureux : le gardien. **Jean Lefebvre** : Louis Brisset. **Pierre Mondy** : Antoine Brisset. **Pierre Tornade** : Albert Lombard. **Magali de Vendeuil** : Francine. **Claire Maurier** : Mauricette. **France Dougnac** : Catherine. **Jacques Marin** : Dussautoy.
■ **Le genre.** Vaudeville.
■ **L'histoire.** Antoine Brisset, célibataire quadragénaire, perd son emploi de comptable. Son frère Louis, chômeur, vit des allocations familiales et du travail de sa femme. Albert Lombard, beau-frère d'Antoine, patron d'une agence de police privée, embauche les deux hommes.
■ **Ce que j'en pense.** Dans les films qu'il tourne au cours des années 70, Robert Lamoureux en est resté à l'esprit de la France petite-bourgeoise des années 50, celle de « Papa, maman, la bonne et moi » : un univers conventionnel, où des personnages de Français moyens se tirent de toutes les situations, grâce à leur bagout et leur débrouillardise. dans ces vaudevilles façon « système D » avec des acteurs qui en font des tonnes, il use et abuse de vieilles plaisanteries, comme s'il ne se rendait pas compte que le temps a passé…
Jacque Siclier
Chrétiens-Médias : adultes et adolescents.

5
PÉNALITÉS

Complétez les phrases avec le mot correct, à choisir dans la liste qui suit.

1. Le policier m'a averti que si je ne changeais pas ma voiture de place, il allait ....
2. Interdiction de cracher dans le métro sous peine d' ....
3. Un gendarme dresse un .... pour excès de vitesse.
4. En sortant du magasin, j'ai trouvé un .... sur le pare-brise de ma voiture.
5. L'agent de police lui a flanqué une .... (familier).
6. Certaines personnes savent utiliser leurs relations pour faire sauter leurs ....
7. J'ai attrapé un ....parce que je n'avais pas mis ma ceinture de sécurité.

a. amende – b. contraventions – c. contredanse –
d. papillon – e. procès-verbal – f. PV – g. verbaliser

6
ENTRAÎNEZ-VOUS... AVANT DE LIRE DES ROMANS POLICIERS

Dans les romans policiers – et dans le langage de tous les jours ! – il y a de multiples façons de désigner les policiers.

Associez à chaque terme une des définitions proposées :

1. un agent de police
2. un gendarme
3. un gardien de la paix
4. un poulet
5. une contractuelle
6. un flic
7. un CRS
8. un keuf
9. un inspecteur de police
10. la maréchaussée

a. le nom des services de gendarmerie sous l'Ancien Régime; terme utilisé par plaisanterie pour désigner la gendarmerie actuelle
b. un policier, en argot
c. un policier, en langage familier
d. un flic, en verlan; terme très utilisé par les jeunes.
e. terme générique pour désigner un policier en uniforme
f. terme un peu désuet pour désigner un policier en uniforme
g. policier en civil chargé d'enquêtes de police
h. auxiliaire de police chargée de contrôler le stationnement
i. militaire chargé d'assurer la police en dehors des grandes agglomérations
j. policier appartenant aux Compagnies républicaines de sécurité, chargées de faire régner l'ordre, spécialement en cas de manifestation

À toutes les époques, des esprits chagrins* ont dénoncé
un abandon ou un rejet des valeurs et de la morale,
une baisse d'influence de la religion, tandis que
d'autres, à l'inverse, annonçaient une renaissance
des mouvements religieux. Ce qui est certain, en tout cas,
c'est que les croyances de toutes sortes ont la vie dure.

CROIRE OU NE PAS CROIRE

IL N'Y A PLUS DE MORALE...

À la lecture de certains sondages, on s'aperçoit que de nombreux Français se plaignent qu'il n'y a plus de morale, alors qu'à l'inverse d'autres regrettent que la morale occupe une place beaucoup trop importante...

Il faut savoir qu'en France le terme de « morale » est très chargé de références idéologiques et historiques. Il y a eu, dans l'histoire de la République, de grands affrontements idéologiques entre les hommes politiques de droite, pour lesquels la morale signifiait le respect des valeurs spirituelles de l'Église catholique, et les républicains, qui voulaient instaurer une morale laïque, humaniste. Les instituteurs de l'école publique devaient donner aux élèves des « leçons de morale », appelées plus tard cours d'instruction civique. À différentes reprises, des régimes de droite ont réintroduit la morale chrétienne comme règle de droit : Thiers et Mac-Mahon après la défaite de 1870 (« l'Ordre moral »), le régime de Vichy pendant la Seconde Guerre mondiale.

Le terme de morale a été tellement associé aux partis conservateurs, à « la morale bourgeoise », que pendant longtemps on ne l'a pratiquement plus utilisé. On parlait de valeurs, d'éthique. Dans les années 80-90, on peut à nouveau parler de morale, sans que cela soit forcément suspect de régression ou de répression. On insiste sur la nécessité de moraliser la vie politique, on parle de l'éthique de l'entreprise. « Avoir de la moralité » ne signifie pas comme autrefois se conformer aux bonnes mœurs. C'est plutôt avoir une conscience morale, un idéal personnel que l'on s'efforce de respecter en son âme et conscience.

LES BONNES CAUSES

Dans la liste suivante, quelle est d'abord la cause qui, de nos jours, vaut la peine de prendre des risques et d'accepter des sacrifices ? Et ensuite ?

(Réponses données à l'aide d'une liste)	En premier %	Total premier et second
■ La paix dans le monde	44 %	64 %
■ La lutte contre la pauvreté	13 %	34 %
■ Les droits de l'homme	13 %	32 %
■ La protection de l'environnement	12 %	22 %
■ La lutte contre le racisme	4 %	10 %
■ La défense de la France	4 %	7 %
■ La lutte pour la transformation de la société	3 %	10 %
■ La foi religieuse	3 %	6 %
■ L'aide au tiers-monde	1 %	4 %
■ Les convictions politiques	–	–
■ La construction de l'Europe	–	–
■ Rien de tout ça	2 %	2 %
■ Ne se prononcent pas	1 %	1 %
Total	*100 %*	

Sondage CSA pour *Le Monde*, mai 94.

DES CROYANCES FLOUES

Alors que parfois on évoque « un retour au religieux », une étude réalisée en 1994 (auprès de 1 014 personnes de plus de 18 ans) montre que la société française poursuit son mouvement de sécularisation.

Carte d'identité religieuse

■ Parmi les 75 % de Français qui disent avoir une religion :

– 67 % se déclarent de religion catholique (contre 81 % dans un sondage identique réalisé en 1986), 2 % de religion protestante, 2 % de religion musulmane, 1 % de religion juive, 3 % d'une « autre religion ».

– Ils ne sont que 24 % à se dire « croyants par conviction ». 24 % sont « croyants par tradition » et 17 % sont « croyants incertains ».

– 12 % seulement vont « à la messe, au culte, aux offices religieux ».

■ 23 % de Français se déclarent « sans religion » (il n'y en avait que 15,5 % en 1986), bien que parmi eux, 45 % aient eu une religion. Ils sont en fait plutôt « indifférents à la religion » que franchement « incroyants ».

Contestation des dogmes

■ 61 % des Français croient que l'existence de Dieu est certaine ou « probable », 35 % l'estiment improbable ou exclue.

■ Ils croient de moins en moins aux grands dogmes chrétiens : 56 % seulement croient que Jésus-Christ est « le fils de Dieu », 51 % admettent « la résurrection du Christ », 46 % croient en l'existence du Saint-Esprit.

■ En revanche, ils sont de plus en plus nombreux à croire « tout à fait » ou « un peu » au démon (34 %) et à l'enfer (33 %). Les croyances dans l'au-delà résistent : 56 % sont certains de l'existence d'une « âme immortelle », 11 % croient même en la réincarnation. 25 % seulement des personnes interrogées pensent qu'il n'y a rien après la mort.

Laïcisation de la morale

■ Une majorité pense que l'origine du mal vient d'abord des injustices de la société (58 %) plutôt que de la responsabilité individuelle.

■ Les Français sont de plus en plus déta-

DIEU RECONNAÎTRA LES SIENS

La France est toujours marquée par les valeurs judéo-chrétiennes, par le poids qu'a eu le catholicisme. Une majorité de Français se déclare catholique (67 %), mais c'est plus souvent par tradition que par conviction : les catholiques pratiquants ne représentent que 12 % de la population. Un catholique sur deux se déclare « non pratiquant », et un sur quatre « pratiquant occasionnel ». C'est donc pour beaucoup d'entre eux une croyance assez floue, sans pratique religieuse. Ils ne vont pas à l'église, ne prient pas, ne lisent pas la Bible, mais restent attachés culturellement à certains repères religieux comme le baptême et plus encore l'enterrement à l'église.

Il n'y a plus de bagarres violentes entre catholiques et anti-cléricaux comme il y en a eu sous la Troisième République. La France est devenue progressivement, au XXᵉ siècle, un pays laïc. L'Église catholique n'a plus de rôle institutionnel important. L'influence de ses positions est très faible en matière de morale et de mœurs, sur des sujets de société comme le divorce, la contraception, l'avortement, y compris même pour certains catholiques pratiquants.

VALEURS COLLECTIVES ET VALEURS INDIVIDUELLES

Les valeurs collectives ont reculé au profit du « chacun pour soi ». On dit souvent qu'il y a eu, durant les dernières décennies, une baisse des engagements collectifs, un recul des idéologies, allant de pair avec une montée de l'individualisme. Parmi les valeurs républicaines – Liberté, Égalité, Fraternité – la liberté est la valeur à laquelle les

MÊME EN FRANCE, BEAUCOUP D'HOMMES AIMERAIENT TRAVAILLER A LEUR FAIM.

Grande Cause Nationale 1991

AGIR POUR REAGIR.

SECOURS POPULAIRE FRANÇAIS
(1) 42 78 50 48

Français sont de loin le plus attachés. Le droit pour chacun de faire ce qui lui plaît est ce qui paraît le plus important. L'égalité ne vient que loin derrière. Quand à la fraternité, ce n'est plus une valeur qui a vraiment la cote ! C'est sans doute que le terme paraît désuet, « ringard* », car des valeurs comme la solidarité, la générosité (qui ont à peu près le même sens) sont mises en avant plus que jamais.

Les valeurs morales traditionnelles qui étaient inculquées aux générations précédentes – la droiture, l'honneur, l'intégrité, la loyauté – sont souvent considérées comme dépassées par les plus jeunes. Le dévouement à la patrie n'est plus du tout une valeur forte et le sens du devoir n'est plus considéré comme une vertu.

Les valeurs qui comptent le plus pour la majorité des Français sont l'honnêteté et la tolérance. Ils aspirent à l'honnêteté, mais ils sont très tolérants avec les fraudeurs ! Ils attendent plus de tolérance dans la vie en société : c'est une qualité espérée chez un patron, un collègue, dans la famille. Le goût de l'effort et du travail, très important pour les personnes âgées, compte aussi pour les jeunes d'aujourd'hui, alors que dans les années 70, on parlait beaucoup de « l'allergie au travail ». Parmi les nouvelles valeurs en hausse chez les jeunes, il faut également signaler le respect de l'environnement.

Les Français sont loin d'être tous d'accord sur la façon dont la société doit se protéger contre ceux qui ne respectent pas la morale collective. Du reste, ils considèrent que la distinction entre le bien et le mal n'est pas toujours claire et dépend des circonstances. S'il faut avant tout essayer de prévenir les délits par l'éducation, doit-on punir les coupables en les privant de liberté ? Les débats sur les fonctions de l'emprisonnement et sur la peine de mort (abolie en 1981) sont loin d'être clos.

Les études comparatives réalisées avec d'autres pays montrent que les Français se déclarent en général plus permissifs* que les autres Européens en matière de morale. Ils se déclarent plus tolérants à l'égard des personnes qui ne pensent pas comme eux, à l'égard des conduites sexuelles déviantes ou des fraudeurs.

DERNIERS TABOUS

« Il est interdit d'interdire », clamait-on en mai 68. À cette époque-là, les interdits étaient nombreux. Tout ce qui touchait au sexe était tabou. Il était impensable de parler de sexe à l'école, dans les familles, à la radio ou au petit écran. À la télévision, les films un tout petit peu osés étaient projetés avec le « carré blanc » (un petit carré en bas à droite de l'écran), pour indiquer aux parents qu'ils devaient envoyer les

enfants se coucher. Une speakerine s'est fait renvoyer de la télévision uniquement parce qu'elle avait montré ses genoux… Certains emblèmes sont restés tabous très longtemps : au début des années 80, par exemple, Serge Gainsbourg a failli se faire lyncher par des militaires, parce qu'il chantait une parodie de la Marseillaise en reggae.

Beaucoup de tabous ont été balayés ces dernières années. Tout semble permis… ou presque ! Les tabous concernent de moins en moins la sexualité ou la nudité. Depuis 1992, la nudité publique n'est plus un délit : une personne qui se promène toute nue dans la rue n'est plus dans l'illégalité (mais elle risque de se faire emmener à l'hôpital pour dérangement mental !). En revanche certains comportements qui peuvent être tolérés dans d'autres pays, comme émettre des bruits corporels en présence d'autres personnes, sont des interdits absolus en France.

Les Français sont assez libres quant à leur tenue vestimentaire. Le port de la cravate, par exemple, n'est plus une obligation absolue pour les hommes, sauf dans certains secteurs professionnels. En revanche, il est encore impensable de porter un jean pour un rendez-vous important.

CONTRE LE MAUVAIS SORT

Il y a des gestes à ne pas faire quand on est superstitieux : « ça porte malheur » de passer sous une échelle, de briser un miroir, d'offrir un couteau, d'ouvrir un parapluie dans une maison, de poser le pain à l'envers sur la table. À l'inverse, « ça porte bonheur » de toucher du bois que l'on trouve à portée de main. On dit « merde » à quelqu'un pour lui porter chance. On croise les doigts pour qu'un

chés des institutions religieuses. 89 % des personnes interrogées estiment qu'il n'est pas nécessaire d'avoir une religion pour bien se conduire. Quand il s'agit de prendre une grande décision, leur choix dépend de leur conscience (83 %). Ils ne sont que 1 % à tenir compte des positions de leur Église.

D'après un sondage CSA, Le Monde, 12 mai 1994.

PEURS

Tout ou presque fait peur aux Français. Parmi les personnes interrogées, déclarent avoir très peur ou assez peur :

■ Du chômage	79 %
■ Des problèmes de la jeunesse	76 %
■ Des catastrophes écologiques	75 %
■ D'une diminution du montant des retraites	73 %
■ D'une diminution des remboursements-maladie	71 %
■ Du cancer	70 %
■ D'une récession économique	70 %
■ De la drogue	69 %
■ De l'insécurité	68 %
■ Des troubles liés à l'immigration	68 %
■ De l'augmentation des impôts	67 %
■ Des risques de guerre dans le monde	66 %
■ De l'évolution de la situation dans l'ex-URSS	64 %
■ De l'évolution de la situation en Algérie	64 %
■ Du sida	63 %
■ Du développement de l'Islam en France	63 %
■ Des centrales nucléaires	61 %
■ De la montée du Front national*	60 %
■ De l'évolution de la situation en Yougoslavie	59 %
■ D'une baisse des revenus	58 %
■ De la concurrence économique du Japon	52 %
■ Des risques de guerre en Europe	48 %
■ De la concurrence économique de l'Allemagne	44 %
■ De la domination de l'Allemagne sur l'Europe	41 %
■ Du Marché unique européen	32 %

Le Figaro-Magazine, 10-14 janvier 1992.

LES PRATIQUES SUPERSTITIEUSES

Pour chacune des choses suivantes, dites s'il vous est arrivé de la faire ?

	Oui %	Non %
■ Toucher du bois	63	37
■ Jouer votre date de naissance (ou celle d'un de vos proches) à un jeu de hasard	48	52
■ Éviter de mettre du pain à l'envers	32	68
■ Croiser les doigts	25	75
■ Éviter de passer sous une échelle	24	76
■ Vous faire prédire l'avenir dans les cartes	20	80
■ Éviter d'ouvrir un parapluie à l'intérieur d'une maison	19	81
■ Éviter d'être 13 à table	16	84
■ Donner de l'argent en offrant des couteaux ou des mouchoirs	15	85
■ Jouer à un jeu de hasard un vendredi 13	13	87
■ Vous faire prédire l'avenir dans les lignes de la main	12	88
■ Aller chez une voyante ou toute autre personne prédisant l'avenir	11	89
■ Porter sur soi un objet particulier (trèfle à 4 feuilles, etc.)	11	89
■ Faire tourner des tables	9	91
■ Placer chez soi un fer à cheval	9	91
■ Éviter d'offrir des œillets	6	93
■ Éviter d'allumer trois cigarettes avec la même allumette	6	92
■ Continuer une chaîne de lettres qui prédit des malheurs à celui qui la rompt	6	93
■ Jeter du sel par-dessus votre épaule quand on en renverse sur une table	5	95
■ Porter des vêtements d'une certaine couleur	3	97
■ Éviter de mettre un chapeau sur un lit	2	97
■ Manger des lentilles tous les premiers du mois pour devenir riche	1	99
■ Éviter de mettre des habits neufs un vendredi	1	98

vœu se réalise (on dit souvent à un ami : « Tu croiseras les doigts en pensant à moi. »)

Certaines catégories de personnes ont la réputation d'être particulièrement superstitieuses. Les femmes le seraient plus que les hommes. On accorderait souvent plus d'importance au facteur chance dans les milieux populaires, chez les gens peu instruits (il y a les gens qui sont nés « sous une bonne étoile » et les autres). Les artistes évitent presque tous de porter des vêtements de couleur verte pendant un spectacle. Les sportifs ont souvent sur eux des médailles porte-bonheur. Les automobilistes superstitieux ont dans leur voiture une médaille de Saint-Christophe qui leur permet d'espérer sortir « miraculeusement » indemnes d'un accident. Mais il y a des superstitieux dans tous les milieux et quel que soit l'âge ! Et même quand on dit que l'on n'est pas superstitieux, il y a des choses que l'on ne fait pas pour ne pas tenter le sort, et d'autres que l'on fait parce que « si ça ne fait pas de bien, ça ne peut pas faire de mal ! ».

Les porte-bonheur sont multiples et variés ; comme leur nom l'indique, ils portent bonheur et protègent contre les maléfices (médaille, signe du zodiaque, pièce de monnaie, animal en peluche, etc.). Certains symboles sont particulièrement prisés. Parmi eux, le trèfle à quatre feuilles (très rare) est le favori. On le garde sur soi, dans son portefeuille ou dans un médaillon. Les soldats qui partaient à la guerre en emportaient un avec eux, généralement offert par leur fiancée ou leur mère.

Le fer à cheval est également très recherché. On le trouve en porte-clés ou en bijoux. La coutume du fer à cheval viendrait d'Italie. Quand l'homme s'aperçut qu'on pouvait fixer le fer au sabot d'un cheval sans le blesser ni le faire souffrir, il lui attribua un pouvoir particulier.

Le chiffre 13 est considéré par certains comme un chiffre bénéfique. Le vendredi 13 est un jour particulièrement attendu par les joueurs : les ventes de billets de loterie atteignent, ce jour-là, des records ! L'écrivain Mérimée croyait que le 13 lui portait bonheur. Mais c'est aussi pour beaucoup un chiffre particulièrement néfaste. Victor Hugo considérait le 13 comme un chiffre funeste* et on dit que Napoléon retarda son coup d'État du 18 brumaire quand il s'aperçut que le jour fixé correspondait au vendredi 13 du calendrier grégorien. Au dernier repas du Christ avec ses apôtres, les convives étaient treize, le Christ et Judas sont morts… Pour un très grand nombre de gens, il ne faut absolument jamais être « treize à table ».

Le chat noir suscite lui aussi des réactions contradictoires. Pour certains, c'est un signe de chance. Recueillir un chat noir, c'est s'attirer la fortune. Pour d'autres, au contraire, il symbolise l'obscurité et la mort. Les sorcières étaient soupçonnées de se transformer en chats noirs.

Le cochon symbolise l'argent. C'est pourquoi les tirelires des enfants ont souvent la forme d'un cochon. Pour les paysans, posséder un cochon était autrefois le signe d'une certaine prospérité (dans le cochon, tout se mange !).

MADAME IRMA

La presse relate de temps en temps des histoires qui montrent que la sorcellerie s'est parfois perpétuée à la campagne. Depuis le XVIIᵉ siècle, la justice ne condamne plus personne pour sorcellerie mais elle poursuit quelquefois en justice pour escroquerie. Le recours aux exorcistes* contre les jeteurs de sorts* est devenu très rare.

L'astrologie, qui était en voie de disparition depuis la fin du XIXᵉ siècle, a fait sa réapparition dans les années 60, à la radio, dans la plupart des journaux, puis sur Minitel. Dans les années 70, une voyante, Madame Soleil, vedette de radio, recevait chaque jour 5 000 lettres et 15 000 appels téléphoniques ! Mais de même que la sorcellerie fait rire les citadins, l'astrologie compterait peu d'amateurs dans les campagnes...

Alors qu'on pensait que l'homme moderne n'éprouverait plus le besoin de se protéger du « mauvais œil », puisqu'il ne croit plus aux démons, on constate un succès croissant des parasciences : astrologie, numérologie, spiritisme, télépathie. Certains se sont mis à croire aux significations de l'astrologie et des lignes de la main, aux tables tournantes, aux fantômes et aux revenants, aux envoûtements, à la sorcellerie, aux guérisons par imposition des mains, etc.

On peut constater qu'il y a essentiellement deux types de public pour les parasciences et qu'ils ont des intérêts un

■ Éviter d'allumer trois lampes dans la même pièce	1	99
■ Éviter d'entreprendre des démarches le mardi	1	99
■ Éviter de recevoir des amis un vendredi 13	1	99
■ Éviter d'écraser des coquilles d'œuf	0	99

Enquête SOFRES, du 24 au 29 septembre 1988 pour le Figaro-Magazine.

● ● ● ● ● ● ● ● ● ● ● ● ● ●

● ● ● ● ● ● ● ● ● ● ● ● ● ●

NOSTALGIE

« Cela n'a rien de nouveau que l'être humain se passionne pour son avenir, cherche à savoir avant à quelle sauce amère, piquante ou douce il sera mangé, de quoi demain sera fait. Jadis, les rois n'hésitaient pas à suivre officiellement les avis de leur astrologue et ne rougissaient pas de ce tribut versé à l'inconnaissable. Aujourd'hui, si les hommes politiques et les chefs d'entreprise vont voir une voyante, c'est discrètement, et quand l'une d'entre elles affirme avoir des "gens très importants" parmi ses clients, c'est tout bonnement invérifiable. Pourtant, les affaires doivent aller bon train, dans ce secteur si marginal de l'activité. Non seulement les devins se sont modernisés en ouvrant de nombreux services Minitel, mais certains d'entre eux se paient des spots publicitaires à la télévision... [...] Pour s'offrir cela, il faut que le nombre des habitués soit plus que conséquent.

Bien sûr, avec le Minitel, le folklore de la voyance perd beaucoup de son charme. Fini, le turban mordoré*, les tentures étoilées, le chat noir, la chouette, la cassolette à encens*, la luminescence de la boule de cristal, la magie des cartes qu'on retourne avec anxiété, les bijoux extravagants de la voyante et son maquillage excessif et diabolique... Je n'arrive pas à croire que le minuscule écran du Minitel parvienne à fasciner autant le client ou la cliente que l'ambiance et l'ésotérisme savamment calculés des antres* de sorcières. »

Josée Doyère
Le Monde, 8 février 1994.

● ● ● ● ● ● ● ● ● ● ● ● ● ●

– Forte baisse sur le poireau.

LES PHOBIES DES FRANÇAIS

Vous-même, vous arrive-t-il de ressentir ce genre de peurs irraisonnées, de phobies, en présence des choses, des animaux ou des circonstances suivants ?

	Oui (%)	Non (%)
■ Les serpents	75	25
■ Le vide ou la hauteur	64	36
■ Les araignées	37	63
■ Les rats ou les souris	35	65
■ Les chauve-souris	35	65
■ Les guêpes ou les abeilles	44	56
■ Les parkings souterrains	40	60
■ Être dévisagé ou parler en public	51	49
■ Le feu	50	50
■ Les hôpitaux ou cliniques	37	63
■ Le sang	35	65
■ Le noir ou l'obscurité	30	70
■ Les ascenseurs	23	77
■ Les lames de rasoir	21	79
■ Les avions	21	79
■ La foule	27	73
■ Les tunnels	21	79
■ Les vaches	9	91

D'après un sondage du *Nouvel Observateur*, 28 mars 1990.

LES HÉROS DES FRANÇAIS

Les héros se définissent par l'admiration qu'ils suscitent (40 %) ou par les dons exceptionnels qu'on leur prête (19 %).

Lorsqu'ils étaient enfants, les Français ont eu comme héros surtout des personnages de fiction (43 %), avec en premier lieu Zorro.

Pour beaucoup d'adultes, les véritables héros viennent du domaine humanitaire (l'abbé Pierre, Mère Thérésa), ou ont accompli des exploits sportifs (le commandant Cousteau, d'Aboville, Florence Arthaud). Ce peut être aussi un acteur ou un chanteur (17 %) ou un personnage imaginaire (7 %). Mais il y a 51 % des Français qui déclarent ne pas avoir de héros.

Sondage Louis Harris paru dans *Biba*, mai 1992.

peu différents. Une partie des classes moyennes (en particulier les employés) est plutôt tournée vers les croyances divinatoires* comme l'astrologie, la lecture des lignes de la main. Les cadres et les professions intellectuelles sont davantage sensibles aux croyances à dominante psychologique, telles la transmission de pensée ou les rêves prémonitoires.

GRANDES PEURS ET PETITES PHOBIES

Tout au long de l'histoire, se sont développées de grandes peurs collectives, la peur des épidémies (peste ou choléra) et des calamités naturelles (tremblements de terre, inondations), la crainte de la famine suscitée par de réelles difficultés économiques ou par des rumeurs politiques. Les peurs se sont souvent exacerbées* à l'approche de dates symboliques, en particulier le changement de millénaire, (telle « la grande peur de l'an mil »).

La proximité de l'an 2000 réactive ce type de peurs ancestrales. Le succès des « Prédictions » de Nostradamus (établies en 1555 par un médecin astrologue provençal et retranscrites en 1980) en témoigne. Elles annoncent des prophéties apocalyptiques : la troisième guerre mondiale, la destruction de Paris, la mort du pape, le règne de la rose (une prophétie réalisée puisque le parti socialiste, dont l'emblème est la rose, est arrivé au pouvoir en 1981…).

La peur de la guerre continue à traumatiser une grande partie de la population. Il est vrai que beaucoup de Français ont subi la guerre de 1914-18, la Deuxième Guerre mondiale, et ont connu les guerres coloniales (guerre d'Indochine, guerre d'Algérie). Ainsi, à chaque fois qu'une guerre dans le monde

menace de s'étendre, les Français d'un certain âge se remémorent les périodes de rationnement. Leur réflexe immédiat est de stocker des provisions « pour le cas où… ». Les magasins se trouvent très vite dévalisés en sucre, café, huile. Les automobilistes, au souvenir des restrictions d'essence au moment de la crise de Suez (1956), font des réserves de carburant.

Les grandes peurs modernes sont, en partie, liées à la crise économique. La crainte du chômage vient en premier et, avec elle, la crainte de la pauvreté. La psychose de la violence et de l'insécurité a augmenté de façon considérable, sans commune mesure avec les faits réels. À cela s'ajoute la peur des catastrophes écologiques et technologiques : catastrophes nucléaires, marées noires, produits cancérigènes et, depuis le début des années 80, peur du sida.

La mort reste quelque chose d'abstrait, à quoi on évite de penser. Ce qui est angoissant, ce sont surtout les questions qu'on se pose sur « l'au-delà », y compris pour les croyants. La foi religieuse et la foi politique ne justifient plus qu'on accepte de sacrifier sa vie pour une grande cause.

Même si on n'en meurt pas, une phobie peut gâcher la vie ! 50 % des Français déclarent qu'ils sont pris de panique à la vue d'un serpent. Beaucoup de femmes avouent qu'elles perdent complètement leurs moyens devant un rat, une souris ou une araignée !

Qu'ils soient victimes de grandes peurs ou de petites phobies, les Français sont sans doute de grands inquiets et des déprimés chroniques puisque les médicaments qu'ils consomment en plus grand nombre sont des tranquillisants !

— Ça y est... Elle a vu une fourmi !

ELLE COURT, ELLE COURT LA RUMEUR

La diversité des journaux, des stations de radio, des chaînes de télévision n'a pas fait diminuer pour autant la circulation des rumeurs. Les rumeurs, ce sont ces informations colportées par le bouche-à-oreille dans un village, dans une ville, voire dans un pays tout entier.

Ces informations peuvent se révéler vraies mais confidentielles, et livrées au public parce qu'il y a eu des « fuites ». Ce sont, le plus souvent, de fausses informations diffusées pour porter atteinte à une personne ou à un groupe social, ou bien révélatrices de grandes peurs ou de phantasmes collectifs. Les rumeurs se répandent avec insistance et conviction. Il y a toujours des « témoins » pour déclarer qu'ils les tiennent de source plus ou moins directe. De toute façon, pour le bon sens populaire, une rumeur est toujours fondée sur une part de vérité, puisque, comme dit le proverbe, « il n'y a pas de fumée sans feu »…

Périodiquement, la peur du retour à l'état sauvage a fait circuler des rumeurs annonçant que les campagnes françaises étaient menacées par des bêtes effrayantes : les loups-garous, la bête du Gévaudan, les vipères, etc.

Ce qui a trait à la santé est souvent présent dans les rumeurs : on cite des médicaments qui tuent, des nouveautés alimentaires qui donnent le cancer, l'aérobic qui a provoqué des crises cardiaques, des enfants morts atrocement parce que leurs parents ne les surveillaient pas d'assez près.

La peur de l'étranger – la peur que la France ne soit envahie par des cultures étrangères et ne perde son identité – se manifeste dans de nombreux thèmes : la traite des blanches (des jeunes filles seraient envoyées dans de lointains pays pour y être prostituées) ; des enfants piqués par des araignées cachées dans des ours en peluche fabriqués en Asie du Sud-Est ; des mygales – encore des araignées – dans les yuccas, plantes d'appartement importées d'Amérique du Sud ; le chiffre peu élevé de décès enregistrés dans le quartier chinois de Paris, (« que font-ils donc de leurs morts ?… »).

Dans les rumeurs politiques, le thème des sociétés secrètes est une constante. Alors que dans certains pays, on évoque souvent le rôle de la mafia et de la pègre, en France, on soupçonne le monde politique d'être influencé par le pouvoir occulte* de sociétés un peu fermées et mystérieuses : ce furent les jésuites, puis les francs-maçons. La vie amoureuse des hommes politiques n'est pas réellement un thème de rumeurs, sauf s'il s'agit d'une sexualité considérée comme déviante. ∎

1
LES VALEURS DES MOTS

Ces adjectifs concernent des attitudes, des croyances, l'adhésion à des valeurs.

Trouvez pour chaque adjectif de la liste de gauche celui qui, dans la liste de droite, lui est le plus opposé.

Exemple : une personne qui a un style « BCBG » s'oppose à un « baba ».

Pas de panique ! Certains termes sont employés de façon quasiment synonyme ; on peut leur opposer plusieurs termes sans que cela soit forcément un contre-sens.

1. baba	a. athée
2. conformiste	b. anarchiste
3. croyant	c. anticonformiste
4. dogmatique	d. BCBG
5. fanatique	e. conservateur
6. légaliste	f. conventionnel
7. marginal	g. intégriste
8. moderniste	h. libéral
9. novateur	i. sceptique
10. progressiste	j. tolérant
11. totalitaire	k. traditionaliste

2
PRENDRE DES LIBERTÉS

Il y a de multiples façons de pouvoir affirmer sa liberté.

Précisez ce que signifie chacune des expressions suivantes :

Exemple : Les libertés individuelles sont les garanties que la démocratie offre aux individus contre les arrestations, les emprisonnements, les pénalités arbitraires.

1. la liberté des cultes
2. La liberté d'action
3. la liberté de langage
4. la liberté de travail
5. la liberté de mouvement
6. la liberté sexuelle
7. la liberté syndicale
8. la liberté de conscience
9. la liberté de la presse
10. la liberté de réunion

3
LES LIMITES
DE LA TOLÉRANCE

D'après un sondage (IPSOS 14-06-93), ce que les Français considèrent comme le plus intolérable, c'est, dans l'ordre décroissant :

1. la violence sur les enfants (95 %)
2. la mauvaise foi (82 %)
3. les atteintes aux libertés individuelles (8 %)
4. les gens qui empruntent sans jamais rendre (80 %)
5. le sans-gêne (77 %)

Viennent ensuite : les fanatiques religieux ou politiques, les racistes, le manque de savoir-vivre (retards, désordre, odeurs).

Le mot « tolérance » s'emploie dans plusieurs sens :

– un sens moral : comprendre, accepter des opinions différentes en matière morale, politique ou religieuse.

– un sens plus pratique : supporter dans la vie quotidienne des comportements qui peuvent être dérangeants, par exemple pour des personnes appartenant à un autre milieu social ou à une autre culture.

À quel sens selon vous se rattache chacun des comportements considérés comme intolérables ?

N'y a-t-il pas parfois confusion de sens ?

4
QU'EST-CE QUE
LA MÉCHANCETÉ?

Commentez ce sondage sur la méchanceté (CSA pour *La Vie*, 10 février 1994) :

62 % des personnes interrogées jugent que les Français sont peu ou pas du tout méchants.

32 % pensent le contraire.

Sont citées comme étant les pires méchancetés :

– faire du mal sans raison apparente (52 %)

– abandonner ses parents âgés (48 %)

– ne pas secourir quelqu'un dans le besoin (45 %)

– maltraiter les animaux (28 %)

En quoi les comportements qui sont qualifiés de « pires méchancetés » nous donnent-ils des informations sur les valeurs et les modes de vie dans la société française ?

Pensez-vous que des sondages sur les thèmes de la tolérance et de la méchanceté auraient obtenu le même type de réponses dans votre pays ?

5

VOUS Y CROYEZ ?

Savez-vous si, pour un superstitieux, « ça porte bonheur » ou « ça porte malheur » ?

	bonheur	malheur
1. briser un miroir	☐	☐
2. croiser les doigts	☐	☐
3. toucher du bois		
4. trouver un trèfle à quatre feuilles	☐	☐
5. ouvrir un parapluie dans une maison	☐	☐
6. passer sous une échelle	☐	☐
7. le chiffre 13	☐	☐
8. rencontrer un chat noir	☐	☐
9. porter une robe verte	☐	☐

6

RUMEURS

Donnez le sens de ces mots et expressions en choisissant leur définition dans la liste suivante.

Attention ! Certains sont synonymes.

1. il n'y a pas de fumée sans feu
2. le bouche à oreille
3. il y a eu des fuites
4. un corbeau
5. les racontars
6. un bouc émissaire
7. un secret de Polichinelle
8. ce ne sont que des on-dit
9. tout le monde le sait par ouï-dire
10. les murs ont des oreilles
11. les cancans
12. défrayer la chronique

a. des bavardages plutôt malveillants, des ragots, des médisances, des commérages
b. c'est un bruit qui court, c'est une rumeur
c. faire parler de soi, bien souvent en mal
d. il faut faire attention, on est souvent surveillé sans qu'on s'en doute
e. il y a toujours une cause à une rumeur
f. une information qui se transmet d'une personne à une autre, sans publicité
g. on a divulgué des informations qui devaient rester secrètes
h. l'auteur de messages anonymes
i. un faux secret, puisque tout le monde est au courant !
j. une personne sur laquelle on fait retomber les torts des autres

Les Français, dans leur très grande majorité,

se déclarent HEUREUX !

Est-ce parce qu'ils ont la chance de vivre dans un pays privilégié ?

Auraient-ils une aptitude particulière à goûter

tous les plaisirs de la vie ?

Serait-ce qu'ils ont pris le parti de rire de tout (ou presque) ?

HEUREUX, LES FRANÇAIS ?

L'Invention du Bonheur...

Alors que pour l'Église catholique on ne devait pas espérer le bonheur sur terre, les philosophes du XVIIIᵉ siècle – siècle des Lumières – commencèrent à parler de la quête du bonheur ici-bas. On publia alors d'innombrables traités sur le bonheur. «Le bonheur est une idée neuve en Europe», déclarait le révolutionnaire Saint-Just. Puisque le malheur des uns (les pauvres) faisait le bonheur des autres (les privilégiés), une meilleure organisation sociale devait rendre le bonheur accessible à tous. Les utopistes du XIXᵉ siècle essayèrent d'imaginer un système politique et social idéal dans lequel le peuple pourrait être heureux.

Dans la littérature française, en particulier dans la littérature romantique, le bonheur est plutôt considéré comme quelque chose de vulgaire. Il n'y a que des imbéciles heureux ! La tristesse est le signe d'une vie intérieure intense. «Les plus désespérés sont les chants les plus beaux», écrit Musset. Si les écrivains ont ainsi réagi, c'est parce que peu à peu, au XIXᵉ et au XXᵉ siècle, s'est développée, dans l'ensemble de la société, une conception du bonheur bourgeois, trivial* et matérialiste: la possession de biens, la jouissance du confort.

Jusqu'à la fin des années 60, on rêvait d'un modèle de société industrielle qui apporterait à tous «la civilisation du bonheur»: un travail moins pénible, des vacances, la protection sociale, la retraite à 60 ans, le confort, les biens de consommation, davantage de loisirs. Grâce au progrès collectif, les gens seraient de plus en plus heureux. Car le bonheur, c'était d'abord ne manquer de rien. Le bien-être matériel

MAXIMES

«On n'est jamais si heureux ni si malheureux qu'on s'imagine.»
La Rochefoucauld

«Il ne faut jamais penser au bonheur, cela attire le diable, car c'est lui qui a inventé cette idée-là pour faire enrager le genre humain.»
Flaubert

«Dès qu'un homme cherche le bonheur, il est condamné à ne pas le trouver, et il n'y a point de mystère là-dedans. Le bonheur n'est pas comme cet objet en vitrine que vous pouvez choisir, payer, emporter; si vous le cherchez dans le monde, hors de vous-même, jamais rien n'aura l'aspect du bonheur. En somme, on ne peut ni raisonner ni prévoir au sujet du bonheur. [...] Le bonheur est une récompense qui vient à ceux qui ne l'ont pas cherché.»
Alain, *Propos sur le bonheur*, **Gallimard, 1987.**

LE BONHEUR DES FRANÇAIS

88 % des Français interviewés se déclarent heureux, mais 66 % se disent gênés de savoir qu'il y a des gens moins favorisés qu'eux.

Pour être heureux, ce qui leur semble le plus important, c'est d'avoir la santé (49 %), avant le fait d'avoir un emploi (32 %), et avant l'amour (32 % également). L'argent compte assez peu (8 % seulement). Pour être « parfaitement heureux », ils aimeraient pouvoir voyager (37 %), avoir de l'argent (33 %) et avoir du temps (26 %).

D'après un sondage Sofres – *Le Nouvel Observateur*, 8 juillet 1993.

DOUCE FRANCE ?

« Douce France
Cher pays de mon enfance
Bercé de tendre insouciance
Je t'ai gardé dans mon cœur »
Chanson de Charles Trenet

La France apparaît à beaucoup d'étrangers comme un pays privilégié où ils s'installeraient volontiers. Elle est située à la charnière des pays du Nord et des pays du Sud, son climat est tempéré, ses paysages sont très variés, puisqu'il y a à la fois la campagne, la mer, la haute montagne et « la montagne à vaches ». Son niveau de vie, ses richesses touristiques et culturelles, sa gastronomie, en font un pays où il fait bon vivre. Chaque année, plus de cinquante millions de touristes étrangers visitent la France. Seule ombre au tableau : les étrangers se plaignent que les Français ne parlent pas les langues étrangères et font peu d'efforts pour être accueillants avec les malheureux qui ne parlent pas leur langue ! Les Français sont aussi les premiers à être persuadés qu'ils vivent dans « le plus beau pays du monde ». C'est même un des traits de leur fameux chauvinisme ! C'est sans doute pour cela qu'ils sont si casaniers. Ils passent, pour la plupart, leurs vacances dans l'Hexagone. Et ils sont peu nombreux à accepter l'idée de s'expatrier, ne serait-ce que provisoirement, en acceptant un contrat de travail dans un pays étranger.

était une condition nécessaire – même si elle n'était pas forcément suffisante – pour être heureux. « L'argent ne fait pas le bonheur », disait le proverbe… « mais il y contribue », ajoutait-on souvent !

Et puis on s'est mis à penser que le bonheur ne consistait pas seulement à travailler, à accumuler des biens. C'est contre la société de consommation que se révoltèrent les étudiants, en mai 1968 : « Nous ne voulons pas d'un monde où la garantie de ne pas mourir de faim s'échange contre le risque de mourir d'ennui », lisait-on sur les murs.

ENCORE HEUREUX

Il n'y a plus beaucoup de jeunes qui contestent les bienfaits de l'argent et du confort. Les projets de bonheur proposés par les idéologues ou les partis politiques ne semblent plus guère convaincants. Le bonheur n'est plus un projet collectif, il est personnel et privé. Être heureux, ce n'est plus rechercher un état idéal, c'est savoir jouir des choses simples, des instants de « petits bonheurs » : un beau paysage, le rire d'un enfant, un bon repas. Dans les années 90, alors que la France vit une grave crise économique, les médias – la presse, la radio, la publicité – parlent plus que jamais du bonheur. « Le bonheur, si je veux » (une publicité du Club Méditerranée). « Le bonheur, c'est simple comme un coup de fil » (une publicité pour le téléphone). Tout est fait pour laisser penser que, même dans les situations les plus difficiles, chaque personne peut décider d'être heureuse. Le bonheur est devenu une sorte d'obligation morale et sociale !

D'après des sondages récents, les trois quarts des Français déclarent qu'ils sont heureux. Pour eux, le bonheur,

c'est avant tout avoir une bonne santé (en particulier pour les personnes âgées, mais aussi pour les jeunes), ensuite avoir un emploi et une vie affective satisfaisante.

Pourtant, dans la conversation, la plupart des gens ont une certaine réticence à déclarer franchement qu'ils sont heureux. Ils se contentent plutôt de dire que « ça va », « ça va plutôt bien en ce

moment », « je n'ai pas à me plaindre ». Sans doute est-ce par prudence, parce que le bonheur est toujours considéré comme un état fragile, ou par culpabilité à l'égard de ceux qui sont moins favorisés.

Le bonheur ne s'affiche pas, mais le chagrin non plus ! Au cours de l'histoire, il est devenu de plus en plus indécent de pleurer. Alors qu'au XVIIe siècle, on pouvait pleurer en société (même les hommes), à partir du XVIIIe siècle, les pleurs prirent un caractère plus intime… Depuis le XIXe siècle, le code des bonnes manières impose que l'on maîtrise ses émotions. Les larmes sont considérées comme des signes d'une sensibilité excessive et même d'une sensiblerie pathologique*. Il n'y a guère eu que les romantiques pour exalter* combien il peut être doux de pleurer… Les larmes sont réservées aux enfants et aux jeunes filles. Très tôt, on apprend aux garçons qu'un homme ne doit pas pleurer.

Si on a de gros ennuis, que l'on est dans l'obligation de se confier à quelqu'un et de demander de l'aide, on s'adresse plus facilement à un ami proche qu'à des parents.

QUELS RÂLEURS !

Si les Français ne montrent pas leur désarroi* dans les situations difficiles, en revanche ils sont capables d'être très démonstratifs quand il s'agit des petites misères de la vie quotidienne ! On peut les traiter « de râleurs* professionnels » parce qu'ils sont capables de faire de vraies scènes pour de petits tracas ! À la moindre contrariété, ils sont prêts à insulter le soi-disant responsable et prennent l'assistance à témoin de leur infor-

tune : un embouteillage, un enfant qui les bouscule, un voisin bruyant, un rendez-vous manqué, un train qui n'est pas arrivé à l'heure, etc.

Ils sont nombreux à se dire littéralement persécutés par « l'administration » : le percepteur des impôts, la préposée de la poste qui les fait attendre, l'employé du service de la mairie qui leur réclame toujours un papier supplémentaire. Et ils se plaignent aussi beaucoup de leur patron et de leurs collègues de travail ! De toute façon, il est banal d'entendre dire qu'avant, on vivait mieux : on gagnait moins d'argent mais on était plus heureux, les gens étaient plus polis et moins énervés, les enfants étaient plus faciles à élever. On était plus heureux et on riait davantage !

HUMOURS

Les Français aiment à être considérés comme des êtres particulièrement spirituels. Ce serait en quelque sorte une spécificité culturelle ! Il est vrai qu'au même titre que les qualités d'homme « galant » ou d'homme « gourmet », le fait d'avoir de l'esprit et de la répartie* constitue une carte de visite fort appréciée dans la vie sociale et professionnelle, mais aussi dans la vie amoureuse, puisque les femmes déclarent qu'un homme doit les faire rire pour les séduire. Qu'est-ce qui fait donc rire les Français… et les Françaises ?

Théodore Zeldin, observateur anglais des « Passions françaises », considère qu'il y a trois sortes de rires : le rire populaire, le rire de la bourgeoisie, et le rire des intellectuels. Il est vrai que le rire évoque souvent quelque chose d'un peu vulgaire (on apprend aux enfants qu'il est mal élevé d'avoir des « éclats de rire » ou de rire « fort »). La bourgeoisie et les

EN LARMES

Les Français ne pleurent pas très souvent (51 %). Ils pleurent à l'occasion d'une séparation, même temporaire, avec un être cher (19 %), en cas de dispute avec leur conjoint (18 %), ou bien lorsqu'ils sont seuls, parfois sans raison particulière (14 %), en écoutant de la musique (6 %), ou encore en cas de conflit avec un collègue ou un supérieur hiérarchique (5 %). L'occasion qui a déclenché la plus grande crise de larmes de leur vie a été pour beaucoup un événement tragique survenu dans leur entourage, un deuil, un accident (54 %). Cela a pu être une colère (17 %), un chagrin d'amour (9 % seulement), un fou rire (5 %), une très grande joie (3 %) ou bien une catastrophe survenue dans le monde (1 %). Ils sont 21 % à ne pas s'en souvenir. Quand il leur arrive de pleurer, c'est surtout au cinéma (30 %) !

Les femmes pleurent en public, les hommes en cachette. Les femmes pleurent devant leurs parents (64 %), devant leurs enfants (35 %), devant des amis (32 %), devant des collègues (10 %) et même parfois devant des inconnus (5 %). En revanche, les hommes se cachent pour pleurer. Si 49 % d'entre eux avouent avoir déjà pleuré devant leurs parents (sans doute quand ils étaient petits !), 38 % déclarent qu'il ne leur est jamais arrivé de pleurer en public. Les larmes sont considérées comme un signe de faiblesse, d'infériorité… C'est pourtant attendrissant de voir quelqu'un pleurer ! Peu d'hommes s'autorisent à pleurer, parce que cela leur paraît incongru*… alors que la plupart des femmes trouvent qu'un homme qui pleure, c'est plutôt « émouvant » (71 %) ! Certaines trouvent même que c'est un beau spectacle (3 %). Elles sont peu nombreuses à penser que c'est « gênant » (18 %), « ridicule » (4 %) ou agaçant (2 %). Les hommes considèrent bien souvent que les femmes qui pleurent sont « émouvantes » (66 %). Cela peut même les rendre belles (6 %). Il peuvent les trouver « gênantes » (15 %), mais jamais « agaçantes » ou « ridicules » (0 %) !

D'après un sondage Sofres,
Marie-Claire, **novembre 1990.**

● ● ● ● ● ● ● ● ● ● ● ● ● ● ● ●

HEUREUX !

« Je suis le cantonnier des chemins vicinaux. Oh, je suis pas le cantonnier des autoroutes ni des autostrades, moi je suis le petit cantonnier ! Vous m'avez peut-être vu dans les hautes montagnes, dans mon fossé, appuyé sur ma faux... Quand il pleut je ne travaille pas ! Quand il y a de la neige, je scie du bois... Heureux ! Y'en a qui tiennent le haut du pavé, moi je tiens le bas du fossé... Heureux !

Je suis payé au mois, je paye pas de loyer parce que ma femme est la concierge de l'école... Heureux ! Quand j'ai fini ma journée vers les quatre heures et demie de l'après-midi... Y'en a, quand ils ont fini leur journée, ils prennent le métro ou ils attendent l'autobus... Moi, je rentre en sifflotant. C'est bien rare si dans mon panier, j'ai pas quelques champignons, des amandes sauvages, des noix ou bien des airelles. Les airelles sont des fruits très délicats qui poussent sous les sapins, sur la mousse, c'est très fin comme goût, c'est d'un bleu foncé très pur et d'un goût subtil... Vous, vous ne pouvez pas en manger à Paris parce que ça supporte pas le voyage alors c'est bon pour les cantonniers... Heureux !
Y'a qu'un seul jour où je m'ennuie dans la vie, c'est lorsque je suis obligé d'aller à Paris, une fois par an, parce qu'on a une tante qui invite tous ses neveux et nous sommes tous réunis autour de la table familiale...
Mon premier cousin germain, il n'a pas eu de chance dans la vie. Il a échoué à tous ses examens, il est devenu chef d'entreprise, il a sept cents employés sous ses ordres... Quel est le

intellectuels font de l'esprit et apprécient l'humour. C'est plus distingué.

Le succès de certains comiques dans toutes les couches de la société française montre qu'en fait, chaque Français est capable d'apprécier, selon les moments, des types d'humour très différents !

LE RIRE GRAS

La France est le pays des gauloiseries, ces plaisanteries grivoises qui font allusion au sexe de manière «lourde» et qui provoquent le rire « gras ». Rabelais en fut le grand maître. Le « comique troupier » – un comique grossier, à base d'histoires de soldats, d'histoires « cochonnes » – était très apprécié dans les milieux populaires au tout début du XXᵉ siècle. L'Almanach Vermot – édité chaque année depuis la fin du XIXᵉ siècle avec un tirage honorable – a perpétué la tradition des blagues « douteuses »... mais néanmoins toujours appréciées ! Les étudiants en médecine sont également considérés comme des spécialistes en matière d'histoires paillardes et de « plaisanteries de salle de garde ».

Depuis la fin des années 60, le genre a été renouvelé grâce au journal *Hara-Kiri*, « journal bête et méchant », dont les lecteurs étaient surtout des étudiants et des intellectuels. Ses dessinateurs – les plus connus sont Wolinski et Reiser – usaient de la vulgarité pour critiquer les travers de la société, « pour choquer le bourgeois ».

Les comiques Coluche et Pierre Desproges ont excellé dans le comique gras, grivois, grossier. Pour dénoncer l'ordre établi et la bêtise, ils n'hésitaient pas à jouer au bouffon, à s'attaquer à des sujets tabous, à décrire avec beau-

coup de détails les situations les plus scabreuses* ou répugnantes.

LE BEL ESPRIT

Les « mots d'esprit » se veulent, au contraire, « tout en finesse ». C'est un art des jeux de mots, des jeux de langue, des allusions fines et légères (non appuyées) qu'il est aussi important d'exercer dans une réunion professionnelle ou dans un discours politique que dans un dîner mondain. Cela suppose de savoir faire des mots d'esprit, mais aussi d'apprécier ceux des autres et de le manifester en ayant de la répartie. C'est ce qu'on appelle « avoir de l'humour ».

L'ironie est souvent utilisée pour convaincre ou dérouter un adversaire. C'est une façon de tourner en ridicule des situations ou des personnes, en lançant des « piques » qui ne sont pas forcément gentilles pour tout le monde ! Selon un dicton populaire, « le ridicule ne tue pas »... mais il peut faire beaucoup de mal !

L'humour français s'est enrichi au XXᵉ siècle de la tradition du « non-sens » venue des pays anglo-saxons. Alphonse Allais, Pierre Dac, Raymond Devos ont su jouer merveilleusement des situations loufoques*, de la logique du langage, des sons, des mots, pour écrire des sentences absurdes ou créer des sketchs remplis de « gags désopilants* ».

« L'humour, c'est ce qui nous permet de voir la mort du bon côté », disait Pierre Dac. L'humour par l'absurde est souvent proche de « l'humour noir », un humour grinçant qui flirte avec la mort, l'absurde, la folie, qui recherche l'effet comique en jouant sur le cynisme, sur le mépris des tabous sociaux. André Breton le définit comme

«une révolte supérieure de l'esprit» («Anthologie de l'humour noir»). C'est l'humour des révoltés qui s'insurgent contre la société ou l'humour des intellectuels désespérés.

LA SATIRE POLITIQUE

La satire politique a toujours eu de nombreux adeptes*. «Le Canard enchaîné» (fondé en 1916) est un hebdomadaire spécialisé dans la satire politique et la dénonciation de scandales. Mais la plupart des journaux ont aussi une rubrique – régulière ou occasionnelle – dans laquelle un «échotier» se permet d'écrire des articles très irrespecteux envers les hommes politiques. La satire sociale et politique s'est pendant longtemps exprimée à travers les «chansonniers» qui se produisaient dans les cabarets, puis à la radio. C'est une tradition qui était un peu passée de mode, mais qui, depuis quelques années, a fait sa réapparition à la télévision sous forme de spectacles de marionnettes: «les Guignols de l'Info», «le Bébête show». Ils obtiennent une audience fabuleuse et les hommes politiques doivent désormais compter avec leur double, toujours prêt à les ridiculiser!

— Comment vas-tu... yau de poêle ?

mot qui revient toujours dans sa conversation? Il a des tics quand il s'exprime, y'a un mot qui revient tout le temps? Ah Oui! Impôt... Nian, nian, nian... Impôt, impôt, impôt...

Qu'est-ce que ça veut dire impôt?

J'en ai parlé à mon petit copain, c'est le patron du café *Au Joyeux Cor de chasse*... C'est à l'entrée du village, juste à l'orée du bois. Il m'a dit: «Un pot? Un pot? P't'être qu'ils ne pensent qu'à boire à Paris?» Alors, on a bu un pot!

Mon deuxième cousin germain, c'est le comique de la famille... Qu'est-ce qu'il me fait rire celui-là, quand il cause! Mais j'ose pas rire devant lui, parce que c'est vexant... Vous savez ce que c'est rire, quand quelqu'un cause, c'est vexant! Il est professeur de philosophie, il passe sa vie à étudier ce que les autres pensent. Il passe des nuits entières... Qu'est-ce qu'il dit? Ah! Oui! J'ai essayé de l'apprendre par cœur, tellement ça m'a fait rire! Il disserte sur le rapport qu'il y a entre la pensée de Blaise Pascal qui a dit: "Oui! Je crois parce que j'ai la foi...", par rapport à l'anticléricalisme de Voltaire qui a dit: "Moi je ne crois pas, mais j'ai la foi en ce que je ne crois pas!"

Des nuits entières il pense à ça et moi pendant ce temps-là, la nuit je dors... Heureux!

Il n'y a pas que des gens, des professeurs de philosophie dans la vie, y'a des gens qui ont des professions utiles...

Mon troisième cousin germain, c'est le docteur... Lui, il est chouette! Il me sort toujours d'embarras. Quand mon regard rencontre le sien, nous nous comprenons, nous sommes toujours sur la même longueur d'ondes... Il est chouette le toubib! L'autre fois, le philosophe m'a dit: "Homme naïf, toi qui ne connais ni le grec ni le latin, prouve-le d'une façon concrète que tu es heureux?"

Et le toubib a répondu pour moi alors que je rougissais: – Oh! Tu as déjà vu, toi, un cantonnier qui faisait la grève!»

Fernand Raynaud

• • • • • • • • • • • • • • • • • •

PEUT-ON RIRE DE TOUT ?

Pour la très grande majorité des Français, il y a des tabous d'ordre moral qui interdisent de rire de certains sujets. Ce sont (par ordre décroissant) : les camps de concentration (61 %), la faim dans le monde (58 %), les otages (52 %), la mort (44 %). Assez loin derrière, il y a aussi la religion (33 %) et l'armée (21 %).

Il n'y aurait que 28 % d'« iconoclastes* » à répondre que l'on peut rire de tout ! Ce sont, paraît-il, surtout des cadres ou des intellectuels, ayant entre 25 et 34 ans.

D'après un sondage publié
dans *Télérama*, 21 mars 1990.

LE RIDICULE NE TUE PAS ?

« Peut-être la France est-elle le seul pays où le ridicule ait joué un rôle historique ; il a miné, détruit quelques régimes, et il y suffit d'un mot, d'un trait heureux (et parfois trop heureux), pour ruiner dans l'esprit public, en quelques instants, des puissances et des situations considérables. »

Paul Valéry, *Images de la France*,
dans *Regards sur le monde actuel*.
Gallimard, 1945.

LEÇONS DE SAGESSE

« Ce n'est pas parce qu'en hiver, on dit : "Fermez la porte, il fait froid dehors", qu'il fait moins froid dehors quand la porte est fermée.

C'est quand les carottes sont cuites que c'est la fin des haricots, et réciproquement.

À l'éternelle et triple question, toujours demeurée sans réponse: "Qui sommes-nous ? D'où venons-nous ? Où allons-nous ?", je réponds : "En ce qui me concerne personnellement, je suis moi, je viens de chez moi et j'y retourne". »

Pierre Dac, *La Mémoire*,
Presses Pocket, 1979.

LE SPECTACLE COMIQUE

Au théâtre, le comique a généralement été considéré comme un genre inférieur au tragique. Le clergé catholique trouvait la comédie suspecte, puisqu'elle faisait rire sur les vertus aussi souvent (sinon plus !) que sur les vices. Molière utilisait surtout « le comique de caractère » pour ridiculiser le bourgeois, l'avare ou le tartuffe*, un dévot* ridicule ! Les intellectuels ont longtemps méprisé le théâtre de boulevard, les vaudevilles, les comédies de mœurs reposant essentiellement sur « le comique de situation », sur des situations ambiguës ou scabreuses, avec des effets faciles. Le théâtre comique a tout de même connu ses lettres de noblesse, que ce soit avec Courteline, Tristan Bernard, Sacha Guitry ou Marcel Pagnol.

Au cinéma, ce sont les films comiques qui remportent les plus gros succès. Fernandel et Louis de Funès sont des comédiens particulièrement populaires. Rions français ! ■

*QU'EN EST-IL AUJOURD'HUI
DU BONHEUR?*

Le journal *Libération* a demandé à des écrivains de traiter cette question :

Voici le texte écrit par Michel Butor.

« Le bonheur, c'est d'apprendre la fin de la guerre.

– C'est les nuages, les merveilleux nuages...

– Gravir les pyramides de Teotihua-can en plein midi avec un panama sur la tête.

– Que la France soit terre d'asile.

– Embarquer sur le navire de la reine de Saba dans le tableau de Claude Lorrain.

– Qu'un milliardaire un peu poète donne l'intégralité de sa fortune à un hôpital moyennant qu'on lui réserve une chambre séparée, avec naturelle-ment un droit de regard sur la compta-bilité, ce qui conduit les autres émerveillés par cet accès de lyrisme à s'empresser d'en faire autant.

– C'est l'invention des automobiles silencieuses.

Le bonheur, c'est le retour de l'en-fant prodigue.

– C'est l'oiseau qui parle, l'arbre qui chante et l'eau couleur d'or.

– Siroter du thé à la menthe en attendant le lever du soleil sur Pétra.

– La lecture dans un journal de droite d'un compte rendu sur un livre qu'on vient de publier qui ne soit pas un éreintement* fielleux et témoigne même de quelque sensibilité.

– Marcher le long d'une plage inter-minable en ramassant des coquil-lages.

– Qu'un éditeur passionné décou-vrant soudain ce que sont payés les joueurs de tennis, améliore substan-tiellement* nos contrats.

– C'est l'invention des motocyclettes silencieuses.

Le bonheur, c'est voir que se remet un frère que l'on croyait perdu.

– Ce sont les lichens* figurant les haleines, humeurs, pierres et flammes.

– Écouter le rossignol en dînant sur sa terrasse.

– Improviser au piano en bonne compagnie jazzistique sur le thème "body and soul".

– Voler de ses propres ailes.

– La capacité d'espérer encore que le XXIe siècle soit moins atroce que le XXe (sans même parler des précé-dents).

– C'est l'invention des hélicoptères silencieux.

Le bonheur, c'est lire dans les yeux d'une femme qu'on aime qu'elle a envie que vous le lui disiez.

– Ce sont les cinq doigts de la main avec les ongles, les six faces du dé avec leurs chiffres, les sept pulsions capitales avec leurs emblèmes.

– Tomber sur la retransmission d'un opéra à la télé tandis que le program-me annonçait celle d'un match de foot.

– Tenir la partie de récitant dans la première d'un compositeur ami.

– Faire des progrès en chinois clas-sique.

– L'accueil enthousiaste des étran-gers aux aéroports par les rempla-çants de l'actuelle police, conscients de leurs ressources qu'ils ignorent souvent eux-mêmes.

– C'est l'invention des avions silen-cieux.

Le bonheur, c'est découvrir que la brouille avec un ami très cher qui durait depuis des années, provenait d'un absurde malentendu.

– C'est l'ouverture du monde que l'on veut toujours nous cadenasser.

– L'abandon de l'audimat par les chaînes publiques.

– Réussir à écrire sans une rature sur l'eau-forte* ou la gouache* d'un peintre complice.

– Trouver pour un voisin chômeur un travail bien payé qui lui plaise.

– La floraison du cactus-cierge, la seule nuit du 15 août, dans un jardin de Nice.

– C'est l'invention des tondeuses à gazon silencieuses.

Le bonheur, c'est vous savez bien.

– C'est l'astronautique bien tard, mais bientôt, vous verrez, bientôt, cela va reprendre...

– Rendre concrète la notion de vitesses transluminiques.

– Débusquer enfin l'adjectif qui se dérobait depuis six semaines.

– Serrer la joue d'un bébé contre sa barbe.

– "Une fois, par un minuit lugubre, tandis que je m'appesantissais, faible et fatigué, sur maint curieux et bizarre volume de savoir oublié, tandis que je dodelinais de la tête, somnolant presque, il se fit un heurt, comme de quelqu'un frappant doucement à la porte de ma chambre..."

– C'est l'invention de la construc-tion silencieuse.

Le bonheur, c'est la suite et la série et le reste et les autres, et les refusés et les oubliés, les imprévus, les j'en passe, et j'en passe.

– C'est le désert qui retrouvera ses bruits propres.

– Qu'on vous demande d'en parler dans Libération.

– La critique enfin sérieuse par un jeune philosophe audacieux de la notion de croissance en économie.

– Ouvrir dans la modeste demeure que l'on vient d'acheter la petite porte imprévue qui donne sur d'im-menses caves comme celles de la maison natale de Rabelais à la Devinière.

– Trouver autre chose.

– "Sa dent, douce à la mort, m'aver-tissait au chant du coq – *ad matuti-nam* au *Christus venit* – dans les plus sombres villes..."

– C'est un jour, on ne sait quel jour, après tous ces fracas et secousses, un peu de silence entre amis autour de quelque boisson. »

Michel Butor,
Libération, 9 juillet 1993.

1
DEUX DRÔLES DE ZÈBRES

Pour les mots et expressions en italique de ce texte, trouvez la bonne définition parmi les trois qui vous sont proposées.

Un des garçons était vraiment cocasse. Il était *maigre comme un clou* et avait une espèce de *tignasse flamboyante* qui lui donnait l'air d'*un titi parisien*, un peu *goguenard*. Son copain, *un grand escogriffe*, était encore plus farfelu. Il ressemblait comme deux gouttes d'eau à un comédien très connu ; on aurait dit son *sosie* ou sa caricature. Il faisait toutes sortes de *pitreries*, racontait des histoires *loufoques* et des *gags désopilants*. On ne pouvait pas s'empêcher de se *tordre de rire*.

1. maigre comme un clou
   a. avec des pieds immenses
   b. le plus maigre de tous
   c. très maigre

2. une tignasse flamboyante
   a. une chevelure rousse, abondante et mal peignée
   b. un regard perçant
   c. un vêtement rouge

3. un titi parisien
   a. un parisien drôle, malicieux
   b. un clochard
   c. qui ressemble à un tableau, à une peinture

4. goguenard
   a. qui rit tout le temps
   b. qui a l'air de se moquer des autres
   c. qui est facile à tromper

5. un grand escogriffe
   a. grand et gros
   b. un géant aux grands pieds
   c. de grande taille, avec une allure dégingandée

6. son sosie
   a. son grand frère
   b. son petit frère
   c. une personne ressemblant parfaitement à une autre

7. des pitreries
   a. des façons de faire comme les clowns
   b. des mouvements de gymnastique
   c. de la musique

8. loufoques
   a. tristes
   b. drôles
   c. racontées avec maladresse

9. des gags désopilants
   a. des récits ou situations comiques qui font beaucoup rire
   b. des histoires incompréhensibles
   c. des plaisanteries d'un mauvais goût

10. se tordre de rire
   a. rire bruyamment
   b. avoir l'air idiot parce qu'on ne comprend rien
   c. rire si fort qu'on en est plié en deux

2
HEUREUX QUI COMME ULYSSE...

Voici des dictons à retenir parce qu'ils sont très couramment utilisés dans la conversation.

1. L'argent ne fait pas le bonheur.
2. Pour vivre heureux, vivons cachés.
3. Rira bien qui rira le dernier.
4. Le bonheur des uns fait le malheur des autres.
5. Un malheur n'arrive jamais seul.
6. Heureux au jeu, malheureux en amour.

a. Énoncez une idée qui pourrait se terminer par un de ces dictons.

b. Cherchez quel serait l'équivalent de chacun d'eux dans votre propre langue.

3
IL N'Y A PAS DE QUOI RIRE !

Trouvez le sens des expressions suivantes en les associant aux définitions proposées. Certaines sont synonymes ;

1. rire à gorge déployée
2. rire aux larmes
3. rire jaune
4. pleurer à chaudes larmes
5. pleurer toutes les larmes de son corps
6. gai comme un pinson
7. heureux comme un coq en pâte
8. retenez-moi ou je fais un malheur !
9. elle a fait un malheur avec son dernier disque.
10. être au septième ciel
11. broyer du noir
12. c'était l'âge d'or
13. avoir le cafard

a. si je me laisse aller, j'éclate ; ça risque d'être très violent
b. être très gai
c. être très heureux
d. rire d'un rire forcé, qui dissimule mal la gêne ou la déception
e. rire très fort
f. être triste
g. pleurer beaucoup
h. une époque prospère et heureuse
i. remporter un très grand succès

4
SOURIRE DE TOUT

Commentez ces définitions de l'humour et du rire.

– « Il faut rire avant que d'être heureux, de peur de mourir sans avoir ri. » (La Bruyère)

– « Je me presse de rire de tout, de peur d'être obligé d'en pleurer. » (Beaumarchais)

– « L'humour, c'est de savoir que tout, absolument tout, est drôle, dès l'instant que c'est aux autres que cela arrive. » (Marcel Achard)

5
RIRE : LE PLÉBISCITE

Voici les films comiques français qui ont eu les plus gros succès. Vous avez certainement vu au moins un de ces films. Vous connaissez sans doute (au moins de réputation) l'un des grands acteurs comiques qui ont contribué à leur succès.

Exposez brièvement ce qui vous a paru particulièrement drôle dans le film que vous avez vu ou bien ce que vous savez de l'un ou l'autre de ces acteurs.

Film	Réalisateur	Acteurs	Année
La Grande Vadrouille	Gérard Oury	De Funès-Bourvil	66
Le Corniaud	Gérard Oury	De Funès-Bourvil	65
Trois Hommes et un couffin	Coline Serreau	Boujenah-Giraud-Dussolier	85
La Guerre des boutons	Yves Robert		62
La Vache et le prisonnier	Henri Verneuil	Fernandel	59
Le Gendarme de Saint-Tropez	Jean Girault	De Funès-Galabru	64
Les Bidasses en folie	Claude Zidi	Les Charlots	71
Les Aventures de Rabbi Jacob	Gérard Oury	De Funès	73
La Chèvre	Francis Weber	Depardieu-Richard	81
Les Grandes Vacances	Jean Girault	De Funès	67
Le Gendarme se marie	Jean Girault	De Funès-Galabru	68
La Cuisine au beurre	Gilles Grangier	Fernandel-Bourvil	63
Le Gendarme et les extraterrestres	Jean Girault	De Funès-Galabru	79
Oscar	Édouard Molinaro	De Funès	67
Marche à l'ombre	Michel Blanc	Lanvin-Blanc	84

Le Nouvel Observateur, 11 mars 1993 (sources : *Studio Magazine*).

6
CONTREPÈTERIES

On fait une contrepèterie en échangeant des lettres ou des syllabes pour fabriquer un autre mot, une autre phrase… et obtenir un effet burlesque ! Une contrepèterie est faite pour être entendue, c'est donc le son qui compte.

Exemples : un **chau**vin / un vin **chaud** – un sénat **dé**bile / un **dé**bat sénile – Que mange la **Fran**çaise ? / **c**ent **fr**aises.

Trouver les contrepèteries que l'on peut faire à partir des mots et expressions ci-dessous, en devinant les lettres qui manquent. Puisque c'est le son qui est important, exercez-vous à haute voix.

1. l'opéra
2. un mot grec
3. un bouchon
4. louper son car
5. j'ai lavé mon col dans la buvette

a. l'.pér.
b. un gros m..
c. un bon ch..
d. c.....son .ard
e. j'ai lavé mon b.. dans la .uvette

Solutions : 1. apéro – 2. mec – 3. chou – 4. couper, lard – 5. bol, cuvette

La France a la réputation d'être très attachée

à la conservation du passé, des traditions,

de cultiver certains archaïsmes.

Chacun se flatte d'avoir des souvenirs

qui le font frémir, comme Proust

à l'évocation de sa « petite madeleine ».

À LA RECHERCHE DU TEMPS PERDU

LA QUERELLE DES ANCIENS ET DES MODERNES

En vertu d'un attachement au passé, toute innovation en matière d'architecture ou d'urbanisme peut susciter des réactions d'hostilité et ranimer le conflit entre les partisans de la tradition et ceux du renouveau. Au XIXᵉ siècle, les grands travaux d'aménagement de Paris décidés par Haussmann (qui font aujourd'hui l'admiration de tous), ont été beaucoup critiqués. La construction de la tour Eiffel a déclenché, à son époque, une telle campagne de protestations qu'on a failli la démonter. Le style architectural du centre Beaubourg a fait hurler, et fait hurler encore, un grand nombre de gens. L'opéra Bastille et la Cité des sciences et de l'industrie (La Villette) ont été l'occasion de violentes polémiques. On considère souvent, *a priori*, que toute construction neuve est forcément plus laide et plus banale que « l'an-

cien ». On restaure beaucoup les châteaux, les abbayes, mais aussi parfois de véritables ruines sans grand intérêt. Dans le quartier des Halles à Paris, tout à côté du centre Beaubourg, on a rénové de nombreuses maisons très anciennes pour vendre ou louer les appartements à prix d'or, même quand leur intérêt architectural n'était pas évident. Pour donner un côté chic à des résidences neuves, on leur donne un nom évocateur d'un passé prestigieux : le Trianon, Versailles, etc.

Les observateurs étrangers ironisent parfois sur le fait que pour beaucoup de Français « tout ce qui est vieux est beau » et que certains appartements privilégient le côté musée au côté confort. Les Français raffolent des « vieilleries », meubles ou objets hérités de leur famille ou chinés dans les brocantes. Ils peuvent avoir de la valeur bien sûr, mais parfois leur seul intérêt tient au fait qu'ils sont vieux… Dans la

LES LIEUX DE MÉMOIRE

« S'il y a eu, pour la France des années 80, un problème de la mémoire qui a fait la fortune de la notion de patrimoine, de l'expression même de "lieux de mémoire", des musées, des commémorations, c'est bien parce qu'était en cours un profond changement du rapport des Français à leur passé. Un changement qui mettait en avant tout un ensemble de traces, de signes, de paysages, de vestiges, qui paraissaient porter un sens, mais un sens devenu mystérieux, à la fois très investi et très opaque. Tout un héritage dont spontanément on ne sait pas bien quoi faire, à la fois fétichisé* et dépourvu d'usage.

Et depuis lors, le terme même de "lieu de mémoire" s'est vu accorder une reconnaissance officielle : non seulement il est entré dans le dictionnaire, mais la loi de 1913 sur la conservation des monuments historiques a été modifiée pour permettre le classement comme "lieu de mémoire". »

Pierre Nora, *Le Monde,* **5 février 1993.**

LA PASSION DES FRANÇAIS
POUR LA GÉNÉALOGIE

L'engouement* actuel pour la généalogie montre le souci des Français de connaître leur passé. On évalue à plus de 60 000 le nombre de personnes qui se lancent à la recherche de leurs ancêtres. Activité autrefois pratiquée par les familles aristocratiques, la généalogie s'est démocratisée. Elle concerne tous les milieux (mais plutôt les classes moyennes) et tous les âges.

Souvent membres d'associations ou de clubs, les généalogistes amateurs consacrent une bonne partie de leurs loisirs à reconstituer leur arbre généalogique en remontant le plus loin possible dans le temps, à travers des documents de toute sorte : cahiers d'état-civil, actes notariaux, cadastres*, registres fiscaux, listes électorales, recensements, etc. (toutes ces sources sont conservées dans les dépôts d'archives des communes et des départements, où elles sont consultables après un certain délai). Sont-ils motivés par la passion de l'histoire, l'espoir de se trouver un ancêtre célèbre, ou bien sont-ils simplement à la recherche de leurs racines, de leur identité dans un monde trop standardisé ?

plupart des appartements, et même dans de nombreux locaux professionnels, coexistent des styles hétéroclites : mobilier moderne, meubles anciens et objets décoratifs de toutes sortes, dont certains viennent souvent de brocantes.

La publicité utilise en permanence cette nostalgie du passé, en évoquant le bon vieux temps, la vie à la campagne, les produits du terroir. Pour une soupe en sachet, on fait allusion à la soupe mijotée que l'on servait autrefois dans les chaumières. Dans les années 70, pour vanter les mérites d'une marque de machines à laver ultra-modernes, une campagne publicitaire montrait une vieille dame (la mère Denis) en train de laver du linge dans la rivière. Son grand âge, son vieux tablier et son accent du terroir ont servi de caution à la qualité de la marque et ont fait d'elle une véritable star de la publicité avec ce slogan : «C'est bien vrai, ça ! »

LE CULTE DU PATRIMOINE

La notion de patrimoine est très large. Elle s'étend à la langue, aux monuments, aux œuvres artistiques et littéraires, mais aussi aux personnages, aux événements et aux grands moments de l'Histoire de France, ainsi qu'aux paysages et aux institutions.

De nombreux textes littéraires, chargés de romantisme et porteurs d'une image idyllique*, ont développé l'idée d'unité, d'harmonie, d'équilibre des paysages français. Le paysage dans la peinture française contemporaine est un genre très secondaire, mais il perpétue une certaine nostalgie du «bon vieux temps». L'impressionnisme, tout particulièrement, est une référence capitale dans la mémoire nationale. Les reproductions des paysages peints par

Monet ou par Van Gogh ornent les calendriers des postes ou servent de supports publicitaires. Les Français ont plus à l'esprit ces paysages et ceux décrits et immortalisés par des écrivains comme George Sand ou Charles Péguy que les paysages actuels, bouleversés par l'urbanisme et les aléas* de la modernité.

Durant les vingt dernières années, les pouvoirs publics ont mené des opérations comme « la création », « la sauvegarde » ou « la protection » de paysages, « la conservation » du littoral, les paysages étant considérés comme des éléments du patrimoine national. Ces initiatives visent à limiter les constructions dans certaines zones, à préserver l'impression de grands espaces. En revanche, dans certaines régions ou dans certaines banlieues, on a continué à construire, de façon totalement anarchique et sans grand souci de l'environnement, des immeubles en béton, des lotissements ou des villages de vacances.

La France, c'est aussi le contraste entre la tradition des «jardins à la française » (ordre, harmonie et équilibre, comme le montrent les jardins du château de Versailles) et l'amoncellement* de blocs de béton, des banlieues ou des cités dortoirs…

La France a peut-être plus encore que d'autres pays la manie des commémorations, des cérémonies du souvenir, des célébrations en tout genre. Le linguiste Jacques Cellard fait une interprétation assez drôle de la fonction qu'elles remplissent : « Jules César note que les Gaulois ne sont bons qu'à se quereller. C'est bien vu. Le rite de la commémoration est un espace de réconciliation. Devant les morts, on se calme. »

Il n'est pas un village français qui n'ait son monument aux morts, en hommage aux morts des guerres de 14-18 et de 39-40. Dans les pays conquis par la France, la volonté d'imposer la culture française et d'unifier l'empire colonial passait par l'édification de monuments aux morts, au même titre que la présence d'instituteurs français ou la fabrication de baguettes de pain !

Dans chaque ville et chaque village, le

Y A PLUS DE SAISON...

La galette des Rois
avant Noël !

« Heureux nos lointains ancêtres qui pouvaient se fier (presque) les yeux fermés à l'Almanach ou "Pronostication des laboureurs" du trop méconnu Anthoine Maginus. Car si lubie* leur prenait de revenir faire un tour sur notre vieille terre, entre les deux réveillons, ils en seraient tout chamboulés*, les pauvres. Car tous les commerçants en font la preuve : y a plus de saison ! Encore une chance que Noël arrive, bon an, mal an, le 25 du douzième mois. Pour le reste, c'est une autre paire de manches*...

La preuve ? Les Rois. Ceux que l'on tire d'ordinaire le premier dimanche de l'an neuf venu. En partageant la galette et en couronnant le crâne du découvreur de fève pour célébrer l'Épiphanie. Or, cette année, les premières galettes ont fait leur apparition sur les linéaires des grandes surfaces deux bonnes semaines avant Noël ! [...]

Il est vrai qu'en cette fin de siècle où le gigot n'est plus "pascal*" mais de Nouvelle-Zélande, où la saison du blanc* est celle de la couleur et où il ne neige même plus à Noël, il serait bien présomptueux de se fier aux dates du calendrier. On pourrait d'ailleurs fort bien imaginer de fêter l'an neuf au 14 juillet avec du beaujolais nouveau, la Saint-Jean à l'équinoxe d'automne et les mamans le jour de la Toussaint ! [...].

Mais que deviendraient alors les proverbes et adages attachés au calendrier ? Qui oserait encore affirmer : "Il faut qu'à la Sainte-Eugénie, toute semaille soit finie" ? Qu'à la Saint-Hilaire (14 janvier) le jour augmente "d'une heure de bergère" et à la Saint-Antoine (17 janvier) "du repas d'un moine" ? Si le progrès a du bon, il serait ridicule de tout chambouler au nom des seules exigences de la sacro-sainte économie. Car, pour elle aussi, "avant l'heure, c'est pas l'heure !". »

Philippe Caramanian
Le Bien public, 28 décembre 1992.

●●●●●●●●●●●●●●●●●●●

PARIS, MODE D'EMPLOI

« Les Parisiens demeurent un mystère éternel pour la province. Les habitants de la Seine-Maritime, de Loir-et-Cher ou de Meurthe-et-Moselle s'interrogent sur le mot lui-même. Est-ce un métier, une connivence particulière, une très vieille habitude que d'être parisien ? Léon-Paul Fargue disait que beaucoup de gens ne mériteraient jamais "ce titre", bien qu'ils fussent nés rue Lepic ou place d'Italie. Car ils n'avaient pas "attrapé la manière"…

C'était, peut-être d'abord, une façon de respirer. Avoir "la sensation du large*" lorsqu'on descendait les Champs-Élysées vers la place de la Concorde, et s'y promener "comme sur un pont de paquebot". Ensuite, Léon-Paul Fargue parlait de "cette légèreté qui permettait à quelques centaines de milliers d'êtres humains de ne rien prendre au tragique" et "d'exercer une sorte de suprématie auprès des espèces moins promptes à la réplique, moins insouciantes et moins aimables". En 1993, cette manière de vivre, de penser ou de se moquer est (hélas !) très menacée, car elle résiste mal aux tracas de notre époque.

Et les Parisiennes ? Certaines se faisaient remarquer par leur frivolité, leurs amants, leurs extravagances, leurs bijoux et leurs "mots", dans les salons, qui comptaient davantage que "les traités secrets et les combinaisons européennes". Les autres, plus discrètes, ne passaient tout de même pas inaperçues. D'après L.-P. F., les aubergistes de province et les douaniers savaient les reconnaître à leur "toilette", à leur "accent", à la "vibration" de leur personne. Et puis à des presque riens, des je-ne-sais-quoi… C'est le plus bel éloge de la douane et de l'hôtellerie…

Mais, dans les années 30, Léon-Paul Fargue regrettait déjà de voir disparaître ces femmes qu'il qualifiait de "jolis monstres" et qui avaient longtemps régné "sur toutes les classes de la capitale, maniant le ministre ou le mec avec la même aisance […],

nom des rues est chargé de mémoire. On évoque l'histoire des batailles, des grands événements ou des grands hommes de l'Histoire de France, jusque dans le métro parisien avec ses stations « Gare d'Austerlitz », « Bastille », « Jaurès », etc. Le long des autoroutes, des panneaux signalent le patrimoine archéologique, artistique, artisanal ou culinaire des régions traversées. En ce qui concerne le cinéma ou la peinture, les rétrospectives sont nombreuses, célébrant les artistes disparus… et peut-être pas assez les artistes vivants !

Depuis une vingtaine d'années, sont apparus des musées d'un nouveau genre, les écomusées. Leur objectif est de valoriser les activités économiques traditionnelles de certaines régions, en montrant leur intérêt et leur richesse culturelle à travers des témoignages, des expositions de photos, de peintures, d'anciennes machines, des documents de toutes sortes. Dans des régions où l'activité économique est en voie de déclin ou de disparition, les anciennes usines sont préservées sous la forme de «friches industrielles» pour témoigner de l'activité passée.

PARIS-PROVINCE

Depuis longtemps, la France est un pays très centralisé. Paris est la capitale politique, la capitale culturelle, mais c'est aussi symboliquement le centre de la France géographique, puisque les réseaux routier et ferroviaire partent de Paris et mènent à Paris, en dépit de quelques tentatives (récentes) de décentralisation ou de meilleures connections entre les différentes régions françaises.

En raison probablement de la centralisation politique, on a toujours opposé Paris et la province. Paris était censé incarner le bon goût et diffuser son esprit sur le reste du pays (voire même sur le reste du monde !). « Il me semble que Paris est la ville du monde où l'esprit et le goût de la conversation soient les plus répandus », écrivait Madame de Staël. Et Victor Hugo d'ajouter : « Cherchez quelque chose que Paris n'ait pas… »

Pour les héros littéraires du XIXᵉ siècle, il fallait s'emparer de la grande ville et s'approcher du « grand monde »

Ici le temps reste précieux.

L'essentiel est ici.

pour réaliser une glorieuse destinée. Rastignac, héros de Balzac, s'élançait à la conquête de Paris pour assouvir ses ambitions. Bécassine, héroïne d'une bande dessinée très populaire, faisait rire parce qu'elle découvrait naïvement la vie à Paris, en débarquant de sa Bretagne natale.

De nombreux écrivains – François Mauriac, Hervé Bazin – ont bien décrit, dans les années 50, l'ennui et l'étroitesse d'esprit des villes de province. On parle des « querelles de clochers » pour évoquer les zizanies entre habitants de villages voisins, les vieilles haines qui se perpétuent entre familles, parfois depuis plusieurs générations. Il a « l'air un peu province », disait-on avec condescendance* d'un notable* ou de n'importe quel provincial arrivant à Paris. Les provinciaux sont souvent présentés dans la littérature classique comme des gens naïfs, peu dégourdis*, un peu niais aux yeux des Parisiens blasés. Aujourd'hui, on utilise pour parler de la province une expression assez ambiguë : « la France profonde ». L'expression renvoie au fait que les provinciaux ont su conserver leurs valeurs, leur identité, leurs traditions, mais sous-entend aussi qu'ils ne se seraient pas adaptés à la modernité.

À l'inverse, les Parisiens sont souvent dépeints par les provinciaux comme des êtres brillants, mais frivoles et snobs ! Même si deux Parisiens sur dix seulement sont nés à Paris, ils cultivent « le parisianisme » et manifestent un certain mépris pour cette « France profonde ». Un automobiliste circulant à Paris dans une voiture immatriculée dans un département de province se fera traiter de « plouc* » à la moindre occasion !

Il faut « monter » à Paris pour faire carrière, que ce soit dans la vie politique ou administrative, dans le domaine culturel, artistique ou dans le milieu de la mode. Les hommes politiques sont souvent originaires de province ou se font élire dans une circonscription de province, mais ils vivent la plupart du temps à Paris car c'est là où se trouvent les instances du pouvoir et que sont prises les décisions administratives importantes. Jusque dans les années 90, pratiquement toutes les Grandes Écoles étaient situées en région parisienne. La décision prise par le gouvernement en 1991 de « délocaliser » l'une des plus prestigieuses d'entre elles, l'École nationale d'administration (ENA) en l'installant dans une grande ville de province, Strasbourg, a provoqué un véritable tollé*. Certains Parisiens ne sont pas loin de considérer une mutation en province comme un véritable exil !

Il est certain que Paris présente toujours un attrait culturel et touristique, sans doute un passage obligé pour certains. Mais on évoque aussi souvent les aspects négatifs de la vie à Paris – l'isolement, la solitude dans la grande ville – en comparaison avec une certaine qualité de la vie en province, une vie plus proche de la nature, moins de pollution, un rythme plus lent, des transports moins pénibles, des relations de voisinage plus faciles : « En province, on prend le temps de vivre. »

C'est ainsi qu'il y a en France de plus en plus de « néo-ruraux », qui vivent à la campagne sans pour autant être des paysans. En effet, certaines personnes choisissent de vivre et de travailler à la campagne, un choix rendu possible par le développement de la micro-informatique, de la télématique, des fax, des trains à grande vitesse, qui permettent de communiquer facilement avec Paris. Ce sont, en quelque sorte, des citadins vivant à la campagne !

qu'elles fussent de l'avenue de l'Opéra ou de Montmartre". Il en restait heureusement quelques-unes dans le Paris de l'entre-deux-guerres, pour tempérer les nostalgies de L.-P. F. C'était l'époque où les dernières marquises délaissaient la capitale et ses vanités, ses coups de cœur, ses impatiences, pour "aller mourir dans les stations thermales". »

François Bott
Le Monde, 22 octobre 1993.

• • • • • • • • • • • • • • • • • • • •

• • • • • • • • • • • • • • • • • • • •

VIVE LA PROVINCE

« Au contraire des provinces qu'il distingue à leurs coiffes, la province est un ensemble flou aux yeux du Parisien, un tas de bouts de pays jetés en vrac et numérotés de 1 à 95, où il a du mal à se retrouver depuis le CM 2. Les provinces dansent gaiement au son du flûteau, mais la province s'ennuie, on le voit dans tous ces films où le soir descend comme un couvre-feu sur des pavés obligatoirement mouillés. Un Parisien de souche apprenant qu'il est muté, c'est tout de suite Sakharov expédié à Gorki. Ce qui lui glace* le sang, c'est la vision terrifiante d'une existence enfin paisible, à prix modique, avec des balades en forêt, et qu'on appelle en province la Qualité de la Vie.

Les Provinciaux, c'est leur devise* en ce moment, leur oriflamme*. La Qualité de la Vie comprend, pour résumer, de l'espace où jouer aux boules et du temps pour déjeuner, des grand-mères en bon état pour garder les enfants et des plans d'eau où s'initier au windsurf, un nombre appréciable de microclimats, de petits poneys et de groupes vocaux, la mer, la nature, la montagne ou l'Europe "à deux pas" – ou même Paris à deux heures ("dont on profite mieux que vous"), des loyers "encore donnés", des caves creusées dans le rocher, des marcs* de pays et l'extravagant privilège de se trouver, tous les soirs, "ailleurs qu'à tourner place de l'Étoile". »

Alain Schifres
L'Express, juillet 1991.

• • • • • • • • • • • • • • • • • • • •

© Hachette Livre/Gautier-Languereau

Au dernier recensement de la population française, un expert a calculé que les deux millions d'habitants des 8 000 communes rurales traditionnelles tiendraient aujourd'hui « à l'intérieur du boulevard périphérique parisien » ! C'est une situation qui, à terme, tendra nécessairement à estomper les vieux clivages entre la ville et la campagne, entre Paris et la province.

CUISINE AU BEURRE OU À L'HUILE ?

La France jacobine a cherché à effacer le sentiment d'appartenance à une région, parce qu'il était contraire au projet d'unification républicaine, à l'idée de nation française. Elle y a certainement réussi en grande partie. Ce qui subsiste des particularismes régionaux relève surtout du folklore : des costumes qualifiés de « folkloriques » (la coiffe bretonne ou alsacienne), des danses appelées également « folkloriques » (la bourrée auvergnate, la sardane catalane), des spécialités culinaires (la potée auvergnate, la bouillabaisse marseillaise), des produits locaux (la moutarde de Dijon, le cidre de Normandie), des jeux et des sports qui sont plus pratiqués dans une région que dans une autre (la pétanque en Provence, le rugby dans le Sud-Ouest), etc.

Ce qui marque l'esprit des Français, c'est la division de la France en deux parties : celle du nord de la Loire et celle du sud de la Loire, ou plus simplement « le Nord » et « le Midi ».

Avant que ne soit imposé à toute la nation l'usage du français, chaque région avait sa langue ou son dialecte. Les dialectes du nord de la Loire faisaient partie de la langue d'oïl tandis que les dialectes du sud de la Loire faisait partie de la langue d'oc. L'Occitanie – l'ensemble des régions où on parlait la langue d'oc – couvrait environ un tiers de la France actuelle (le Massif central, la Provence, le Roussillon, l'Aquitaine) ; elle était très riche sur le plan de la création littéraire et artistique. L'unification linguistique du pays a presque fait disparaître les langues régionales, y compris l'occitan. Mais les gens du Midi se distinguent encore aujourd'hui par leur façon de parler le français. « L'accent du Midi » est particulier et reconnaissable ; il est plus chantant que « l'accent pointu » des gens du Nord.

L'opposition entre le Nord et le Sud s'est également manifestée à travers la religion. Les grandes dissidences religieuses – la contestation du catholicisme – se sont développées essentiellement dans le sud de la France : l'hérésie cathare du XIIᵉ siècle, puis le protestantisme à partir du XVIᵉ siècle. Les hommes d'Église venus du Nord les réprimèrent dans des bains de sang, et cela a laissé des traces dans la mémoire collective.

C'est dans les régions qui avaient contesté l'autorité religieuse que s'implanta, à ses débuts en France, le socialisme comme mouvement d'opposition au pouvoir établi. Pendant près d'un siècle, le midi de la France fut une région réputée « rouge » où le parti socialiste, puis le parti communiste, obtenaient de nombreuses voix à chaque élection. Depuis une date récente, ces régions sont devenues des terres de prédilection pour l'extrême-droite ; parmi les nombreuses analyses avancées pour expliquer ce phénomène, certaines considèrent qu'il s'agit en partie d'un phénomène de rejet des partis politiques officiels.

Le Nord et le Sud diffèrent à l'évidence par leur paysage, leur climat, leur agriculture, leur économie en général.

Le nord du pays a toujours été plus riche sur le plan agricole. C'est dans le Nord que se trouvent les grandes plaines, « greniers à blé de la France » (la Beauce, la Brie), dans le Nord aussi que l'on a toujours pratiqué l'élevage intensif des bovins (en Normandie, dans le Charolais). En raison des pluies relativement abondantes, les toitures des maisons sont en pente. C'est encore dans le Nord que se sont implantées les activités industrielles et que se sont donc créés des emplois. Le Midi a dans l'ensemble un relief plus mouvementé, un climat chaud et sec. Il est semblable, par bien des aspects, aux pays de tout le Bassin méditerranéen : on y cultive la vigne et l'olivier, les odeurs des herbes embaument l'air, les toits des maisons sont plats (ou presque).

Les productions agricoles ont créé des habitudes alimentaires différentes, qui subsistent encore. Dans le nord et surtout l'ouest de la France, on a toujours fait la cuisine au beurre, on consomme de la crème fraîche, des fromages de vache. Dans le midi méditerranéen, on préfère l'huile d'olive et les fromages de chèvre et de brebis.

Puisque l'agriculture, l'industrie, mais aussi l'administration (centralisée à Paris) créaient beaucoup plus d'emplois dans le Nord que dans le sud de la France, beaucoup de gens du Midi étaient – et sont encore – obligés de quitter leur région pour aller chercher du travail au nord de la Loire. De nombreux villages ont été plus ou moins abandonnés. Les méridionaux continuent en vain de réclamer la possibilité de « travailler et vivre au pays ». Malgré les promesses et les tentatives d'aménagement du territoire, le déséquilibre économique entre le Nord et le Sud subsiste très largement.

En revanche, le Midi bénéficie d'un atout certain sur le plan touristique. Son climat, la beauté de ses paysages, ses villages pittoresques, les plages du littoral lui donnent un charme très particulier, et en font un lieu propice* aux vacances. Pour les mêmes raisons, c'est aussi la région d'élection des retraités. Le Midi est donc souvent associé au farniente*, ce qui n'est pas sans exaspérer beaucoup de Méridionaux. ■

1
ÊTRE OU NE PAS ÊTRE PARISIEN

Voici un extrait de la description du Parisien par un célèbre écrivain.

« Mais qu'entend-on par une personne ou une chose "très parisienne" ? On voit bien qu'il faut être né à Marseille pour se vanter d'être Marseillais, ou à Vienne pour proclamer qu'on est Viennois. Mais il n'est pas nécessaire d'avoir vu le jour à Paris pour être Parisien. […] Être Parisien confère une sorte de primauté à l'heureux tenant de ce titre. En revanche, des quantités d'originaires de la plaine Monceau ou de la place d'Italie ne seront jamais Parisiens de leur vie : ils n'ont pas attrapé la manière. »

Léon-Paul Fargue, *Le Piéton de Paris*, Paris, Gallimard, 1932.

Tout ce qui est dit dans ce texte pourrait être valable à l'époque actuelle…

Comment peut-on être Parisien sans être né à Paris ? Et inversement, pourquoi peut-on être né à Paris sans pour autant être Parisien ?

2
LETTRE DE VACANCES

Chère Sylvie,

Je suis actuellement en vacances pour une semaine dans la maison de ma grand-mère, *au fin fond* du Massif central. *La province profonde* a beaucoup de charme ! Ce n'est pas parce qu'on est à *Pétaouchnok* qu'on vit pour autant *comme un ours* et qu'il ne se passe rien. J'ai été invitée hier soir à un dîner quasiment mondain chez Françoise. Tu l'as peut-être déjà rencontrée, c'est une sorte de *cousine à la mode de Bretagne*.

La soirée a commencé d'une drôle de façon : nous devions être quatorze et, à la suite d'une défection de dernière minute, nous étions treize à table, ce qui n'était pas du goût de certains invités superstitieux. On avait placé à ma gauche un jeune homme que j'ai trouvé un peu bizarre, il racontait des histoires invraisemblables, de vraies *histoires marseillaises*. Par contre, j'ai apprécié mon voisin de droite, Pierre. Il habite dans un village sur les bords de la Loire et je dois dire que j'étais sous le charme lorsqu'il me parlait de *la douceur angevine*. Comme j'avais envie de le revoir, je l'ai invité à la fête que j'organise pour mon anniversaire le mois prochain. Je ne suis pas sûre qu'il vienne car il m'a fait *une réponse de Normand*. Peut-être s'était-il fait des idées sur mes intentions… En face de moi, un homme d'un certain âge à qui je parlais de mes problèmes de boulot, a eu l'air très intéressé par ce que je faisais. Il s'est engagé à faire passer certains de mes articles dans le journal local. Nous verrons bien si c'est *une promesse de Gascon* ou pas.

Nous avons tous fait honneur au dîner. Tout le monde avait *un bon coup de fourchette* et personne ne calait devant son verre de vin. Au milieu du repas, on a même fait une pose avec un *trou normand*, avant de passer au dessert. Inutile de te dire que tout le monde était un peu éméché. À tel point que la fin du repas a été épique. L'un des invités, à qui je n'avais pas parlé pendant le repas parce qu'il était à l'autre bout de la table (c'est le maire de la ville voisine, *le notable du coin* !) s'est tout d'un coup beaucoup agité en parlant politique avec sa voisine. Ça s'est terminé quasiment en scandale. Ça va *faire du bruit dans Landernau*.

Raconte-moi toi aussi ce que tu deviens. Est-ce que la vie est belle pour toi en ce moment ? Je t'embrasse.

Marianne

Trouvez le sens des expressions en italique parmi les définitions proposées.

1. au fin fond du Massif central – 2. la province profonde – 3. à Pétaouchnok – 4. vivre comme un ours. – 5. une cousine à la mode de Bretagne – 6. des histoires marseillaises – 7. la douceur angevine. – 8. une réponse de normand. – 9. une promesse de gascon – 10. avoir un bon coup de fourchette – 11. faire un trou normand – 12. le notable du coin – 13. ça va faire du bruit dans Landernau

a. ambiguë (ni oui, ni non)

b. boire un verre de calvados au milieu du repas pour faire une pause et continuer à avoir de l'appétit

c. dans un endroit peu connu, difficile d'accès

d. la province authentique

e. des récits peu vraisemblables

f. être peu sociable, vivre en solitaire

g. manger de bon appétit, beaucoup

h. on va en parler beaucoup

i. peu sérieuse

j. très très loin

k. un climat particulièrement agréable (tel que le décrivait Du Bellay)

l. un parent extrêmement éloigné, on ne sait même pas s'il est vraiment de la famille

m. une personne importante dans la région

3

DE TEMPS EN TEMPS

Ces expressions concernent le temps.

Classez-les selon qu'elles se rapportent, ou non, à une action :

a. peu probable, qui risque de ne jamais arriver

b. qui a eu lieu autrefois

c. de courte durée

d. qui se situe de nos jours

e. qui se situera dans le futur (proche ou lointain)

1. en moins de deux

2. on se voit dimanche en huit

3. par les temps qui courent

4. il ne va pas faire long feu

5. la semaine des quatre jeudis

6. à la Saint-Glinglin

7. dans la nuit des temps

8. il y a belle lurette

9. dans cent sept ans

10. incessamment sous peu

11. à Pâques ou à la Trinité

12. ça remonte aux calendes grecques

4

LE CULTE DES MORTS

« Le culte des morts est un des traits essentiels de la spiritualité française. Ce culte conserve les formes extérieures de la piété religieuse, même là où la foi elle-même a disparu. C'est ce sentiment qu'exprime Comte lorsqu'il dit que les vivants sont gouvernés par les morts. Les cimetières de Paris laissent au visiteur une impression inoubliable : le cimetière Montparnasse, le cimetière Montmartre, et surtout, le Père Lachaise. C'est là que les morts reposent, non pas sous des tertres verts, mais dans des maisons de pierres qui affectent souvent la forme de temples ou de chapelles, fermés par des grilles en fer forgé. Beaucoup de ces tombes portent l'inscription : « *concession à perpétuité* ». Ce cimetière forme une seconde ville, la ville pétrifiée des morts, enclose dans la « ville lumière » des vivants. Là reposent côte à côte Molière et La Fontaine ; plus loin on lit les noms les plus illustres du XIXe siècle : Musset et Chopin, Balzac et Ingres, Delacroix et Comte. Leurs tombes sont toujours fleuries ; elles sont visitées par d'innombrables admirateurs, venus parfois de loin pour *honorer leur mémoire*. L'athmosphère de cette cité silencieuse est si intense que l'on se prend à croire – comme les Anciens – que l'âme des morts habite dans les tombeaux.

Mais bien d'autres monuments, à Paris, sont consacrés à ce culte des morts : il y a le Panthéon, où la Nation recueille les dépouilles de ses grands hommes ; il y a la chapelle des Invalides, sous le dôme de laquelle Napoléon repose solennellement dans son sarcophage de porphyre ; il y a l'Arc de Triomphe, où dort le soldat inconnu. La petite flamme qui brûle sur sa tombe garde toujours vivante la mémoire des héros de *la Grande guerre*, au milieu du trafic assourdissant de la place, et elle symbolise en même temps la piété envers les morts, ce sentiment si profondément enraciné dans l'âme française. »

Ernst Robert Curtius, *Essai sur la France*, Grasset, 1932.

Quel est le sens des mots et expressions suivants ?

Trouvez la définition correcte parmi les trois qui vous sont proposées.

1. Une concession à perpétuité
   a. souvenir éternel
   b. emplacement acheté dans un cimetière pour une durée illimitée
   c. personnage très célèbre

2. Honorer la mémoire de quelqu'un
   a. lui rendre hommage, perpétuer son souvenir
   b. chanter pour quelqu'un
   c. envoyer une lettre à quelqu'un

3. La Grande guerre
   a. une guerre mythique
   b. la guerre de 1914-1918
   c. la guerre de 1939-1945

Vérifiez dans un dictionnaire que vous savez bien qui ils étaient et à quelle époque ils vivaient : Comte, Molière, La Fontaine, Musset, Chopin, Ingres, Balzac, Delacroix.

Quels sont les cimetières parisiens où sont enterrés de nombreux personnages célèbres ?

La langue française est-elle en danger

comme le soutiennent régulièrement certains de ses défenseurs ?

Il est vrai que, comme toute langue vivante, elle se modifie en permanence

et depuis toujours. Une des spécificités françaises tient au fait que l'État

contribue à travers différentes lois – la dernière en date est de 1994 –

à soutenir et promouvoir son utilisation, à encadrer son évolution.

LA LANGUE

Un peu d'Histoire

La langue française était parlée dans l'Europe tout entière, il n'y a pas si long-temps. Au XVIIIᵉ siècle, Voltaire pouvait écrire : « Ce qui fait le mérite de la France, son seul mérite, son unique supériorité, c'est un petit nombre de génies sublimes* ou aimables qui font qu'on parle français à Vienne, à Stockholm et à Moscou. »

Dans un pays où on parlait beau-coup de langues et de dialectes locaux, c'est la Révolution de 1789 qui a imposé l'utilisation du français non plus seulement comme langue de l'élite et de la culture, mais aussi comme langue du peuple et de la liberté. En 1793, s'ouvre la chasse aux langues régionales sur lesquelles s'appuie une résistance contre-révolutionnaire mena-çante pour la République.

L'abbé Grégoire, bien qu'il fût écclé-siastique, était un des représentants de l'extrême gauche à l'Assemblée consti-tuante. En juin 1794, il présente à la Convention un « Rapport sur la néces-sité et les moyens d'anéantir le patois et d'universaliser l'usage de la langue fran-çaise ». Les instituteurs doivent empê-cher les enfants de parler en patois ou en langue régionale. Ils sont chargés d'enseigner le français au même titre que la Déclaration des Droits de l'Homme et du Citoyen. L'abbé Grégoire insiste même sur la nécessité de suppri-mer les accents régionaux des députés, parce qu'ils marquent leur apparte-nance à telle ou telle province.

Le processus d'unification se renforce sous la Troisième République. « Un peuple, une langue, une nation », disaient les romantiques. La langue française s'est imposée – parfois avec une certaine violence – comme langue défense et l'expansion de la langue française.

– 1975 : le parlement adopte la loi Bas-Auriol, pour contrer l'influence grandissante de l'anglais.

– 1989-90 : le projet de réforme de l'orthographe, défendu par le Conseil supérieur de la langue française, provoque de telles oppositions qu'il est finalement retiré.

– 1994 : le parlement adopte « la loi Toubon » (ministre de la Culture) « relative à l'emploi de la langue française », qui affirme « un droit au français pour les consommateurs, les salariés, le public ». Elle rend obligatoire l'usage du français – et interdit donc les mots étrangers (pour la plupart d'origine anglaise) – pour toute inscription ou annonce faite dans un lieu ouvert au public, dans la publicité, les offres d'emploi, les contrats de travail, etc. Dans les colloques et les congrès organisés en France, tout participant a le droit de s'exprimer en français.

• • • • • • • • • • • • • • • • • •

LES FORMULES DE POLITESSE
DANS LA CORRESPONDANCE

Dans la correspondance écrite, en particulier le courrier administratif, les formules de politesse se sont perpétuées de façon très conventionnelle. Dans une lettre officielle, on doit préciser dans l'adresse et l'en-tête la fonction du destinataire : « Monsieur le Maire », « Monsieur le Directeur » (et non pas « Monsieur »). On doit impérativement terminer par une formule du genre :

« Je vous prie d'agréer mes salutations respectueuses. »

« Veuillez agréer, Monsieur, l'expression de mes sentiments distingués (ou respectueux). »

« Je vous prie de croire à mes sentiments les meilleurs. »

Si c'est une femme qui écrit, elle remplacera « sentiments » par « salutations ».

• • • • • • • • • • • • • • • • • •

unique de l'État et des citoyens français, en particulier à travers l'école, l'administration, le service militaire.

Les langues dites « régionales » persistent (le basque, le breton, le catalan, le corse, l'occitan, l'alsacien, le flamand) et sont parlées par beaucoup de gens encore aujourd'hui. Mais la tradition jacobine persistante ne leur reconnaît officiellement aucune existence et aucun usage. La Constitution précise que « la langue de la République est le français ». Les langues régionales sont considérées tantôt comme un symptôme passéiste et un tant soit peu réactionnaire, tantôt comme un élément du patrimoine national et du folklore dont il faut retarder l'extinction… Depuis quelques années cependant, sous l'influence des linguistes, on respecte davantage les cultures et les langues régionales.

« LE GÉNIE DE LA LANGUE FRANÇAISE »

Les Français entretiennent une relation passionnée avec leur langue. Dès leur plus jeune âge, on leur enseigne la maîtrise, le respect, l'amour de la langue, surtout de la langue écrite. Les fautes de syntaxe et d'orthographe

sont des crimes de lèse-majesté* ! L'orthographe est devenue au XIXᵉ siècle une matière d'enseignement, et la dictée a été pendant longtemps le test essentiel pour évaluer le niveau des élèves. Le projet de réforme de l'orthographe engagé en 1990 a suscité tant d'émotions et de querelles qu'il a été retiré… La suppression de l'accent circonflexe ou la simplification du pluriel des noms composés représentaient pour certains une telle menace que cela pouvait entraîner des manifestations dans la rue.

Les hommes politiques se doivent d'être des orateurs, des tribuns sachant manier parfaitement l'imparfait du subjonctif. Pour faire une belle carrière politique, il est de bon ton de publier chroniques, mémoires ou essais littéraires.

L'Académie française manifeste toujours beaucoup de réticence à faire entrer officiellement dans la langue française de nouveaux mots. Il y a en France une différence importante entre la langue écrite et la langue parlée. Beaucoup de mots de la langue populaire se sont largement répandus mais ils ne sont pas utilisés à l'écrit.

Les accents régionaux ne sont pas très bien vus. La façon de parler considérée comme normale, neutre, la langue de référence est celle de la Touraine. Elle est en fait assez proche de l'accent parisien, « l'accent pointu », comme disent ceux qui ont « l'accent du Midi » ! Mais il ne faut pas confondre le parler parisien standard et « l'accent parigot », cet accent teinté d'expressions souvent triviales, fréquent dans les milieux populaires, et immortalisé au cinéma par Arletty et Maurice Chevalier. Le parler parisien standard n'est pas non plus le parler « Marie-Chantal » – une façon d'exagérer certaines voyelles (d'appuyer notamment sur les A) – qui caricature le snobisme d'une certaine bourgeoisie.

Les accents régionaux sont une source inépuisable de comique, depuis Molière jusqu'aux imitateurs contemporains, en passant par Fernandel ou Fernand Raynaud. Des informations très sérieuses données avec un accent marseillais, bourguignon ou alsacien suscitent le rire. Il est difficile d'occuper un emploi important dans le domaine de la communication, de la culture ou des relations publiques, d'être journaliste de radio ou de télévision, si on a un accent régional très prononcé.

Puisque les Français ont une telle réserve à l'égard des accents régionaux, on ne s'étonnera guère qu'ils soient peu tolérants à l'égard des personnes parlant le français avec un accent étranger… Ils comprennent mal qu'un étranger vivant en France depuis longtemps, éventuellement naturalisé français, conserve son accent d'origine, et cela peut être un handicap dans son intégration professionnelle et sociale. En revanche, lorsqu'ils voient à la télévision un étranger s'exprimer dans une langue française très correcte, ils trouvent cela tout à fait normal !

DERNIERS MOTS

Que la langue soit figée par l'Académie française, plutôt conservatrice, ne l'empêche pas d'évoluer en permanence : des mots sont inventés, adoptés, adorés, puis abandonnés, parfois aussi redécouverts. Même chez Proust, les personnages combinent souvent des manières de parler très classiques (« prier à dîner », « être marri ») et des formules argotiques* (« pedzouille », « à la revoyure »). Ils usent de formes d'exagération du langage un peu snob (« sublime », « définitif », « énorme », « sidéral ») proches des superlatifs outranciers* (« terrible », « extraordinaire », « effrayant », « terrifiant ») très à la mode actuellement.

Certains usages qui persistent dans la langue écrite disparaissent pratiquement de la langue parlée. C'est ainsi qu'à l'oral, on utilise rarement l'imparfait du subjonctif ou le passé simple. On remplace fréquemment le futur par des formes au présent (au lieu de dire « J'irai la semaine prochaine », on pourra dire « J'y vais la semaine prochaine »). Plus personne ne s'exprime comme dans Corneille : « Que vouliez-vous qu'il fît contre trois ? Qu'il mourût ? Ou qu'un beau désespoir alors le secourût ? » (« Horace », III, 5). Et peu de Français vous diront : « Il fallait absolument que je vous téléphonasse… »

Le langage en vogue chez les jeunes (surtout les jeunes citadins) bouscule parfois et le vocabulaire et la syntaxe. Certaines de leurs expressions se répandent assez largement parmi la population, et sont même adoptées par la publicité, la chanson ou le cinéma.

Le verlan (argot redevenu à la mode chez les jeunes des années 80) consiste à inverser les syllabes des mots (verlan = l'envers, phonétiquement) : par exemple « chébran » (branché), « meuf » (femme), « laisse béton » (laisse tomber). Certaines expressions de verlan sont passées dans le langage courant oral, mais aussi écrit. Ainsi un « Beur » (Arabe) est un jeune arabe né en France, un immigré de la deuxième génération. « Les ripoux » sont des policiers pourris, corrompus par l'argent (d'après le titre d'un film à succès

●●●●●●●●●●●●●●●●●●●●
LANGAGE DU CORPS

Laurence Wylie est un anthropologue, professeur honoraire à l'université de Harvard. Il montre dans cet article comment le Français se distingue de l'Américain, dans les attitudes corporelles, les rythmes d'élocution, les formes de la conversation.

■ Une tension musculaire constante

« Inculquée à l'enfant à force de discipline et de mimétisme, cette tension est devenue naturelle à un degré tel qu'il est impossible à un étranger de l'imiter [...]. Cette obligation de contrôle et la tension qui en découle sont la cause de la rigidité considérable du torse. La poitrine est bombée ; les épaules sont tenues hautes et carrées. [...] En contradiction avec le reste du corps, les épaules restent des instruments de communication étonnamment flexibles. On les ramène souvent vers l'avant et ce geste s'accompagne d'une expiration ou d'une moue, créant ainsi un mouvement du corps que les étrangers trouvent "typiquement français".

■ La station debout

Lorsqu'ils veulent converser debout, les Américains et les Français se tiennent de façon différente. Les Américains en général se tiennent debout, les jambes parallèles et les pieds très écartés, et font passer le poids du corps d'un pied sur l'autre environ toutes les secondes. [...] Les Français ne semblent pas basculer le bassin [...], ils déplacent tout de même le poids de leur corps. Ils tiennent leurs pieds relativement près l'un de l'autre, mais pas de manière parallèle, un pied est placé à une douzaine de centimètres en avant de l'autre. En déplaçant leur poids, ils déclenchent un mouvement d'avant en arrière [...]. Le mouvement en avant souligne un point que la personne veut faire ressortir de la conversation, alors que le mouvement en arrière accompagne le rire ou une réaction à une estocade verbale et corporelle de l'interlocuteur. Vue au ralenti, une conversation française fait penser aux mouvements des duellistes*.

du même nom).

La publicité est une des meilleures façons de constater les évolutions de la langue, puisqu'elle joue sur les références de langage propres à chaque époque. Ainsi, la très vieille publicité des chaussures André « Le chausseur sachant chausser » se référait à une phrase que les enfants s'amusaient à répéter à cause de sa difficulté de prononciation : « Un chasseur sachant chasser doit savoir chasser sans son chien ». Dans les années 80, une campagne contre l'alcoolisme reprenait une expression très utilisée par les jeunes : « Un verre, ça va… Trois verres, bonjour les dégâts ! ». Certains considèrent toutefois que les publicitaires exagèrent et contribuent trop à pervertir le « beau langage ». Ainsi le slogan utilisé par le ministère de la Santé, dans une campagne visant à défendre la Sécurité sociale – « La Sécu c'est bien, en abuser ça craint » – a déclenché des réactions d'indignation.

La lutte pour la défense de la langue française est à bien des égards une bataille perdue. En dépit des consignes officielles, on imagine mal que les gens renoncent à l'utilisation de certains termes d'origine anglaise (« le franglais ») qui sont maintenant totalement banalisés dans le langage, tels que « week-end », « marketing », « management », « walk-man », « zapper ». Que les amoureux de la langue française restent « cool » !…

ENCHANTÉ !

La simplicité prime de plus en plus en toutes occasions. Les formules de politesse trop longues ne sont plus de mise. Aux formules de galanterie éclatantes du XVIIᵉ siècle ont succédé la discrétion et la pruderie* bourgeoise du XIXᵉ siècle, puis ce que certains qualifient de décontraction ou même de relâchement, au XXᵉ siècle. Néanmoins on respecte toujours plus ou moins certaines règles ou plutôt certains usages.

Lorsqu'on se présente soi-même, on indique simplement son prénom suivi de son nom, sans les faire précéder de monsieur ou madame, et surtout

sans mentionner ses titres ! Il en est de même lorsqu'on présente différentes personnes. L'erreur à ne pas commettre : annoncer monsieur ou madame suivi du prénom seul (ne pas dire par exemple je vous présente « madame Françoise » ! (Cette formule est utilisée uniquement dans les milieux de la prostitution…).

L'usage impose de présenter d'abord la personne « la moins importante » à celle à qui, selon les conventions sociales, est dû le plus de respect : un homme à une femme, une jeune fille à une femme plus âgée, quelqu'un d'ordinaire à une personnalité. On présente ses hommages ou ses respects à une personnalité (ses hommages à une femme, ses respects à un homme) mais c'est un peu « collet monté ». Parmi les formules passe-partout, on peut simplement dire à une personne à qui on est présenté pour la première fois : « Enchanté », « Très heureux », ou encore « Ravi de vous connaître », « Je souhaitais vous rencontrer depuis longtemps ».

Pour parler de la femme de quelqu'un, il est préférable de dire « votre femme » ou bien « Madame Dupont », plutôt que « votre épouse » ou bien « votre dame » (trop populaire). De la même façon, pour parler de la fille de quelqu'un, on dira « votre fille » et non « votre demoiselle ».

On n'utilise pas le même langage lorsqu'on change d'interlocuteur ou de milieu social. On ne parle pas de la même façon de sa famille, de ce qui concerne sa vie privée lorsqu'on est entre amis, entre collègues ou avec un supérieur hiérarchique. Par exemple, lorsqu'on vit en couple sans être marié (ce qui est très fréquent), se pose la question délicate de nommer son compagnon ou sa compagne. Dans un

cadre formel, on reste conventionnel en disant « mon mari », « ma femme » ou « mon compagnon », « ma compagne ». Avec des intimes, les femmes peuvent dire « mon mec », « mon Jules » ou « mon bonhomme » ! Très souvent, on dit simplement « mon copain », « ma copine », ou « mon ami », « mon amie ». C'est pourquoi d'ailleurs, lorsqu'on parle de quelqu'un avec qui on a des relations amicales (et non pas amoureuses), il est préférable – pour ne pas prêter à confusion – de préciser « une de mes amies » ou « un de mes bons amis ».

Les enfants disent souvent « le monsieur » ou « la dame » pour désigner quelqu'un qu'ils ne connaissent pas. Les adultes peuvent également désigner ainsi des inconnus dans un lieu public ou professionnel : « Vous connaissez ce monsieur ? ». Pour parler d'une jeune fille ou d'une jeune femme, on utilise fréquemment le terme de « fille ». (« J'ai rencontré une fille », « Regarde cette fille »). L'usage du mot « fille » a beaucoup évolué. À l'origine, le terme désignait une jeune fille ou une femme non mariée. À la fin du XIXᵉ siècle et au début du XXᵉ siècle, il désignait plutôt une prostituée (« une fille de joie »). De nos jours, c'est un terme utilisé d'une manière banale et courante, qui marque même une certaine sympathie.

À TU ET À TOI

L'existence des deux formes d'adresse, le « tu » et le « vous », pose parfois problème, le choix d'une forme ou de l'autre pouvant sembler arbitraire et le glissement entre le « vous » et le « tu » étant parfois bien difficile à saisir. On dit toujours qu'autrefois tout le monde se vouvoyait. On peut cependant remar-

■ *Les gestes des mains et des bras*

Les Français mettent rarement leurs mains dans leurs poches. Ils gardent souvent le haut du bras serré contre le corps, mais ont une flexibilité incroyable du coude, du poignet et de la main. [...] Au cours d'une conversation, les Français gardent souvent les bras croisés ou parfois mettent leurs poings sur les hanches. [...] Les gens "bien élevés" font moins de gestes que les classes plus populaires, les adultes moins que les enfants, les hommes moins que les femmes, et les gens sobres moins que les gens ivres !

■ *La position assise*

Traditionnellement, les chaises sont normalement raides, droites, faites pour que les Français s'y asseoient comme lorsqu'ils se tiennent debout, c'est-à-dire de façon beaucoup plus droite que les Américains. [...] Les Français mettent rarement leurs pieds plus haut que leurs genoux. Lorsqu'ils croisent les jambes, ce qu'ils font souvent, la jambe qui est croisée par-dessus le genou, repose parallèlement sur l'autre jambe. Les hommes des États-Unis, au lieu de croiser entièrement les jambes, posent souvent leur pied sur le genou opposé, ce qui serait considéré comme impoli en France. Les Français gardent souvent les bras croisés quand ils sont assis comme lorsqu'ils sont debout. [...]

■ *La démarche*

La différence entre la façon de marcher des Américains et des Français est si marquée qu'à Paris on peut repérer un Américain à plus de cent mètres, rien qu'à sa démarche. [...] Les Français ont tendance à marcher comme s'ils descendaient un corridor étroit ; leur espace personnel est beaucoup plus restreint. Leur démarche est régulière, avec relativement peu de balancement ou de déplacement de côté. La plupart du temps, la tête est légèrement penchée en avant, si bien qu'il semble que ce soit elle la force motrice qui déclenche le mouvement en avant. Le reste du corps ne faisant que suivre. »

Laurence Wylie, *Français, qui êtes-vous ? Des essais et des chiffres*, la Documentation française, 1981.

JOINDRE LE GESTE À LA PAROLE

Dans la conversation, certains gestes sont plus éloquents que n'importe quel discours ! Encore faut-il qu'ils soient compréhensibles pour des gens qui appartiennent à une autre culture… Un geste, un signe du corps, une mimique peuvent parfois remplacer totalement une phrase ou un discours. Il peuvent aussi accompagner la parole, la renforcer, la compléter… ou lui donner un sens radicalement différent. Voici quelques gestes couramment utilisés dans la conversation, avec leur traduction approximative*.

■ **Pour montrer qu'on apprécie**: « Formidable », « C'est extra », « Bravo ! ».

On lève le pouce au niveau de la poitrine, éventuellement en bougeant aussi la tête verticalement.

■ **Pour refuser catégoriquement une offre**: « Non merci ».

On secoue la tête de droite à gauche en levant la main.

■ **Pour refuser une demande**: « Tintin, tu n'auras rien du tout », « Tu peux toujours courir », « Des clous ».

On semble rejeter quelque chose derrière l'épaule ou sur le côté. Le geste est éventuellement accompagné d'un gonflement des joues.

■ **Pour argumenter**: « Vous voyez bien, c'est évident ! ».

La main déployée sur le côté, paume ouverte, semble montrer quelque chose.

■ **Pour émettre une objection**: « Pas question », « Pardon, je ne suis pas d'accord ».

La paume de la main est levée contre l'extérieur. Ou bien lève l'index, en particulier pour rectifier.

■ **Pour exprimer l'incrédulité**: « Mon œil », « Je ne te crois pas ».

L'index tire la paupière inférieure vers le bas.

■ **Pour formuler un souhait ou conjurer le sort**: « Pourvu que ça marche ! ».

On croise les doigts, le majeur placé en travers de l'index.

■ **Pour montrer qu'on a mal compris ou mal entendu, ou que l'on est très surpris**: « Qu'est-ce que tu dis ? » « Peux-tu répéter » ?

Le menton en avant, la tête légèrement de travers, on fronce les sourcils, on plisse les paupières et on ouvre la bouche comme pour dire un « Hein ? » ou un « Quoi ? ».

■ Pour exprimer la lassitude : « La barbe », « il nous fatigue », « Y en a marre ».

Le dos de la main frôle la joue dans une série de mouvements de haut en bas.

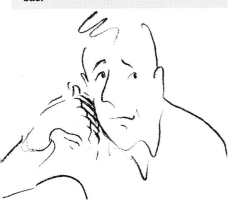

■ Pour ordonner à quelqu'un de se taire : « Tais-toi », « La ferme ».

Les quatre doigts accolés claquent contre le pouce pour figurer une bouche qui s'ouvre et se ferme.

■ Silence. Motus et bouche cousue : « Je ne vous ai rien dit » ou bien « Tu me promets de ne rien dire ».

On trace un trait au niveau de la bouche, le pouce et l'index pincent les lèvres.

■ Pour parler de quelqu'un qui ne travaille pas : « Il se tourne les pouces », « Il se les roule toute la journée ».

Les doigts croisés à hauteur de la taille, on tourne les pouces l'un autour de l'autre

■ Pour demander le silence.
L'index est posé, vertical, contre les lèvres avancées pour prononcer « Chut ».

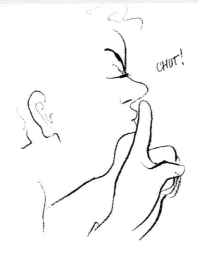

■ Pour commencer une explication.
Le pouce est levé, la main effectue un mouvement de rotation sur le côté.

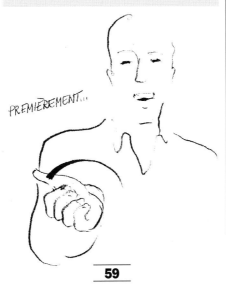

■ Pour exprimer l'impuissance : l'attitude du corps consiste à soulever les épaules, les bras et les mains tandis que la tristesse du visage vient confirmer l'impuissance.

■ Pour signifier la perfection : le cercle est fermé par le pouce et l'index réunis en rond par leurs extrémités.

D'après Geneviève Calbris et Jacques Montredon, *Des gestes et des mots pour le dire*, CLE International, 1986. Dessins de ZAÜ.

· · · · · · · · · · · · · · · · · · ·

MOTS D'ARGOT ET GROS MOTS

L'argot était à ses débuts – au XVIe siècle – la langue des gueux* et des malfaiteurs. On l'appelait la langue du « milieu » ou encore « la langue verte ». Victor Hugo parle des prisonniers qui lui apprennent à « rouscailler bigorne ». Progressivement, l'argot va contribuer à enrichir la langue officielle, car c'est une langue colorée, riche d'évocations parfois grossières, mais aussi poétiques. Les romans policiers de San Antonio sont truffés* d'expressions argotiques. Certains groupes sociaux ou corporations – par exemple les imprimeurs, les marins, les bouchers – ont un argot particulier qui rend leur langage incompréhensible aux non initiés, à ceux « qui ne sont pas au parfum » !

« Les gros mots », ce sont les mots vulgaires ou grossiers, les jurons. On les trouve quelquefois dans la littérature. Ainsi Goncourt, dans son journal : « Ah, crénom de Dieu, foutre… », Sacha Guitry, dans *Tu m'as sauvé la vie* : « Merde, ça veut tout dire », ou Giono dans *Un de Baumugnes* : « Tu n'es qu'un fichu saligaud. » On abrégeait parfois pudiquement ces mots interdits. Le titre de la pièce de Sartre *La Putain respectueuse* apparaissait ainsi sur la couverture : *La P… respectueuse*. Quand, excédé*, on voulait dire « merde » à quelqu'un, on lui disait « je te dis les cinq lettres ».

Les adultes interdisent aux enfants de dire des gros mots, car il est très mal élevé de « jurer comme un charretier » (de jurer à tout propos). Mais on peut constater que la censure s'est beaucoup relâchée depuis une vingtaine d'années, dans tous les milieux ! Le mot « putain », par exemple, est devenu presque banal dans le langage parlé. Ce n'est plus forcément une insulte, c'est une formule qui peut indiquer l'étonnement. On dit parfois en plaisantant que pour certaines personnes, c'est un signe de ponctuation qui équivaut à une virgule !

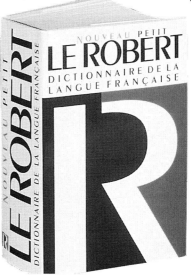

quer, par exemple chez Molière, que certes, on vouvoyait ses semblables, mais on tutoyait ses domestiques, et les domestiques se tutoyaient entre eux. La Révolution de 1789 prônait l'usage du « tu », mais le « vous » s'est pourtant maintenu. De façon générale, on peut dire que le vouvoiement s'utilise avec les personnes qu'on ne connaît pas ou peu, ou bien qu'il indique une marque de respect ou une certaine distance sociale, tandis que le tutoiement manifeste la familiarité, la proximité, la solidarité.

Dans les relations de couple, il est devenu rare qu'on se vouvoie entre époux. Entre amis du même âge, sauf chez les personnes âgées, il est également rare qu'on ne passe pas très vite au tutoiement. Les jeunes d'aujourd'hui se tutoient toujours, même lors d'une première rencontre.

Entre parents et enfants, on se tutoie pratiquement dans tous les milieux, y compris dans les familles bourgeoises, où pourtant jusque vers les années 50-60, les enfants vouvoyaient souvent leurs parents. À l'école, les instituteurs tutoient les jeunes enfants et, le plus souvent, les jeunes enfants tutoient leur instituteur et l'appellent par son prénom. Les professeurs tutoient de plus en plus fréquemment les élèves au collège et au lycée (mais les élèves ne tutoient pas les professeurs) ; en revanche, ils vouvoient les étudiants dans l'enseignement supérieur.

Dans les relations professionnelles, on se tutoie souvent entre collègues du même âge et de même niveau de qualification. La plupart du temps, on vouvoie ses supérieurs hiérarchiques, ainsi que les personnes ayant un statut subalterne. Le tutoiement est en revanche complètement banalisé dans certaines professions, telles que la publicité, le cinéma, l'enseignement ou la recherche. Dans la vie publique officielle, le « vous » est de rigueur, mais il arrive de plus en plus que, dans des débats télévisés par exemple, les intervenants qui se connaissent se tutoient. La tradition veut que l'on utilise le « tu » entre militants syndicalistes ou politiques.

Choisir d'utiliser le « tu » ou le « vous » est donc rarement neutre. Cela marque un rapport d'égalité, ou au contraire une distance affective, sociale, ou hiérarchique. Il y a, dans la plupart des cas, réciprocité. Si une personne que l'on tutoie répond par le vouvoiement, c'est qu'il y a une très grande différence d'âge et/ou pour manifester des rapports d'autorité, de subordination. Dans une situation de conflit ou de stress, tutoyer quelqu'un qu'on ne connaît pas est une marque de mépris ou d'insulte : un policier s'adresse à un délinquant en le tutoyant, des automobilistes en colère s'injurient en se tutoyant.

L'ART DE LA CONVERSATION

La règle d'or est de ne pas être ennuyeux dans une discussion ou un débat. Avoir de la répartie, savoir manier la plaisanterie avec légèreté et décontraction, sortir quelques bons mots… voilà ce qui charme les Français ! Les discussions sont souvent passionnées. On est capable de s'empoigner à propos de n'importe quelle broutille*. On n'hésite pas à défier les règles élémentaires de la politesse, en coupant la parole sans scrupule pour contredire, donner son avis ou finir la phrase d'un interlocuteur hésitant. La contestation, la critique, les querelles, les zizanies, font partie des plaisirs de la conversation. On parle beaucoup, on est capable de s'entretuer pour défendre une idée, quitte à se réconcilier cinq minutes après. Quel Français n'a pas refait le monde dans une soirée avec des amis et après quelques verres ?

L'important est que la conversation soit « nourrie », qu'elle ne tombe pas. Les rires, le niveau des voix qui monte, le ton qui change, le rythme qui s'accélère, sont autant de signes que l'on a du plaisir à être ensemble. Si les interlocuteurs manifestent une baisse d'intérêt et d'attention – le regard devient vague ou fuyant, le ton baisse –, il faut trouver un moyen de ranimer le débat, de faire rebondir la conversation. C'est aussi tout un art que de se lancer dans des digressions, des parenthèses, des associations d'idées, sans avoir l'air de s'écarter du sujet !

Il est fréquent qu'une conversation générale se transforme en conversations particulières. On écoute le débat principal, on participe à la conversation du groupe et, en même temps, on fait des apartés* avec son voisin. Si l'on est doué, on peut participer simultanément à deux conversations différentes !

La conversation à table est un peu particulière. Elle doit être spirituelle, mais légère, pour laisser place aux plaisirs de la gastronomie. La règle d'or est d'aborder des sujets suffisamment généraux pour que personne ne soit gêné. De quoi parlent surtout les Français à table ? De ce qu'ils ont mangé en d'autres occasions…∎

1 — EXERCICES DE STYLE

Raymond Queneau, dans son livre *Exercices de style*, raconte la même histoire de 99 manières différentes.

Dans le même esprit, voici plusieurs manières de faire le même récit. Identifiez le style de langue dont il s'agit :

1. langue administrative (un rapport de police)

2. langue familière

4. langue des adolescents (actuellement)

5. langue châtiée

a. La dame du cinquième, elle est tombée en allant faire ses courses. La police l'a emmenée aux urgences. Les docteurs ont dit qu'elle pouvait rentrer chez elle sans problème.

b. Notre immeuble est en émoi parce qu'une des locataires, Madame X, une charmante vieille dame, a fait une chute hier en allant faire son marché. Les agents de police l'ont transportée à l'hôpital pour un examen médical. Il s'est avéré, fort heureusement, qu'elle n'avait rien de grave et qu'elle pouvait rentrer chez elle.

c. Hier, Madame X, 73 ans, a fait une chute sur la voie publique. Nous nous sommes rendus sur les lieux de l'accident et nous l'avons transportée à l'hôpital. Après avoir été examinée par le médecin de garde, elle a pu regagner son domicile.

d. La vieille du cinquième, tu sais quoi, elle s'est ramassé une gamelle en allant acheter à bouffer. Ils ont appelé les keufs qui l'ont amenée à l'hosto. Mais les toubibs l'ont lâchée, elle avait que dalle.

2 — HOMONYMES

Trouvez la définition correspondant à chacun de ces homonymes :

1. cher – 2. chère – 3. chair – 4. chaire

a. ce qui constitue le corps des hommes et des animaux

b. tribune sur laquelle monte le prêtre pour s'adresser aux fidèles ou le professeur pour faire son cours ; poste le plus élevé à l'université.

c. qui est d'un prix élevé

d. nourriture

e. qui est aimé

Lequel de ces mots convient dans les expressions suivantes ?

1. cher – 2. chère – 3. chair – 4. chaire

1. Il va souvent au restaurant, car il est amateur de bonne ....

2. Le prédicateur monte en ....

3. La .... de philosophie de la Sorbonne

4. Nous avons invités des amis très ....

5. Il aime trop les plaisirs de la .... Ça le perdra !

6. J'ai payé cette robe beaucoup trop ....

3
TEST : PARLEZ-VOUS FRANÇAIS COMME UNE VACHE ESPAGNOLE ?

(Parler français comme une vache espagnole ou « comme un basque espagnol », qui est l'expression d'origine.)

Mode d'emploi : cochez une ou plusieurs lettres par question, car il y a parfois plusieurs réponses possibles.

1. Ce qui fait craquer chez vous ?
   a. votre regard enjoliveur
   b. votre regard enjôleur
   c. votre regard envoûteur

2. Vous présentez votre fiancé à votre sœur. Elle trouve qu'il appartient à la vieille école, ce qui lui fait dire :
   a. ce type est trop formaliste pour toi
   b. Marc-Antoine est trop formel pour toi
   c. Marc-Antoine est d'un protocolaire, ma chérie !

3. Alors que ce qu'elle appréciait chez Oscar, c'est qu'il était un véritable…
   a. boute-en-train
   b. bout-en-train

4. Grande discussion en famille dimanche dernier. Comment et où allez-vous vous marier ? En robe blanche ou en tailleur vert pomme ?
   C'est une question très…
   a. contreversée
   b. controversée
   c. contre-versée

5. Bref, tout le monde vous en a…
   a. rebattu les oreilles
   b. rabattu les oreilles

6. C'est vrai, vrai de vrai !
   Alors il faut dire…
   a. cela s'avère vrai
   b. cela s'avère (tout simplement)

D'après *Avantages* n° 61, octobre 1993.

Réponses : 1. b – 2. a et c – 3. a (« bouter » en ancien français signifie « mettre » en train, de bonne humeur – 4. b – 5. a – 6. b (« avéré » veut dire « reconnu vrai ».

4
CHASSONS LE FRANGLAIS

Dans le texte ci-dessous, les mots en italique sont empruntés à l'anglais. Certains sont tellement entrés dans les habitudes qu'il paraît difficile de les abandonner. D'autres peuvent facilement être remplacés par des équivalents à prendre dans la liste de mots qui suit.

« Pierre, un *crack* de l'informatique, avait eu une semaine *hard*. Son patron lui avait annoncé un *scoop* : il était proposé pour un poste de *manager*. Il était ravi, mais cela supposait pour les mois à venir un *challenge* difficile à tenir… Pour ne pas sombrer dans le *blues*, il avait décidé de s'accorder un *break* en passant un samedi *cool* : le matin, un petit *footing* au bois pour se mettre en forme, puis déjeuner dans un *fast-food*, ensuite un film avec sa *star* préférée et enfin un peu de *shopping* pour acheter quelques *CD*. Pour la soirée, il hésitait entre la *party* où il était invité et un *club* très *smart* dont on lui avait parlé. Ses collègues auraient été surpris de voir son *look* du *week-end* : un *jean*, des *boots*, et un *walk-man* sur les oreilles. »

1. as – 2. cadre dirigeant – 3. cafard – 4. chic – 5. courses – 6. coupure – 7. défi – 8. difficile – 9. fête – 10. nouvelle sensationnelle – 11. style – 12. tranquille

Il y a de multiples façons de ne pas ressembler à tout le monde,

même dans un pays qui prône l'égalitarisme dans sa devise.

Beaucoup de Français aspirent à être différents,

à être distingués, que ce soit par la naissance, la fortune

ou encore par l'esprit, le charme ou la personnalité.

Toutes les différences ne sont pourtant pas faciles à vivre…

LA DISTINCTION

BOURGEOIS D'HIER ET D'AUJOURD'HUI

On présente souvent la Révolution française comme une révolution « bourgeoise ». La bourgeoisie avait acquis un pouvoir économique au XVIIᵉ et au XVIIIᵉ siècles. La Révolution, en supprimant les privilèges dus à la naissance, lui a permis de faire valoir ses droits politiques. Le XIXᵉ siècle est l'âge d'or de « la France bourgeoise » : les bourgeois sont de véritables notables, qui contrôlent le pouvoir économique, politique et social.

Pendant tout le XIXᵉ siècle, un grand nombre de bourgeois cherchent en fait à copier les attributs* de la noblesse. Certains essayent d'obtenir un titre de noblesse (attribué par le souverain jusqu'en 1870, puis par le pape) ou prennent l'habitude de faire précéder leur nom de la particule « de », dans l'espoir de faire oublier leur origine rotu-

rière*. D'autres achètent un château ou « un domaine » (le fait de posséder des terres les ancre dans la tradition féodale). Il est aussi assez fréquent que des familles de bourgeois et d'« aristocrates » s'unissent par mariage (en général une jeune fille bourgeoise, mais riche, épouse un jeune noble sans le sou !).

En fait, par l'unification des comportements, des styles de vie, des valeurs, la frontière entre la noblesse et la bourgeoisie s'est peu à peu estompée, jusqu'à pratiquement disparaître au cours du XXᵉ siècle. Quand on parle de « la bourgeoisie », on englobe l'ensemble de la classe sociale privilégiée, celle que le sociologue Pierre Bourdieu appelle « les héritiers ». On appartient aux « héritiers » par la naissance, si on dispose (par héritage) non seulement d'une fortune (un capital économique), mais aussi d'un capital culturel qui vous distingue des classes populaires, des classes

secteurs, on trouve différents niveaux de distinction. Au sein de la musique classique, par exemple, on peut repérer un goût populaire (*Le Beau Danube bleu*), un goût moyen (*Rhapsody in Blue*), un goût distingué (*Le Clavecin bien tempéré*).

Les classes moyennes cherchent à se distinguer des catégories inférieures et aspirent aux pratiques des classes supérieures. Ne possédant pas tous les codes, elles vont "singer" les pratiques nobles ou se livrer à des pratiques de substitution. Ainsi, la photographie esthétisante dans laquelle les classes moyennes trouvent le substitut à leur portée à des pratiques nobles inaccessibles. Ces aspirations induisent une dynamique: certaines pratiques et œuvres se divulguent, passant du "distingué" au "vulgaire" (par exemple l'*Adagio* d'Albinoni), poussant les classes supérieures à trouver d'autres signes distinctifs.

Les occasions de mettre en scène la distinction sont inépuisables, même dans les pratiques les plus banales: vêtement, décoration, tourisme, loisir, sport, cuisine… Les classes populaires préfèrent la grande "bouffe" au petit plat, la viande au poisson, le gras au raffiné. À l'éthique de la sobriété, les paysans et les ouvriers opposent la morale du "bon vivant". Toutes ces déterminations renvoient à une éthique de la nécessité ancrée plus profondément que les simples contraintes économiques. Elles révèlent un rapport au corps privilégiant la force et l'utilité par rapport à la forme et l'esthétique. Ce qui montre à quel point les normes sociales sont profondément intériorisées.

On retrouve les mêmes principes en observant les pratiques sportives. Les sports populaires (football, rugby, boxe) consacrent la force, l'esprit de sacrifice. Les sports des classes moyennes et supérieures (golf, yachting, équitation, escrime) privilégient l'ampleur, la distance. Ils se font seul ou avec des partenaires choisis. »

« La Distinction » selon Pierre Bourdieu, *Sciences Humaines* n° 30, juillet 1993.

moyennes ou même de ceux que l'on appelle les « parvenus ». « Les héritiers » ce sont les gens « de la haute » (la haute société), disent les petites gens, avec un certain respect (puisque c'est le destin qui en a fait des privilégiés). Traiter quelqu'un de « bourgeois » n'est pas très flatteur – l'idéologie égalitaire et anti-élitiste est assez répandue en France – mais le qualifier de « parvenu » ou de « petit bourgeois » est quasiment une insulte ! Les parvenus, ce sont « les nouveaux riches », qui essaient de copier les bourgeois ; ils sont méprisés autant par les vrais bourgeois que par le milieu d'où ils viennent, car on leur reproche de part et d'autre de « faire des manières » et d'oublier leurs origines populaires. Si on ironise sur « les petits bourgeois », c'est qu'ils se caractérisent essentiellement par leur conformisme social et intellectuel. Le développement des classes moyennes pouvait laisser penser qu'un grand nombre de Français allaient « s'embourgeoiser ». Mais la bourgeoisie est tellement marquée par un ensemble de traits, de signes de reconnaissance, que c'est un univers difficile à pénétrer. Un certain nombre d'expressions témoignent de ce sentiment de différence : on est d'un « bon milieu », d'une « bonne famille », on a « bon genre ». Pour rester entre gens du même monde, il faut recevoir la même éducation, se marier avec quelqu'un du même milieu, habiter dans des quartiers particuliers.

La fréquentation d'établissements scolaires et universitaires réputés pour leur caractère élitiste permet de recevoir, non seulement une bonne formation, mais aussi une bonne éducation entre jeunes gens du même milieu. On y attache beaucoup d'importance aux codes de politesse, au langage, aux bonnes manières. Ce sont souvent des établissements religieux – Notre-Dame des Oiseaux, Sainte-Marie, Stanislas – parfois des établissements publics. À Paris, par exemple, le lycée Jeanson-de-Sailly et le lycée Louis-le-Grand ont la

réputation d'être de « grands » lycées, accessibles seulement aux très bons élèves. Parmi les établissements d'enseignement supérieur, certains sont plus prestigieux que d'autres. Les étudiants d'origine bourgeoise y sont très largement majoritaires : c'est notamment l'Institut d'études politiques de Paris (« Sciences-Po »), l'École nationale d'administration (l'ENA), la faculté de Droit, l'École polytechnique.

Dans la région parisienne, la bourgeoisie habite surtout dans « les beaux quartiers » : les 16e, 8e et 7e arrondissements, Neuilly, la banlieue Ouest. En vacances, elle préfère certaines stations balnéaires de Bretagne (Dinard, Saint-Malo) ou de Normandie (Cabourg) et l'incontournable « villa de famille » aux plages et aux hôtels de la Côte d'Azur qu'affectionnent les « nouveaux riches ».

Les loisirs sont soigneusement sélectionnés. On pratique des sports dits « nobles » – l'équitation, l'escrime, le tennis dans des clubs privés. Les familles organisent « des rallyes », ces soirées mondaines où jeunes gens et jeunes filles peuvent se rencontrer et se marier, sans risque de « mésalliance » !

La distinction bourgeoise, c'est se conformer à un certain nombre de « manières » : une façon de parler, de respecter les convenances. C'est aussi marquer sa différence culturelle par l'apparence et le style vestimentaire. Il y a un style « BCBG » (bon chic, bon genre) : vêtements de marque prestigieuse, mais discrets. C'est un style passe-partout, hors des modes, capable de traverser les générations, des couleurs neutres (beige, ivoire ou blanc cassé, bleu marine). L'imperméable anglais, les mocassins à talons plats, l'indémodable « carré Hermès » et le collier de perles complètent l'uniforme.

Ne pas être « Monsieur Tout-le-Monde »

On peut « avoir l'air distingué » parce qu'on appartient à un milieu privilégié, mais on peut aussi sortir de l'ordinaire parce qu'on a su « se trouver un style ». Ce qui compte, c'est de ne pas ressembler à tout le monde, et surtout de ne pas avoir l'air d'un « beauf » ! Le beauf (qui vient de l'abréviation de beau-frère), c'est un personnage inventé par le dessinateur Cabu, la caricature du « Français moyen » ayant des aspirations* de petit-bourgeois, des idées chauvines et conservatrices (« franchouillardes »), souvent aussi un comportement macho avec les femmes.

Entre les deux extrêmes – le grand bourgeois et « le beauf » – toutes les nuances sont possibles. Mais pour avoir « de la classe », il faut avoir un genre bien à soi ! Dans la littérature, les héros sont souvent des personnages qui se sont faits tout seuls. Ils n'ont pas de privilèges de naissance, ils réussissent à vaincre le handicap de leur origine sociale par leurs qualités personnelles. Les plus célèbres sont Julien Sorel (chez Stendhal) et Rastignac (chez Balzac) : des « jeunes loups » qui veulent réussir leur vie à Paris. De grands artistes comme Van Gogh, Rimbaud, Verlaine ou encore Genet se sont singularisés par leur marginalité et leur destin tragique.

La Peur des Différences

Parmi les nombreuses contradictions à relever dans les mentalités françaises, on peut noter que, s'il faut savoir se distinguer, on constate par ailleurs dans bien des cas un manque de tolérance vis-à-vis des personnes qui ne sont pas conformes à une certaine norme.

Une définition de la bourgeoisie

« Depuis longtemps, les mots de bourgeois et bourgeoisie paraissent désigner des réalités si typiquement françaises qu'ils n'ont pas d'équivalents exacts en anglais ou en allemand » [...] Marc Bloch (historien) a proposé en 1940 une définition de la bourgeoisie "qui garde aujourd'hui encore une étonnante pertinence contemporaine" :

"J'appelle bourgeois de chez nous un Français qui ne doit pas ses ressources au travail de ses mains ; dont les revenus, quelles qu'en soient l'origine comme la très variable ampleur, lui permettent une aisance de moyens et lui procurent une sécurité, dans ce niveau, très supérieure aux hasardeuses possibilités du salaire ouvrier ; dont l'instruction, tantôt reçue dès l'enfance, si la famille est d'établissement ancien, tantôt acquise au cours d'une ascension sociale exceptionnelle, dépasse par sa richesse, sa tonalité ou ses prétentions, la norme de culture tout à fait commune ; qui enfin se sent ou croit appartenir à une classe vouée à tenir dans la nation un rôle directeur et par mille détails, du costume, de la langue, de la bienséance*, marque plus ou moins instinctivement son attachement à cette originalité du groupe et à ce prestige collectif ».

Histoire de France, t. 4, Les formes de la culture, sous la direction d'André Burguière et Jacques Revel, Seuil, 1993.

Un appartement bourgeois

« Tout appartement bourgeois se doit d'avoir au moins deux pièces destinées spécialement à recevoir des visiteurs. Une salle à manger d'abord [...]. La spécialisation d'une pièce pour les repas est une pratique inspirée du modèle anglais qui s'est diffusée rapidement au cours de la première moitié du XIXe siècle. La famille s'y donne en spectacle à ses hôtes : tout en étalant son argenterie et ses signes extérieurs de richesse, elle montre sa maîtrise des manières bourgeoises de se tenir à table et de consommer de la nourriture.

Ensuite le grand salon, qui existait déjà dans les demeures aristocratiques, a été adopté par la bourgeoisie, qui en a fait une pièce à part, uniquement consacrée aux réceptions [...].

Le sol et les murs ne doivent pas rester nus, comme chez les pauvres. On couvre les murs de tissus ou de papiers peints, des tapis cachent le parquet, de lourdes draperies entourent les fenêtres. Dans la pièce, sont disposés un canapé et des sièges capitonnés* ou de lourds fauteuils, souvent couverts de tapisseries [...], le tout souvent enfoui sous des housses qui ne sont enlevées que les jours de réception. Il est aussi « indispensable » qu'il y ait un piano dans le salon. [...] Le salon expose enfin tout ce qu'une famille bourgeoise possède de luxueux ou de décoratif: des tableaux accrochés aux murs, des vases sur les consoles*, une pendule à sujet, en bronze doré pour les plus riches, sur la cheminée, et un peu partout des bibelots. »

Histoire de la France, t. 4, Les formes de la culture, Seuil, 1993.

• • • • • • • • • • • • • • • • • •

• • • • • • • • • • • • • • • • • • • •

« LE BEAUF »

« Il appartient au paysage français. [...] Cabu l'a imaginé à partir d'un cafetier de Châlons-sur-Marne qu'il avait longtemps observé derrière ses lunettes rondes. Le bistrotier ne s'est jamais méfié de ce gamin qui allait le faire entrer dans le Petit Larousse: "Beauf: type de Français moyen aux idées étroites, bornées." [...] Cabu se serait aussi inspiré du mari de sa sœur. Des beaufs, il y en a dans les meilleures familles. Ce sont souvent des oncles. Des tontons râleurs qu'on va voir le dimanche. Ils ont toute la panoplie, la caravane pliante dans le jardin, le gros rouge qui tache, en bouteilles plastique ou en packs, la canne à pêche ou le fusil. Et le clebs*. Répulsion et nostalgie. C'est difficile de se débarrasser de ses oncles. »

Le Nouvel Observateur, 10-16 juin 1993.

• • • • • • • • • • • • • • • • • •

Les personnes handicapées dérangent les gens « normaux ». Au mieux, on les ignore, on ne fait aucun effort pour leur faciliter la vie. Au pire, on les rejette, on peut même faire des commentaires désobligeants sur leur infirmité. Jusqu'à une époque récente, il y avait très peu de lieux publics – que ce soit des universités, des cinémas, des musées, des restaurants – aménagés pour être accessibles aux personnes en fauteuil roulant. Les passages piétons dotés de systèmes sonores pour permettre aux aveugles de traverser les rues sont encore rarissimes dans les grandes villes.

Les gros inspirent du dégoût et attirent les sarcasmes*. L'obèse est considéré comme une sorte de monstre physique, mais aussi éventuellement de monstre moral. On a en tête le personnage de l'Ogre dans « Le Petit Poucet » (le conte de Perrault), qui mange les petits enfants. L'énorme Père Ubu, dans la comédie d'Alfred Jarry « Ubu Roi », incarne la stupidité et la grossièreté. Au siècle dernier, les gros pouvaient jouir éventuellement d'un certain prestige, leur poids était le signe de leur prospérité. De ce fait, dans la mentalité populaire, les gros étaient les riches. Les gros s'engraissaient sur le dos des petits... Ils étaient perçus comme des

profiteurs, des exploiteurs de la peine et du travail des ouvriers.

Les normes ont changé dans la seconde moitié du vingtième siècle. Dès 1955, on pouvait lire dans le magazine féminin *Marie-Claire* : « L'ennemi n° 1 c'est l'embonpoint et la cellulite* ». Le culte de la minceur s'est imposé de plus en plus dans la bourgeoisie et dans les classes moyennes. C'est dans les classes populaires que l'on est encore le plus tolérant à l'égard de l'excès de poids. Être gros est aujourd'hui synonyme de laisser-aller, de maladie ou d'état dépressif et peut être un handicap dans la vie professionnelle. On a pu lire dans la presse plusieurs cas de licenciements de personnes très grosses pour « inaptitude au travail »…

LA MONTÉE DE L'INDIVIDUALISME

On parle beaucoup depuis quelques années de ce qu'on appelle « la montée de l'individualisme » dans les mentalités françaises. Il ne s'agit pas forcément d'un plus grand égoïsme, puisqu'on se rend compte que les valeurs de solidarité ou que les impératifs humanitaires continuent à compter pour beaucoup. Mais il est certain qu'on accorde une importance de plus en plus grande à l'individu, à son développement personnel ou à son épanouissement.

Cet individualisme se manifeste par exemple dans les loisirs. Les loisirs se pratiquent de plus en plus individuellement et non plus en équipe : le jogging, les séances de musculation et de « mise en forme », les traversées en solitaire, les jeux vidéo. L'individualisme, c'est le repli sur la vie privée, l'importance accordée à la vie familiale (« le cocooning »), tout un mode de vie décrié par la génération qui avait 20 ans en 1968.

Dans le même temps, on exalte* les notions d'excellence, d'héroïsme, d'aventure, autant dans le monde de l'entreprise que dans celui du sport. Dans les entreprises, on considère que les salaires doivent davantage tenir compte du mérite individuel. Les jeunes cadres sont recrutés pour leur tempérament de « fonceurs ». On organise pour les cadres en place des « stages de survie » – savoir se débrouiller pendant un certain temps dans un endroit isolé avec les moyens du bord, en mangeant des racines, en pratiquant la cueillette – ou des « stages-risques » – affronter des épreuves stressantes comme le saut à l'élastique (saut dans le vide au bout d'un élastique) – ou l'escalade. Il faut savoir gérer le risque pour gérer une entreprise. Un bon cadre doit avoir l'esprit de concurrence et de compétition, il doit « se défoncer » pour être le meilleur. En sport, la mode est aux expéditions à haut risque : les raids en montagne ou dans le désert (le rallye Paris-Dakar, qui traverse une partie de l'Afrique, est le plus connu), la descente de rapides en kayak. ■

1
LES GOÛTS ET LES COULEURS...

Annie Ernaux est romancière et professeur de lettres dans la banlieue parisienne. Elle a passé sa jeunesse dans un bourg de Normandie où ses parents étaient de petits commerçants. Elle analyse les différences sociales et culturelles entre son milieu familial (dans les années 50) et la vie qu'elle mène actuellement.

« On avait tout *ce qu'il faut*, c'est-à-dire qu'on mangeait à notre faim (preuve, l'achat de viande à la boucherie quatre fois par semaine), on avait chaud dans la cuisine et le café, seules pièces où l'on vivait. Deux tenues, l'une pour le tous-les-jours, l'autre pour le dimanche (la première usée, on *dépassait* celle du dimanche au tous-les-jours). J'avais *deux* blouses d'école. *La gosse n'est privée de rien*. Au pensionnat, on ne pouvait pas dire que j'avais *moins bien que les autres*, j'avais *autant* que les filles de cultivateurs ou de pharmaciens en poupées, gommes et taille-crayons, chaussures d'hiver fourrées, chapelet et missel vespéral romain. Ils ont pu embellir la maison, supprimant ce qui rappelait l'ancien temps, les poutres apparentes, la cheminée, les tables en bois et les chaises de paille. Avec son papier à fleurs, son comptoir peint et brillant, les tables et guéridons en simili-marbre, le café est devenu propre et gai. Du balatum à grands damiers jaunes et bruns a recouvert le parquet des chambres. La seule contrariété longtemps, la façade en colombage, à raies blanches et noires, dont le ravalement en crépi était au-dessus de leurs moyens. En passant, l'une de mes institutrices a dit une fois que la maison était jolie, une vraie maison normande. Mon père a cru qu'elle parlait ainsi par politesse. Ceux qui admiraient nos vieilles choses, la pompe à eau dans la cour, le colombage normand, voulaient sûrement nous empêcher de posséder ce qu'ils possédaient déjà, eux, de moderne, l'eau sur l'évier et un pavillon blanc. Il a emprunté pour devenir propriétaire des murs et du terrain. Personne dans la famille ne l'avait jamais été. »

Annie Ernaux, *La Place*, Gallimard, 1983.

Pourquoi certaines expressions sont-elles en italique dans le texte original ?

Montrez ce qui était valorisé par ses parents en ce qui concerne : le vêtement, la nourriture, l'habitation. En quoi ces goûts étaient-ils différents de ceux de la bourgeoisie ?

Pensez-vous qu'à l'époque actuelle il y a toujours des différences très nettes selon « la place » (le milieu social) que l'on occupe dans la société ?

2
LE BON GOÛT

Quelles sont les qualités essentielles du bon goût – et à l'inverse les marques de mauvais goût – énoncées ici par Proust, dans le domaine de la cuisine, de la musique, dans la façon de recevoir ?

« Sur les choses dont les règles et les principes lui avaient été enseignés par sa mère, sur la manière de faire certains plats, de jouer les sonates de Beethoven et de recevoir avec amabilité, elle était certaine d'avoir une idée juste de la perfection et de discerner si les autres s'en rapprochaient plus ou moins. Pour les trois choses, d'ailleurs, la perfection était presque la même : c'était une sorte de simplicité dans les moyens, de sobriété et de charme. Elle repoussait avec horreur qu'on mît des épices dans les plats qui n'en exigent pas absolument, qu'on jouât avec affectation et abus de pédales, qu'en recevant on sortît d'un naturel parfait et parlât de soi avec exagération. De la première bouchée aux premières notes, sur un simple billet, elle avait la prétention de savoir si elle avait à faire à une bonne cuisinière, à un vrai musicien, à une femme bien élevée. « Elle peut avoir beaucoup plus de doigts que moi, mais elle manque de goût en jouant avec tant d'emphase cet *andante* si simple ». « Ce peut être une femme très brillante et remplie de qualités, mais c'est un manque de tact de parler de soi en cette circonstance ». « Ce peut être une cuisinière très savante mais elle ne sait pas faire le bifteck aux pommes ». Le bifteck aux pommes ! morceau de concours idéal, difficile par sa simplicité même, sorte de ''sonate pathétique'' la cuisine, équivalent gastronomique de ce qu'est dans la vie sociale la visite de la dame qui vient vous demander des renseignements sur un domestique et qui, dans un acte si simple, peut à tel point faire preuve ou manquer de tact et d'éducation. »

Marcel Proust, *Pastiches et mélanges*, Gallimard, 1992.

Qu'est-ce qui paraît dans cette description toujours actuel ou bien désuet ?

3
SE DISTINGUER

Associez chacune des expressions suivantes à la définition qui lui correspond :

1. tenir le haut du pavé
2. avoir pignon sur rue
3. l'habit ne fait pas le moine
4. prendre des grands airs
5. être collet monté
6. mener la grande vie
7. un homme du monde
8. vivre sur un grand pied
9. avoir de la classe
10. être « m'as-tu-vu » ?

a. une personne qui a des manières raffinées
b. être affecté et rigide dans ses manières
c. il ne faut pas juger les gens sur leur apparence
d. se donner l'air important
e. être bien placé, occuper la meilleure place
f. dépenser beaucoup d'argent (deux expressions ont ce sens)
g. avoir l'air distingué
h. être prétentieux
i. vivre dans le luxe
j. être honorablement connu dans un domaine d'activités

4
DES FAÇONS DE SE FAIRE REMARQUER

Beaucoup d'expressions toutes faites décrivent une personne — que ce soit son physique ou sa manière d'être — à l'aide d'une comparaison.

Associez les termes qui conviennent :

Exemple : Il jure comme un charretier.

1. Il est haut comme	a. Artaban
2. Il est aimable comme	b. un agneau
3. Il est fier comme	c. un arracheur de dents
4. Il mange comme	d. un bonnet de nuit
5. Il est triste comme	e. un cochon
6. Il pleure comme	f. le loup blanc
7. Il est connu comme	g. une madeleine
8. Il est doux comme	h. trois pommes
9. Il est menteur comme	i. une porte de prison
10. Il est sale comme	j. un pou

5
CARICATURES DE BOURGEOIS

Les vrais bourgeois sont certainement moins conformistes qu'au siècle dernier. Ils restent cependant attachés à certaines valeurs ou à certains comportements.

Parmi les affirmations suivantes, quelles sont celles que l'on pourrait encore entendre dans la bourgeoisie française ? Répondez par Vrai ou Faux.

1. Pour passer des vacances idéales, rien ne vaut la maison de famille en Bretagne.
2. La tradition veut qu'on offre à un jeune homme de bonne famille, pour ses vingt ans, une superbe voiture décapotable rouge.
3. Les jeunes filles d'un bon milieu portent de préférence des vêtements de couleur neutre.
4. Donner une bonne éducation, c'est encourager les enfants à fréquenter dès leur plus jeune âge des amis de tous les milieux.
5. Pour éviter les faux-pas, il n'est pas mauvais de s'appuyer sur des idées toutes faites comme règles de conduite.
6. Les apparences sont rarement trompeuses.
7. À notre époque, personne n'est surpris quand une ouvrière épouse un riche héritier.

Les penseurs et les gens de lettres

ont souvent été proches des hommes de pouvoir.

Mais, à partir du XVIIIᵉ siècle,

ceux qu'on allait nommer plus tard « les intellectuels »

ont entretenu avec le pouvoir

des rapports mouvementés, alternant soutien et contestation.

LES INTELLECTUELS

DES TÊTES BIEN FAITES

Dès le XVIᵉ siècle, on a donné, en France, une importance et un prestige particuliers à la culture et aux « belles lettres ». Le modèle de « l'honnête homme » de Montaigne ne fait pas référence à des qualités de rigueur morale, il évoque l'élégance, le raffinement de l'esprit et une culture essentiellement littéraire. L'honnête homme est un homme « bien élevé » ; il a une bonne formation et une bonne éducation (de bonnes manières, du savoir-vivre). Les jésuites* – qui depuis trois siècles ont formé la majorité des élites et ont fortement influencé tout le système éducatif français – ont cherché à appliquer les principes chers à « l'honnête homme » : former « des têtes bien faites plutôt que des têtes bien pleines », développer l'esprit critique, enseigner un savoir abstrait et universaliste, imposer la lecture des Anciens et des Modernes, insister sur la culture générale, développer l'esprit de compétition… et savoir manier la parole.

La Révolution de 1789 et la démocratisation de la société au XXᵉ siècle n'ont pas remis en question ces principes éducatifs. Non seulement on a continué à valoriser la formation générale plutôt que la formation à un métier, à une compétence manuelle, mais on a assimilé les connaissances techniques à du savoir-faire manuel. Il y a toujours en France une sorte d'opposition entre « La culture » (la "vraie" culture) et la « culture technique », y compris celle des ingénieurs ou même celle des scientifiques qui travaillent sur autre chose que la théorie pure. Ceci explique pourquoi les élèves et les étudiants s'engagent dans des filières d'enseignement technique uniquement lorsqu'ils ne sont pas assez brillants pour être admis dans des filières d'enseignement général.

Les élites politiques, économiques et scientifiques doivent pouvoir, pour être reconnues, montrer qu'elles ont une bonne formation, un bon « niveau intellectuel ». Elles sortent d'ailleurs pratiquement toutes du même « moule » : elles ont fait leurs études dans les mêmes universités, les mêmes grandes écoles. Toute personne ayant des responsabilités importantes doit faire preuve d'une très bonne culture générale, la culture étant avant tout littéraire, philosophique ou historique. Il est inimaginable, par exemple, qu'un homme politique puisse faire une carrière sans être cultivé, sans être capable de manier parfaitement la syntaxe de la langue française, voire même sans écrire des livres !

UN CONTRE-POUVOIR

En France, on a toujours étroitement associé le culturel et le politique, le spirituel et le temporel. Mais on peut situer la naissance de l'intellectuel moderne dans la deuxième moitié du XVIIIᵉ siècle. Tocqueville a expliqué dans son célèbre ouvrage « L'Ancien Régime et la Révolution » que puisque la monarchie excluait les intellectuels de l'exercice du pouvoir, ceux-ci se sont comportés comme un contre-pouvoir, défenseur de la raison et de la justice face aux intérêts de la raison d'État et de l'argent. Voltaire, Diderot, Rousseau, Condorcet, ont soutenu la nécessité d'un engagement des hommes de lettres dans la défense de la morale et de la vérité.

Tout au long du XIXᵉ siècle, les intellectuels ont été partie prenante dans les grands débats, s'opposant souvent au pouvoir en place. Mais c'est au moment de « l'Affaire Dreyfus », lorsqu'un officier juif fut accusé d'espionnage au profit des Allemands, qu'est apparu le terme d'« intellectuel » : il existait comme adjectif, mais n'était pas utilisé comme substantif. En 1898, prenant la suite du texte de Zola « J'accuse », Clemenceau publiait dans un journal (« L'Aurore littéraire, artistique et sociale ») un texte de soutien à Dreyfus qui est resté célèbre sous le nom de « Manifeste des intellectuels ». La France s'est alors trouvée coupée en deux. « Les dreyfusards », qui prenaient la défense de Dreyfus, rassemblaient l'ensemble de la gauche, tandis que « les anti-dreyfusards » regroupaient la droite nationaliste et antisémite. Au-delà du sort du capitaine Dreyfus, l'enjeu du débat portait sur la question nationale. Face aux valeurs de raison et de justice défendues par les

J.P. SARTRE A.GLUCKSMANN R. ARON

dreyfusards, les anti-dreyfusards opposaient une conception de la nation fondée sur la tradition et la race.

INTELLECTUELS DE GAUCHE

Depuis la Révolution française, la vie politique a été marquée par les affrontements idéologiques entre deux camps – la gauche et la droite – chaque camp se considérant comme le seul à avoir une légitimité. Les termes de « gauche » et « droite » font allusion aux places occupées par les députés à l'Assemblée nationale de 1789 : très tôt, « les Amis du peuple », qui défendaient la liberté et l'égalité, se regroupèrent à gauche de la salle, tandis que les députés qui soutenaient le roi et étaient attachés à la religion occupaient la partie droite.

Tout au long du XIXe siècle, la gauche a représenté l'héritage de la Révolution. Elle regroupait les partisans de la République et luttait pour une séparation entre l'Église et l'État. La droite était identifiée à l'Ancien régime, au passé, aux privilèges. Elle se voulait le parti de l'ordre et de la discipline et était soutenue par l'église catholique. Les clivages* s'intensifièrent à certains moments : en 1815, après la période napoléonienne, quand la monarchie fut rétablie (la Restauration) ; lorsque la Troisième République imposa la laïcité ; et bien sûr au moment de l'affaire Dreyfus. Au XXe siècle, depuis la Première Guerre mondiale et jusque dans

les années 70, les clivages entre la gauche et la droite portèrent essentiellement sur les questions sociales – la gauche se voulant le parti du mouvement ouvrier – mais aussi sur l'engagement dans la Résistance, la question de la torture pendant la guerre d'Algérie, la décolonisation, les grands conflits internationaux (la Révolution russe, la guerre d'Espagne, la guerre du Viêtnam).

Même s'il y avait « des droites » et « des gauches », « la Droite » regroupait les conservateurs, les réactionnaires*, les xénophobes*, tandis que « la Gauche » représentait les progressistes, les démocrates, les partisans de l'internationalisme, bref ceux qui se plaçaient du côté du monde ouvrier, des exclus et des dominés. Les circonstances polarisèrent* la vie politique sur deux extrêmes, le socialisme et le fascisme. En 1936, au moment du Front populaire, le socialisme apparaissait comme l'unique rempart contre le fascisme qui montait et

● ● ● ● ● ● ● ● ● ● ● ● ● ● ● ● ● ● ●

L'ESPRIT FRANÇAIS

«Ce qui frappe le plus tous les observateurs étrangers, c'est la forme d'esprit des Français : ils passent pour intellectuels, rationalistes, juristes, à la différence des Anglais, pratiques, empiriques*, casuistes* ; des Allemands qu'emporte l'élan vital ; de l'Espagnol, passionné, mystique, théologien. Les Français ne repoussent point ce jugement dont ils évaluent rarement la part critique, parce qu'il est plus facile d'accepter les formules que d'emprunter l'esprit des autres pour se juger soi-même. Ils se tiennent sans modestie pour un peuple très intelligent, orateur* et malin. Nous dirions plutôt qu'ils sont raisonneurs avec un penchant oratoire* et procédurier*, usant de leur intelligence pour comprendre, pour construire et pour détruire. Un Français veut comprendre, ou pour le moins avoir l'air de comprendre, chacune de ses opérations. D'autres peuples professent la soumission absolue à la nécessité quotidienne ou à ceux qui ont mission de les guider. Rien au contraire de plus désolant pour un Français que d'avoir à se soumettre aveuglément. On connaît sa maxime de désespoir : " Il ne faut pas chercher à comprendre ".

D'où les définitions, les explications, les justifications qui occupent toujours sa cervelle, dès qu'il s'est évadé de l'analphabétisme. Ces exercices, il les fait au profit de la construction des idées et des formes ; il aime les idées générales, les synthèses, les systèmes. Le but de ses analyses est toujours d'aboutir à des formules et il a une certaine propension* à limer des formules, quitte à les justifier. De ces formules, s'il a un embryon de culture, il compose des synthèses, où son goût de l'universel se complaît, et des systèmes qui exercent sa passion logique, parfois au détriment de la réalité. En tous ses jeux intellectuels le Français montre beaucoup de vivacité, de brillant, et surtout d'ordre, de clarté.

Son goût de la clarté procède à la fois d'une certaine paresse, qui le détourne des approfondissements, des complications ; d'un souci de n'être point dupe, et de l'exemple donné par

s'implantait en Europe. Après la défaite de 1940, le régime de Vichy essaya d'abolir toute trace du Front populaire ; il supprima les institutions de la République, mit en place une législation antisémite et collabora avec les nazis. Une grande partie de la droite se rallia au régime de Vichy tandis que la gauche (en particulier les communistes) s'engageait massivement dans la Résistance. À la Libération, la gauche était donc dans le camp des héros ; le parti communiste était une de ses composantes importantes en raison de son rôle dans la Résistance.

Après la guerre, l'engagement des intellectuels apparut plus que jamais comme un impératif. Leur rôle n'était pas seulement de penser et d'interpréter le monde, mais aussi de le changer par leur combat. Parler d'« intellectuels de gauche » était presque un pléonasme* ! Le marxisme (alternative au capitalisme) fut reçu de façon très favorable par une grande partie de l'intelligentsia. Sans être forcément membres du parti communiste, beaucoup d'intellectuels furent alors considérés comme « des compagnons de route » du PC. Sartre reste sans doute l'une des figures les plus marquantes de ce que fut un « intellectuel engagé ».

La situation a beaucoup évolué depuis. Dans les années 60, les intellectuels ont massivement rompu avec le communisme quand ils ont découvert les horreurs du stalinisme*. En 1968 et dans les années 70, beaucoup se sont engagés dans la mouvance* gauchiste. Puis dans les années 80, les grands « maîtres à penser » ont disparu : Sartre et Barthes sont morts en 1980, Althusser a « disparu » en 1980 (il a été interné en psychiatrie après avoir assassiné sa femme), Lacan et Foucault sont décédés en 1984.

L'intelligentsia française est restée longtemps – elle l'est sans doute encore dans sa grande majorité – attachée aux valeurs de gauche, mais elle est de moins en moins présente sur la scène politique. On fait parfois le constat de « la disparition des intellectuels », on déplore « le silence des intellectuels » au profit des économistes ou des experts en tout genre. C'est sans doute que les débats idéologiques ont cessé d'être au premier plan des préoccupations des Français, et aussi que les clivages entre la gauche et la droite sont devenus moins passionnels, notamment après que la gauche eut accédé au pouvoir en 1981, puis que la France eut connu l'expérience de la « cohabitation » (un président de la République de gauche et un Premier ministre de droite).

LIEUX DE RENDEZ-VOUS

En France, contrairement à ce qui existe dans d'autres pays, l'intellectuel se doit de vivre (au moins à temps partiel !) dans la capitale. Un penseur ayant atteint une certaine notoriété se doit de dispenser son enseignement et de faire des conférences dans une université parisienne ou mieux encore, au Collège de France (comme Barthes, Lacan, Bourdieu, etc.). Un écrivain peut écrire à la campagne, au coin du feu, mais c'est à Paris qu'il faut être pour se faire publier et pour espérer la consécration !

Après la vogue des salons littéraires, c'est, à partir du XVIIIᵉ siècle, dans les cafés, que se tenaient les débats d'idées (Voltaire fréquentait assidûment *le Procope*). Certains bars et brasseries sont des lieux à la mode dans les milieux intellectuels… et les modes changent selon les époques ! Après la Seconde Guerre mondiale, c'est dans les cafés de Saint-Germain-des-Prés que se retrouvaient les existentialistes* – *le Flore, les Deux Magots* – mais la clientèle a bien changé depuis l'époque de Jean-Paul Sartre, Simone de Beauvoir, Boris Vian ; elle est maintenant surtout composée de riches étrangers. La *Brasserie Lipp* est toujours fréquentée par des intellectuels de renom, mais aussi par la classe politique et les gens du spectacle. Le Quartier latin a connu son heure de gloire dans les années 60-70. Dans ce quartier étudiant, se trouvaient les facultés, les bibliothèques, les meilleures librairies, les cinémas d'« Art et essai ». Après leurs séminaires à la Sorbonne ou au Collège de France, les universitaires, les chercheurs, les écrivains, les étudiants se retrouvaient au *Balzar* ou au *Champo*, pour prendre un verre et continuer à discuter. Le Quartier latin a perdu son âme depuis qu'il a été envahi par les restaurants bon marché et les magasins de vêtements. Ensuite, les intellectuels fréquentèrent plutôt (et fréquentent encore) les brasseries du quartier Montparnasse, qui pendant longtemps avait été surtout le rendez-vous des peintres et des exilés politiques, des surréalistes également : *la Coupole, le Sélect, la Closerie des Lilas* (où sont apposées sur les tables des plaques rappelant les clients célèbres). Il faut dire que c'est dans ces quartiers de Paris – sur la rive gauche, mais dans un périmètre qui se limite aux cinquième et sixième arrondissements ! – que pratiquement toutes les grandes maisons d'édition ont leur siège. Les brasseries que nous venons d'évoquer sont tout naturellement des lieux où se tiennent les rendez-vous avec un éditeur ou un directeur de collection.

Les débats d'idées entre intellectuels ont aussi pour terrain privilégié quelques grandes revues (toutes éditées à Paris !). Pendant la première moitié du vingtième siècle, ce fut surtout « la Nouvelle Revue Française » (NRF), créée en 1909 à l'initiative d'André Gide : on pouvait y lire des articles de Proust, Mauriac, Claudel, Cocteau, etc. Puis ce furent « Esprit », créé en 1932 par le personnaliste* Emmanuel Mounier et « Les Temps Modernes », fondés en 1946 par Jean-Paul Sartre, qui se voulaient toutes deux des revues très engagées. En 1980, a été lancé « Le Débat » (dont le sous-titre est *Histoire, Politique, Société*), animé par Pierre Nora, une revue qui se présente au contraire comme non engagée. On peut citer aussi quelques revues à diffusion plus large, qui sont en fait plutôt des magazines d'information ou d'actualité littéraire ou philosophique : « Le Magazine littéraire », « La Quinzaine littéraire », « Lire ». Depuis quelques années, les chercheurs et les hommes de lettres aiment à publier des tribunes libres dans les grands quotidiens nationaux – essentiellement « Le Monde » et « Libération » – ou bien dans des hebdomadaires comme « Le Nouvel Observateur ».

La consécration, aujourd'hui, pour un intellectuel ou un homme de lettres, c'est aussi et surtout d'être invité à ce lieu de rendez-vous « incontournable » qu'est la télévision, que ce soit pour donner son opinion sur un sujet d'actualité ou pour présenter son dernier ouvrage dans une émission littéraire (en particulier celle de Bernard Pivot, *Apostrophes*, devenue sous une forme un peu différente *Bouillon de culture*). Il est assuré d'être entendu par des millions de spectateurs et – s'il fait « une bonne prestation » – de vendre ses ouvrages à des milliers d'exemplaires dans les jours suivants ! ■

une société dirigeante, depuis deux millénaires entraînée à la composition et à la dialectique*. Le goût de l'ordre est dans la tradition classique : les Romains l'ont inculqué à la Gaule, l'influence durable des rhéteurs*, la renaissance* justinienne et aristotélicienne, l'humanisme, le programme des jésuites, puis de l'Université entretinrent les habitudes antiques.

Les qualités de l'esprit français sont un bien très précieux au monde entier. Savants, écrivains, conférenciers répandent en tous pays le culte des divisions harmonieuses, des formules limpides et parfois d'une réserve souriante dans les conclusions. Le risque, c'est, dans la masse, une certaine légèreté qui néglige les zones d'ombre de la pensée, simplifie à l'excès les décisions ou les complique par un excès de logique abstraite, résout quelquefois une difficulté par une élégante boutade. »

Gabriel Le Bras,
Revue de psychologie des peuples,
1er trimestre 1952.

● ● ● ● ● ● ● ● ● ● ● ● ● ● ● ●

● ● ● ● ● ● ● ● ● ● ● ● ● ● ● ●

CARTÉSIENS, LES FRANÇAIS ?

« Le *Discours de la méthode* est notre *Île au trésor*. Il y a là un esprit d'aventure et de décision qui pare la raison de tous les attraits de la jeunesse et qui suscite l'enthousiasme. Descartes nous parle de lui. C'est un homme simple, comme le commissaire Maigret. La raison ne se distingue pas de ce ton personnel, familier, presque romanesque, que l'auteur adopte pour convaincre. C'est lui qui le premier oppose la raison à la tradition et à la connaissance héritée des ancêtres. On exagère son influence : les Français ne sont pas tous philosophes, encore moins cartésiens. Mais ils sont redevables à Descartes d'une exigence qui les rend méfiants à l'égard des choses apprises et d'une prétention qui agace nos voisins : "Moi tout seul contre le reste du monde". »

Frédéric Ferney, *Éloge de la France immobile*, François Bourin, 1992.

● ● ● ● ● ● ● ● ● ● ● ● ● ● ● ●

1
LE RÔLE DE L'INTELLECTUEL

Le sociologue allemand Wolf Lepenies analyse et compare les milieux intellectuels dans différents pays européens. Voici un extrait d'une interview accordée au journal *Le Monde* (31 mai 1994), dans lequel il définit ce qu'est pour lui le rôle de l'intellectuel.

«Pour moi, aujourd'hui, l'intellectuel est celui qui agit comme traducteur entre les cultures. C'est la grande tâche à laquelle nous sommes confrontés. Nous ne pouvons plus nous satisfaire de vouloir simplement essayer de comprendre d'autres cultures. La compréhension est une attitude de distanciation, c'est une attitude envers des cultures qu'on ne prend en compte que de manière très indirecte, avec lesquelles on n'est prêt à entrer en contact que pour améliorer sa connaissance générale. Tout cela a changé. Nous sommes tous tenus de nous employer à rendre nos cultures intelligibles. Parce que nous sommes obligés de nous comprendre dans un sens beaucoup plus élémentaire, de vivre ensemble. C'est pour les intellectuels une énorme tâche, qui est d'ailleurs de plus en plus reconnue, notamment dans le domaine économique. Il est assez facile de convaincre aujourd'hui une entreprise qu'elle ne peut pas s'installer au Japon, par exemple, sans un minimum de compétence culturelle, sans laquelle la compétence économique ne peut rien faire.»

Pourquoi Lepenies fait-il une différence entre « comprendre » d'autres cultures et les « traduire », les rendre « intelligibles » ?

En quoi un intellectuel peut-il être un « traducteur de cultures » ? Quel rôle peut-il jouer dans la vie économique et sociale ? Essayez de donner des illustrations.

Est-ce que le rôle de l'intellectuel vous semble différent selon les pays ou selon les cultures ?

2
ÊTRE INTELLIGENT, C'EST QUOI ?

Commentez les résultats de ce sondage.

Parmi les activités suivantes, quelles sont celles qui, selon vous, demandent le plus d'intelligence ?

- faire une découverte scientifique   48 %
- diriger une grande entreprise   45 %
- écrire un livre de philosophie   18 %
- être le meilleur ouvrier de France   18 %
  (menuiserie, orfèvrerie…)
- être ministre   10 %
- créer une œuvre d'art   7 %
- sans opinion   4 %

Le Nouvel Observateur, 14-20 mai 1994.

Est-ce qu'il y a des réponses qui vous surprennent ?

8
ACTIVITÉS

3

DÉBATS DE FIN DE SIÈCLE

« Parmi les nouveaux débats surgis au cours des dix dernières années, il faut ranger celui – récurrent et central – qui touche aux médias […], l'installation en France d'une nouvelle hégémonie culturelle : celle de la télévision. Mais attention aux simplifications anecdotiques. Ce débat-là ne se ramène plus à un pugilat vaguement corporatiste entre […] les universitaires et […] les journalistes. […] Un pugilat assez simpliste, une contestation quasi territoriale empoisonnée par des envies réciproques bien difficiles à départager : respectabilité du savoir contre ivresse de l'influence, dignité du concept contre puissance du spectacle, souci de sauver son âme contre envie de vendre ses livres ? etc. On n'en est plus là. C'est désormais de réflexion qu'il s'agit. »

Le Nouvel Observateur, 6-12 février 1992.

Trouvez la bonne définition de ces expressions parmi celles qui vous sont proposées :

1. Une hégémonie (n. f.)
   a. un pouvoir
   b. une inspiratrice
   c. une mode

2. Anecdotique (adj.)
   a. drôle
   b. exagéré
   c. secondaire, sans intérêt

3. Un pugilat (n. m.)
   a. une bagarre
   b. une histoire
   c. un scénario

4. Corporatiste (adj.)
   a. beau
   b. qui défend un métier, une profession particulière
   c. politique

Pourquoi l'auteur de l'article parle-t-il d'« hégémonie culturelle » de la télévision ?

Quels sont, selon lui, les enjeux de la concurrence entre universitaires et journalistes ?

4

**COMMENT DÉFINIR
LA GAUCHE ?**

Un institut de sondage a demandé à un échantillon représentatif de Français de classer des termes « correspondant bien à l'idée qu'ils se faisaient de la gauche ». Les mots proposés ont été classés par l'ensemble des Français (quelles que soient leurs opinions politiques) dans l'ordre suivant :

- protection sociale   68 %
- culture   65 %
- liberté   64 %
- tolérance   60 %
- progrès   60 %
- anti-racisme   59 %
- construction de l'Europe   58 %
- défense des minorités   57 %
- patrie   56 %
- générosité   54 %
- état   47 %
- partage   47 %
- égalité   43 %
- morale   40 %
- justice   39 %
- rigueur   39 %

SOFRES, avril 1991.

En vous appuyant sur les informations données dans le chapitre, commentez ces résultats en essayant de préciser leur signification dans le contexte politique et social français.

Exemple : la protection sociale est une référence de la gauche ; contrairement aux ultra-libéraux, la gauche considère que l'État doit contrôler la redistribution des richesses.

Pensez-vous que les références idéologiques de « la gauche » et de « la droite » sont semblables ou différentes selon les pays ? En quoi l'histoire nous aide-t-elle à comprendre ces références ?

En dépit de l'évolution des modes de vie,

les temps forts de l'existence ont relativement peu changé.

Beaucoup de rituels qui marquent les grands événements, de la naissance

à la mort, sont fortement empreints de la culture catholique.

La vie familiale, sociale et professionnelle est toujours rythmée

par les moments des repas, par le dimanche et par les vacances d'été.

LES TEMPS DE LA VIE

La vie des individus comporte des moments importants, qui sont des sortes de rites de passage marquant les différentes étapes de leur vie personnelle, familiale et sociale. Mais beaucoup de cérémonies familiales, qui avaient encore une très grande importance dans les années 60, ont tendance à disparaître aujourd'hui, en particulier dans les grandes villes. Lorsqu'elles existent encore, elles sont plus sobres et ne concernent généralement que la famille proche.

UNE NAISSANCE TANT ATTENDUE

« L'heureux événement » est, la plupart du temps, annoncé à la famille, aux amis, aux collègues, aux connaissances, dans le mois qui suit la naissance du bébé, par l'envoi d'un « faire-part » de naissance, souvent réalisé par un imprimeur. Alors que l'on se contentait aupa-ravant d'une annonce très formelle, souvent suivie de la traditionnelle formule « la mère et l'enfant se portent bien », la mode veut maintenant que l'on personnalise les faire-part. Les parents expriment leur joie de manière plus spectaculaire, en concevant l'annonce sur un mode original et humoristique, en reproduisant parfois une photo du bébé. S'il y a des enfants plus grands, ils entourent souvent le nouveau-né sur la photo. C'est la famille tout entière qui annonce l'arrivée du bébé et qui s'en félicite. On peut aussi faire paraître une annonce (payante) dans le journal, ce qui permet d'avertir des relations plus lointaines. La plupart des quotidiens régionaux et nationaux ont, pour cela, une rubrique spécialisée, le « carnet mondain ».

Les personnes informées de la naissance du bébé rendent visite assez

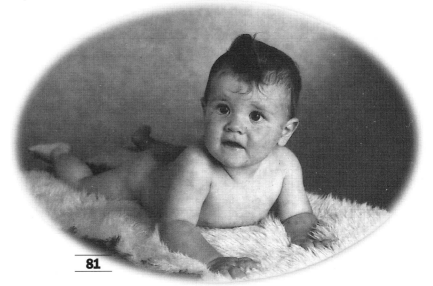

rapidement à la mère et au nouveau-né, soit quand ils sont encore à la maternité (où ils restent environ une semaine), soit quand ils sont de retour à la maison, avec un cadeau pour le bébé: un vête- ment (le plus souvent acheté, car on ne tricote plus guère) ou un jouet.

Les familles catholiques font baptiser le bébé dans les mois qui suivent la nais- sance. Le jour du baptême est l'occasion d'une fête familiale réunissant les membres de la famille, le parrain et la marraine. À la naissance, ou parfois avant, les parents ont demandé à des proches– parmi la famille ou les amis – d'accepter l'honneur d'être le parrain et la marraine. C'est une preuve de confiance, puisqu'ils s'engagent à s'occuper de l'en- fant en cas de besoin (du moins en prin- cipe); ils font normalement des cadeaux à leur filleul non seulement pour son baptême, mais aussi pendant toute son enfance. À l'occasion du baptême, les parents offrent un paquet de dragées*, symbole d'abondance, à tous les mem- bres de la famille mais aussi, bien sou- vent, à toutes les personnes qui ont fait un cadeau à la naissance.

L'ENFANT-ROI

Depuis vingt ou trente ans, avec l'amélioration du niveau de vie et le fait que les familles ont moins d'enfants, que ces enfants sont, en général, réellement désirés, l'enfant est devenu, en quelque sorte, un héros sur lequel on s'émerveille en toute circonstance. Beaucoup de parents tiennent pour chaque enfant « un album de naissance ». Cet album enregistre les moments importants des premières années: la première dent, les premiers pas, etc. Tout ce qui constitue un événement dans la vie de l'enfant est marqué rituellement par un cadeau. Chaque fois qu'un enfant perd une dent de lait*, il la dépose précieusement le

soir sous son oreiller pour que « la petite souris » vienne la chercher. Au réveil il trouvera à la place quelques friandises, parfois aussi une pièce de monnaie. Pour son anniversaire, les membres de la famille lui offrent un cadeau. Bien souvent, les parents organisent à cette occasion un goûter où sont invités ses copains, qui apportent chacun un petit cadeau. Pour la fête de Noël, les parents, même lorsqu'ils n'ont pas de gros moyens financiers, dépensent des sommes considérables pour acheter des jouets à leurs enfants. Ils ont à cœur de ne pas décevoir l'enfant qui a passé sa « commande au Père Noël » ! Pour les fêtes de Pâques, les enfants reçoivent simplement des friandises: des œufs de Pâques (des bonbons qui ont la forme de petits œufs), des poules et des œufs en chocolat. À la campagne, ils doivent les chercher dans les jardins où les cloches (venues de Rome annoncer la résurrection du Christ) les ont cachés.

JOUR DE COMMUNION

Dans les familles catholiques, le jour de « la communion » est, avec le baptême, une des plus grandes fêtes

familiales. Cette cérémonie religieuse a connu son apogée* au XIXᵉ siècle. À l'âge de douze ans, après avoir reçu une instruction religieuse dans les cours de catéchisme, tous les enfants faisaient leur « première communion » à l'église de leur paroisse*. Pour l'occasion, les filles portaient une longue robe blanche avec un voile, et les garçons soit un costume sombre et une cravate, soit une longue tunique blanche ceinturée par une cordelette. « La première communion » (la première fois où les enfants recevaient l'eucharistie*) marquait la fin de l'enfance, le passage dans le monde adulte et donnait lieu à une grande fête ressemblant par bien des aspects à un mariage: après la cérémo- nie à l'église, la famille donnait un grand festin, qui se terminait par une pièce montée, sorte de pyramide en choux à la crème réservée à ces célébra- tions. Les nombreux invités arboraient une toilette neuve. Pour garder des souvenirs de ce beau jour, on allait se faire prendre en photo chez le photo- graphe. Les enfants étaient fiers de se promener pendant plusieurs jours dans leurs habits de fête. Ils allaient rendre visite à toute la famille, à toutes leurs connaissances, pour leur offrir « une image de première communion » (une image pieuse derrière laquelle on avait fait imprimer le nom de l'enfant et la date de la communion) ainsi qu'une boîte de dragées ; en retour ils recevaient des cadeaux ou de l'argent.

Puis, l'Église catholique, qui trouvait que la communion était moins une cérémonie religieuse que le prétexte à une fête païenne – une occasion de bombance, célébrée pour cette raison même par les non-pratiquants ! – a décidé que la première communion se ferait dorénavant à l'âge de sept ans. Cela aurait pu faire tomber en désuétude la tradition de la communion… En fait, cette première communion est devenue « la communion privée » ; elle ne donne lieu à aucun faste particulier. En revanche on a conservé le caractère

festif de la cérémonie qui a lieu à douze ans, appelée officiellement « la profession de foi », mais que tout le monde appelle « la communion solennelle » ou tout simplement « la communion ».

Malgré le déclin de la pratique religieuse, l'attachement aux célébrations du baptême et de la communion est resté très important, y compris dans les familles non-pratiquantes. Il n'y a guère que depuis une vingtaine d'années que cette tradition se perd un peu, en particulier dans les grandes villes.

BON POUR LE SERVICE

Au début du XXᵉ siècle, le service militaire est devenu obligatoire pour tous les garçons. Après s'être fait

········

DE L'ÂGE INGRAT
À L'ADOLESCENCE

Ce qu'on nommait, il n'y a pas si longtemps, « l'âge ingrat » n'est plus seulement une période transitoire entre l'enfance et l'âge adulte, mais une époque déterminante dans la vie d'une personne, que médecins et sociologues étudient avec attention. Les parents et les professeurs sont plus attentifs à ne pas commettre de maladresses irréparables. La sortie de l'enfance, correspondant à l'époque de la puberté, était synonyme d'adolescent boutonneux, trop vite grandi et maigrichon, mal dans sa peau, tourmenté et taciturne, en révolte contre ses parents et contre le monde entier. Les garçons ricanaient bêtement dès qu'ils apercevaient un jupon. Les filles rougissaient quand un garçon osait les approcher. Les uns et les autres ne pouvaient chercher que dans la littérature les réponses aux questions qu'ils se posaient sur l'amour.

Les « ados » d'aujourd'hui vivent mieux ce passage. L'élévation générale du niveau de vie a permis d'améliorer le traitement de l'acné*, des problèmes dentaires ; on emmène les jeunes filles chez le gynécologue*, etc. Les ados commencent souvent à avoir leur propre argent de poche, à choisir leurs vêtements, à consommer ce qui leur plaît, à avoir une certaine autonomie dans leurs déplacements et donc dans le choix de leurs loisirs. Les ados peuvent avoir des conversations plus libres avec leurs parents, avec lesquels ils ont des relations moins conflictuelles.

La mixité dans l'enseignement (généralisée depuis le début des années 70) a facilité les rapports entre garçons et filles. L'adolescence (dès douze ou treize ans) est souvent déjà l'âge des premières « boums ». Dans ces premières fêtes (organisées avec le consentement et l'aide des parents, mais en leur absence), on danse, on a l'expérience des premiers flirts.

Il n'empêche que l'adolescence reste toujours l'âge des bleus à l'âme et des sautes d'humeur que les adultes ne pourront jamais comprendre.

········

LE BIZUTAGE

Le bizutage est un rituel estudiantin (qui remonte semble-t-il au XIXᵉ siècle), au cours duquel sont «initiés» les jeunes gens lorsqu'ils entrent dans une grande école ou dans certaines classes préparatoires. Comme cérémonie d'intégration à un monde fermé, réservé à une élite, les «anciens» (les étudiants de deuxième ou de troisième année) organisent un énorme chahut durant parfois plusieurs jours, au cours duquel ils font subir aux «bizuts» (les nouveaux arrivants) toute une série de brimades plus ou moins pénibles et humiliantes : se faire barbouiller ou arroser, être promené dans la rue nu ou dans des tenues grotesques, être contraint de ramper dans la boue, de manger des choses répugnantes, etc.

Ces pratiques sont très critiquées parce qu'elles s'apparentent parfois à de véritables sévices* et peuvent être traumatisantes. Bien qu'elles soient officiellement interdites, elles se perpétuent dans certains établissements comme un rite de passage traditionnel et obligatoire. Un étudiant qui refuse de s'y soumettre est considéré comme un «paria*».

ENTERRER SA VIE DE GARÇON

Conformément à une coutume ancienne, le jeune homme passe parfois une soirée avec ses amis avant de se marier. Avant de renoncer à sa «vie de garçon», avant de «se ranger» au mode de vie bourgeois, il fait une dernière fois «la vie» avec ses copains, au cours d'une nuit de fête très arrosée.

LES MARIÉS DE L'AN 93

Le mariage est de moins en moins fréquent : 4,7 unions pour 1000 habitants, soit une baisse de 40% en 20 ans.

L'âge moyen du premier mariage est de plus en plus élevé : 26,6 ans pour les femmes et 28,7 ans pour les hommes.

51% des mariages sont célébrés à l'église (contre 61% en 1983).

«recenser» à l'âge de 17 ans, un jeune homme doit faire ses «trois jours» (qui se réduisent en fait à deux demi-journées) dans un centre de l'armée pour y subir des tests. C'est là qu'il est déclaré «apte au service» ou au contraire qu'il est «réformé» (dispensé du service pour une raison médicale). Un jeune homme déclaré apte est incorporé normalement à l'âge de 18 ans, sauf s'il obtient un sursis pour terminer ses études. La coutume voulait qu'à la fin de leurs «trois jours», les «conscrits» – les jeunes gens admis à la conscription – se réjouissent de l'événement par une nuit de beuveries. De même, à la fin du service militaire, les soldats fêtaient «la quille*». Ces célébrations ont duré jusqu'à la fin des années 60 : elles marquaient le fait qu'un garçon n'était pas un homme tant qu'il n'avait pas fait «son service». Il était rare qu'il se marie avant d'avoir été soldat et il lui était difficile d'accéder à un emploi stable. Tout cela a bien changé. À vrai dire, beaucoup de jeunes gens considè-

rent le service militaire comme une corvée qui n'a pas lieu d'être fêtée et ils sont plutôt contents quand ils peuvent en être dispensés !

POUR LE MEILLEUR ET POUR LE PIRE

Autrefois, la cérémonie des fiançailles marquait solennellement la promesse de mariage entre les jeunes gens. Lors du repas de fiançailles organisé, en principe, par les parents de la jeune fille, les deux familles se rencontraient officiellement et le fiancé offrait à la future mariée une bague de fiançailles. Pendant leurs fiançailles – cette période qui allait de la promesse de mariage à la célébration du mariage, et qui pouvait durer de quelques mois à un ou deux ans – les jeunes gens pouvaient «se fréquenter» avec l'accord des familles. La rupture des fiançailles était très mal vue ! De nos jours, les fiançailles sont tombées en désuétude. Lorsque des

jeunes gens se fiancent, ils vivent souvent déjà ensemble. L'événement se résume alors à un repas où les deux familles sont présentées l'une à l'autre.

Un mariage est encore une occasion d'organiser une fête importante et de se faire offrir des cadeaux par la famille et par les amis. Pour que les cadeaux correspondent aux souhaits des jeunes mariés et ne fassent pas double emploi, on les choisit parmi les articles qui figurent sur une liste de mariage, que les futurs époux ont déposé dans un ou plusieurs magasins.

Le mariage a lieu généralement le samedi, si possible à la belle saison. On évite cependant de se marier en mai, parce que cela porte malheur (le mois de mai est le mois de la Vierge et risque donc de rendre la femme stérile). On se marie obligatoirement à la mairie (c'est le mariage civil), ensuite, éventuellement, à l'église, où a lieu une messe ou une bénédiction (c'est le mariage reli-

gieux, mais qui de plus en plus devient surtout une convention sociale). La mariée est le plus souvent en robe blanche (alors qu'elle était traditionnellement en robe noire jusqu'à la fin du XIXe siècle) ; le marié est en costume sombre, les invités sont habillés de neuf. Les mariés sont souvent accompagnés de « demoiselles d'honneur » (portant des robes longues) et de « garçons d'honneur », qui sont soit leurs plus proches amis, soit des enfants. Après les traditionnelles photos de mariage prises devant la mairie, devant l'église ou dans un parc, les voitures des mariés et des invités, ornées de fleurs et de rubans blancs, se rendent, dans un concert de klaxons, jusqu'à l'endroit où a lieu le repas de noces. Plus ou moins grandiose et plus ou moins long, ponctué de chansons, il se passe souvent dans un restaurant et s'achève avec la traditionnelle pièce montée ; puis les jeunes mariés ouvrent le bal et les invités dansent. Parfois c'est un véritable orchestre qui anime la soirée.

LES ANNIVERSAIRES DE MARIAGE

Après le mariage, la vie du couple est ponctuée par les dates anniversaires des noces. Si on fête peu les noces de papier (deux ans de mariage), de laine (sept ans), etc., on fête en général en grande pompe*, en présence de toute la famille, les noces d'argent (25 ans de mariage), de diamant (30 ans), d'émeraude (40 ans), d'or (50 ans) et de platine (60 ans de mariage !).

LES FÊTES

On fête en famille la fête des mères et la fête des pères (sans compter depuis quelques années, la fête des grand-mères, à l'initiative d'une marque de café !). Car ce sont des occasions de cadeaux... largement encouragées par les campagnes publicitaires ! Les jeunes enfants sont très fiers d'offrir le cadeau qu'ils ont eux-mêmes réalisé à l'école dans les mois qui précèdent.

En revanche, bon nombre de fêtes traditionnelles ont à peu près totalement disparu au cours du XXe siècle. Certains métiers avaient un saint désigné comme protecteur de leur corporation : sainte Barbe pour les mineurs et les pompiers, saint Éloi pour les orfèvres, saint Fiacre pour les jardiniers, etc. Le jour de la fête de leur « saint patron » était pour tous les gens du métier un jour férié, où avaient lieu une messe, des défilés, parfois un bal. Sainte Catherine est une des dernières à être honorée – ou plutôt à être de nouveau honorée après avoir failli disparaître dans les années 60 – parce qu'elle est à la fois la fête des ouvrières de la mode et celle des jeunes filles qui ont plus de 25 ans et ne sont pas encore mariées. Le jour de la Sainte Catherine (le 25 novembre), les ateliers des grands couturiers organisent des bals, au cours desquels « les catherinettes », les jeunes filles qui ont « coiffé sainte Catherine » portent des chapeaux extravagants*. Et puis le 14 février, jour de la Saint-Valentin, c'est toujours la fête des amoureux...

● ● ● ● ● ● ● ● ● ● ● ● ● ●

PEUR DE LA MORT ?

Les Français déclarent en majorité (68%) qu'ils ne pensent pas à leur mort. Ce qui leur semble le plus effrayant dans l'idée de mourir, c'est la souffrance (43%) et le fait de quitter ses proches (35%).

● ● ● ● ● ● ● ● ● ● ● ● ● ●

● ● ● ● ● ● ● ● ● ● ● ● ● ●

TOLÉRANCE AU SUICIDE

Parmi les interviewés, 16% des Français ont déjà songé à se suicider (le pourcentage est plus important pour ceux qui ont entre 24 et 34 ans : 20%). Parmi ceux qui ont songé à mettre fin à leurs jours, 25% ont effectivement fait une tentative de suicide.

Mis à part 35% des Français qui estiment qu'aucune circonstance ne le justifie, une majorité comprend que l'on mette volontairement fin à ses jours pour les raisons suivantes : une maladie ou un handicap incurable* (57%), une solitude insupportable (18%), la mort d'un être cher (15%), une extrême pauvreté (12%), une agression sexuelle (12%), une grave déception amoureuse (8%).

D'après un sondage SOFRES pour *Marie-Claire*, octobre 1991.

● ● ● ● ● ● ● ● ● ● ● ● ● ●

● ● ● ● ● ● ● ● ● ● ● ● ● ●

LES RITES FUNÉRAIRES

Selon une enquête réalisée à l'occasion du Salon professionnel du funéraire, en octobre 1993, 71% des personnes interrogées sont favorables à un enterrement traditionnel, dont 62% à un enterrement avec une sépulture et un office religieux, et 9% sans cérémonie mais avec une sépulture*. 23% choisissent l'incinération* et recherchent de nouvelles solutions.

Depuis une vingtaine d'années, les Français sont, en effet, de plus en plus nombreux à se faire incinérer (l'Église catholique autorise l'incinération depuis 1963). Après la crémation, qui a lieu dans un crématorium, en présence de la famille et des amis, l'urne dans laquelle sont recueillies les cendres est remise à la famille du défunt, qui peut la conserver à son domicile, la placer dans une case de colombarium, l'inhumer dans une tombe traditionnelle ou encore disperser les cendres dans la nature.

● ● ● ● ● ● ● ● ● ● ● ● ● ●

Dans les milieux populaires, on lance à propos des jeunes mariés des plaisanteries d'un goût parfois douteux. On fait passer de main en main parmi les invités, en la mettant aux enchères*, « la jarretière* de la mariée » (en fait, une fausse jarretière destinée à l'occasion). Le jeu consiste à retarder le plus possible le moment où les jeunes époux vont se retrouver seuls pour leur nuit de noces, et après qu'ils sont parvenus à s'enfuir, à trouver le lieu où ils se sont cachés pour les déranger au milieu de la nuit.

AVIS DE DÉCÈS

Les funérailles* étaient destinées à assurer au défunt le passage de la vie terrestre vers l'au-delà, vers le paradis. Quatre Français sur dix seulement disent qu'ils croient à la vie après la mort. Ils préféreraient une mort subite (« une belle mort ») à une mort que l'on sent venir et à laquelle on peut se préparer. Les rituels ont changé de fonction, ils sont en fait destinés à la famille et aux amis, pour les aider à surmonter l'épreuve de la perte d'un être cher.

Lorsque quelqu'un s'éteignait chez lui, dès son dernier soupir, après qu'on lui eut fermé les yeux, on arrêtait les horloges, on couvrait les miroirs, on empêchait la lumière d'entrer dans la pièce. Des voisins ou des membres de la famille venaient aider à faire la toilette du mort, à l'habiller, à l'installer sur un lit comme s'il dormait paisiblement, puis à le « veiller » dans une pièce éclairée seulement par des cierges. Jusqu'à « la mise en bière » (dans le cercueil) qui avait lieu deux ou trois jours plus tard, juste avant l'enterrement, toutes les connaissances du mort et de sa famille venaient se recueillir devant le corps et l'asperger d'eau bénite.

Bien que trois Français sur quatre souhaitent mourir à la maison, la très grande majorité meurt à l'hôpital. Le corps est alors transporté dans une chapelle ardente* prévue à cet effet dans les hôpitaux. La famille ne peut pas veiller le corps, elle ne se réunit qu'au moment de la mise en bière, juste avant l'enterrement.

La famille confie souvent le soin de s'occuper des formalités administratives et de l'enterrement à un ami ou à un parent moins directement touché par le deuil. On s'adresse à un service de pompes funèbres* pour l'organisation des obsèques* : choix du cercueil, lieu et organisation de l'enterrement. Il est fréquent que les personnes aient exprimé bien avant de mourir (oralement ou par écrit) leurs « dernières volontés », leurs souhaits concernant leurs funérailles. Elles ont même parfois organisé et payé leurs obsèques à l'avance aux pompes funèbres ! Les personnes qui souhaitent être enterrées

peuvent avoir déjà un caveau* de famille dans un cimetière. Sinon, il faut payer à la municipalité une concession (d'une durée variable).

On prévient tous les proches en leur envoyant par la poste un faire-part de décès (un document imprimé bordé de gris ou de noir qui, dans les villages, est également affiché sur la vitrine des magasins). De plus en plus, avec l'éloignement géographique des familles, on recourt au téléphone. Pour les connaissances plus lointaines, la famille peut faire publier dans le journal un avis de décès, qui mentionne la date et le lieu de l'enterrement.

Autrefois, la plupart des enterrements se faisaient selon le rite catholique. À la campagne, on se réunissait pour la levée du corps à la maison du défunt, on se rendait à pied en cortège jusqu'à l'église, où avait lieu la cérémonie religieuse, puis au cimetière. Le cercueil était porté par des hommes.

Suivait la famille proche, habillée en grand deuil (on portait le deuil pendant un an): les hommes en costume sombre, les femmes vêtues de noir et le visage couvert d'un voile noir. Venaient ensuite la famille plus éloignée, habillée de sombre, un crêpe* noir au bras, puis tous les autres (à la campagne, c'était pratiquement tous les habitants du village), de préférence en tenue sombre aussi. Cette tenue servant exclusivement pour les mariages et les enterrements, c'est-à-dire rarement, tout le monde était imprégné de l'odeur d'antimite*! En ville, en raison des plus longues distances, le cercueil était transporté par un corbillard (une voiture noire) tirée par des chevaux. Maintenant, que ce soit en ville ou à la campagne, le corbillard est une automobile noire, sur laquelle on dispose les fleurs et les couronnes offertes par les parents, amis et connaissances du mort (les fleurs seront mises ensuite sur la tombe). La famille et les amis suivent le corbillard dans leur voiture personnelle. Pendant

longtemps à la campagne – parfois encore maintenant – les enterrements étaient l'occasion de voir tous les parents et amis, on se réunissait après le cimetière pour un grand repas, qui était quasiment une fête !

Aujourd'hui, les enterrements sont devenus plus simples et plus discrets. On se retrouve souvent directement à l'église ou au cimetière. On porte rarement le deuil. Tout le monde – y compris la famille proche – s'habille comme d'habitude, même le jour de l'enterrement, en évitant seulement les couleurs vives et les marques de coquetterie. Parfois pour la cérémonie, certains portent un crêpe noir au bras.

Pour la plupart des personnes âgées, il est très important d'avoir «un bel enterrement», avec beaucoup de monde; aussi font-elles tout leur possible pour assister aux obsèques des personnes qu'elles ont connues. C'est pourquoi beaucoup de non-croyants souhaitent avoir un enterrement à l'église, pour que la cérémonie soit plus officielle et plus longue. À l'église, le prêtre dit une messe (souvent une messe chantée), il fait l'éloge* du défunt, les personnes présentes vont chacune à leur tour se recueillir devant le cercueil, l'odeur d'encens donne un aspect solennel. Tout le monde se rend ensuite au cimetière, pour jeter une poignée de terre dans la fosse, avant que le cercueil ne soit recouvert.

Lorsque l'enterrement est un enterrement «civil», la cérémonie est en général très courte. Le rassemblement a lieu au cimetière, quelqu'un prononce parfois une petite allocution*. Dès que le cercueil a été descendu dans la fosse, on défile en silence devant la tombe pour y jeter une fleur.

L'assistance présente ses condoléances à la famille, soit après la cérémonie à l'église, soit au cimetière, en embrassant ou en serrant la main des proches du défunt, ou en prononçant quelques mots pour exprimer sa sympathie. Il est de bon ton que tout le monde – même les proches – reste « digne » et réservé, et si on pleure, on doit le faire discrètement. Ceux qui n'ont pas pu assister aux obsèques envoient à la famille une « lettre de condoléances ».

LA VIE EST UN LONG FLEUVE TRANQUILLE

Au cours des trente dernières années, les rythmes de vie se sont modifiés, mais ils sont toujours organisés autour des mêmes temps forts. Les heures de repas demeurent des moments privilégiés. La vie professionnelle est largement marquée par ces coupures quotidiennes, puisqu'entre 12 et 13 heures, la plupart des Français prennent une heure pour déjeuner. Le soir, on dîne généralement aux alentours de 19 heures ou 20 heures. Les horaires étant pratiquement identiques pour tous ceux qui travaillent, les citadins doivent affronter quotidiennement la saturation de la circulation et des transports en commun aux heures de pointe – le matin entre 7 heures et 9 heures 30, le soir entre 17 heures et 19 heures 30. Quand on veut indiquer à quel point il y a du monde quelque part, on dit couramment « on se croirait dans le métro aux heures de pointe » ! Les enfants vont à l'école toute la journée (matin et après-midi, la classe s'arrête à seize heures trente), sauf le mercredi. Beaucoup d'enfants ont cours le samedi matin, mais jamais le samedi après-midi ni, bien sûr, le dimanche. La vie scolaire règle la vie des enfants. Quand « il y a école » le lendemain, les jeunes enfants se couchent tôt, entre 20 heures et 21 heures.

Le samedi et le dimanche – le week-end (anglicisme sans équivalent français !) – sont des jours de rupture avec le rythme de la semaine, même s'il y a beaucoup de gens qui travaillent, en particulier les commerçants. Le samedi est souvent le jour où l'on fait les courses pour toute la semaine, et le ménage « à fond » dans la maison.

Le dimanche a un statut particulier, c'est un jour « pas comme les autres ». Le repos dominical remonte, en France, au IVe siècle, à l'époque de la christianisation du pays. À travers les écrits dont on dispose, on peut se rendre compte que le dimanche a été, depuis cette époque, un jour consacré au culte religieux, un jour où l'activité diminuait et où on était préoccupé par la bonne chère ! Les Révolutionnaires, voulant rompre avec l'ancien temps, ont remplacé, en 1793, le dimanche par le « décadi » (le dixième jour), mais cela n'a duré que jusqu'en 1805. Tout au long du XIXe siècle, les travailleurs luttèrent pour obtenir un jour férié. Le repos dominical s'imposera progressivement au XIXe siècle et deviendra obligatoire en 1906, autant pour des motifs hygiénistes que religieux ou familiaux. La promenade du dimanche pour prendre le bon air, la fréquentation de la messe, la vie de famille étaient considérées comme des éléments importants pour l'efficacité des travailleurs.

Dans le même temps, se sont multipliés des lieux réservés aux plaisirs, abondamment décrits dans la littérature : les cabarets* d'abord, puis les kermesses*, les guinguettes* au bord de l'eau, les bals du samedi soir et du dimanche après-midi. Les peintres impressionnistes ont montré les flâneries*, le temps ralenti du dimanche passé sur les bords de la Seine ou de la Marne aux environs de Paris.

Pour certains, le souvenir du dimanche est synonyme d'étouffement et d'ennui… Dans les années 50, Juliette Gréco a fait scandale en chantant « Je hais les dimanches ». Jean-Paul Sartre, à peu près à la même époque, décrivait dans « La Nausée » l'atmosphère morne et ennuyeuse d'un dimanche de province. Car le dimanche, c'était d'abord la messe, puis l'interminable repas de famille, et la promenade obligatoire avec les parents ou avec le pensionnat…

Aujourd'hui, les dimanches ont un peu changé. On se lève tard (« on fait la grasse matinée »). Seuls les catholiques pratiquants vont à la messe. Le dimanche matin est pour beaucoup l'occasion d'aller faire le marché et de préparer de bons petits plats. Le déjeuner de famille dominical est une coutume restée très vivace. Le menu traditionnel comporte encore bien souvent un poulet rôti et un gâteau (préparé à la maison ou acheté chez le pâtissier). Le dimanche matin est aussi un moment d'activité intense pour les bricoleurs ou les jardiniers occasionnels ! L'après-midi est plutôt consacré aux loisirs : sport, promenades à la campagne, visite à des amis, ou plus rarement au musée (certains musées sont gratuits le dimanche), cinéma, télévision.

Un certain nombre d'expressions témoignent du caractère particulier qu'avait ou qu'a encore le dimanche. Autrefois (il n'y a pas plus de 25 ans !), on « mettait ses habits du dimanche ».

Aujourd'hui, on s'habille comme les autres jours ou bien on met des vêtements dans lesquels on se sent à l'aise. Du coup, l'« endimanché » est ridicule, le « conducteur du dimanche » ne sait pas conduire (il ne sort sa voiture que le dimanche), le « bricoleur du dimanche » fait rire (il n'est généralement pas très doué !). Quant au « peintre du dimanche »… il a encore des progrès à faire !

Régulièrement, dans les médias, on relance le débat sur le travail le dimanche. En principe, tout est fermé en France le dimanche, excepté quelques petits magasins d'alimentation, quelques pharmacies « de garde », ou les boutiques de stations de vacances pendant les saisons touristiques. Des sondages montrent que pas mal de gens aimeraient pouvoir profiter du dimanche pour faire leurs courses tranquillement. Mais jusqu'à maintenant, le repos dominical est tellement ancré dans la tradition que la loi continue à interdire le travail des salariés, sauf dérogations administratives tout à fait exceptionnelles (par exemple, les grands magasins sont ouverts durant les deux ou trois dimanches qui précèdent Noël), et pour les services publics, comme les hôpitaux ou les transports. Les seules boutiques ouvertes légalement le dimanche sont en principe celles où travaille le propriétaire : ce sont des libraires, des boutiques d'antiquités, de petites épiceries souvent tenues dans les grandes villes par des Maghrébins ou des Asiatiques. ■

LES VACANCES

L'année est rythmée par des périodes de vacances qui vident les grandes agglomérations et provoquent d'énormes bouchons sur certains axes routiers. Tous les salariés ont droit à cinq semaines de congés dans l'année et, qu'ils aient ou non des enfants, ils les prennent bien souvent au moment des vacances scolaires.

La plupart des Français prennent un mois de vacances en juillet ou en août. Au mois d'août dans les grandes villes en particulier, la vie est considérablement ralentie. Beaucoup d'usines sont fermées, les administrations fonctionnent en veilleuse, de nombreux magasins sont fermés. On a parfois du mal à trouver un boulanger ouvert, ou même un dentiste ! Comme la cinquième semaine de congés payés doit être obligatoirement prise en dehors des mois d'été, beaucoup de salariés prennent une semaine de vacances entre Noël et le jour de l'an, ou bien partent au moment des vacances scolaires de février ou de printemps. À cela, il faut ajouter les départs massifs pour les grands week-ends de trois jours – Pâques, la Pentecôte – ou pour les « ponts » (un jour normalement travaillé est « offert » aux salariés par leur entreprise ou leur administration parce qu'il se situe entre deux jours fériés), dont les Français sont souvent gratifiés principalement au mois de mai.

1
AVIS DE DÉCÈS

Regroupez dans un tableau toutes les informations que l'on peut recueillir sur chacun de ces défunts à la lecture de leur avis de décès (voir ci-contre).

■ Son âge ....

■ Sa profession ....

■ Était-il marié? ....

■ Avait-il de la famille, des amis? ....

■ Connaît-on les causes de sa mort? ....

■ Était-il croyant, et s'il l'était, quelle était sa religion? ....

■ Comment sont organisées ses funérailles? ....

Est-il possible de décrire brièvement son milieu social et culturel?

2
CHAQUE ÂGE A SES PLAISIRS

Voici des expressions qui désignent les différentes époques de la vie.

Associez à chaque expression la définition qui lui correspond. Classez ensuite chronologiquement ces expressions dans la vie d'un individu.

1. elle était dans la fleur de l'âge	a. en pleine jeunesse
2. être dans la force de l'âge	b. une personne à la retraite
3. il avait atteint un âge canonique	c. l'adolescence
4. l'âge ingrat	d. l'âge de la maturité
5. l'âge tendre	e. la puberté
6. le premier âge	f. la toute petite enfance
7. le quatrième âge	g. ni jeune, ni vieille
8. une femme entre deux âges	h. personne très âgée et dépendante
19. un homme d'un certain âge	i. qui n'est plus très jeune
10. une personne du troisième âge	j. très vieux

Solutions: 1. a – 2. d – 3. j – 4. e – 5. c – 6. f – 7. h – 8. g – 9. i – 10. b

3
PHOTOS DE FAMILLE

Comparez les deux photos de mariage illustrant le chapitre. L'une (page 84) a été prise en 1972, l'autre (page 85) a été prise vingt ans plus tard.

Vous semble-t-il que le changement de style soit général ou propre à certaines catégories de la population?

– Odette et Jean-François Perrenoud,
Emanuel Ungaro,
Charli et Fanny Lajtman, Anne de Tienda,
Ses amis Ehrhard, Baudin, Gubler, Fassianos,
Et Wanderlust,
son compagon,
ont la mission d'annoncer la mort de

Yves NAVARRE,

écrivain, chevalier de la Légion d'honneur,
officier de l'ordre des Arts et des Lettres,
Goncourt 1980, Membre fondateur du SELF.

L'incinération a eu lieu dans la stricte intimité
de la famille d'amis.

*«Les paroles soulèvent plus de terre que le fossoyeur
ne peut.»*
René Char.

«Je donne à mon espoir mon cœur en ex-voto.»
Guillaume Apollinaire.

Henri DUBREUIL,

ingénieur,

s'est éteint au Val-de-Grâce, le 3 octobre 1994.

Il avait participé à la libération de la France.
Chef départemental FFI, il a combattu avec
la 1re armée française. Chevalier de la légion
d'honneur, croix de guerre 1939-1945, médaille
de la Résistance.

Ses amis.

– Michèle Assouline, sa compagne,
Stéphane Tharaud, son fils,
Antoine Tharaud, son petit-fils,
Christiane Mallet, sa sœur, et sa famille,
Les familles Mallet, Tharaud,
Assouline et Duruy,
Ses amis de Marseille, de Nantes et de Paris,
ont la tristesse de faire part du décès de

Jean THARAUD,

professeur de philosophie,
chevalier de l'ordre
national du Mérite,

le vendredi 14 janvier 1994, à Marseille.
Ses cendres ont été dispersées sur les collines
de Luminy.

Ils remercient tous ceux qui l'ont accompagné
par leur présence ou leurs pensées. Ils remercient
également les services du professeur Sahel, de
l'hôpital Sainte-Marguerite, dont la compétence
et le dévouement ont permis à Jean de mieux
supporter la maladie.

Des dons peuvent être faits à la Ligue contre le cancer.

– Laure Brunel et Muriel Forestier,
Evelyne Djian et Jacques Brecher,
Virginie, Nathan, Julie et Simon,
ont la douleur de faire part du décès de

Raymond BRUNEL.

Ni fleurs ni couronnes.
En souvenir d'un homme généreux, vous pouvez
adresser vos dons à une association (Secours
populaire, Compagnon d'Emmaüs ou autres).

Les obsèques auront lieu le vendredi 11 mars 1994
à 15 heures au cimetière de Bagneux.

Cet avis tient lieu de faire-part.

– Jacqueline et Jean EPSTEIN, ses parents,
Alain, son frère,
Sa famille, Ses amis,
ont la très longue douleur d'annoncer le décès de

M. Yves EPSTEIN,

âgé de trente-cinq ans, survenu à Paris, le 31 mai
1994, des suites du sida. L'incinération aura lieu
le vendredi 18 août, à 15h30, au crématorium
du cimetière du Père-Lachaise.

Cet avis tient lieu de faire-part.

Des dons pourront être adressés à l'association :
AIDES, 247 rue de Belleville. 75019 Paris.

Christian DOUX

nous a quittés samedi 11 juin
à l'âge de 42 ans.
Ses amis, sa famille se retrouveront
mercredi 15 juin, à 14h. en l'église
Saint-Germain de Charonne,
119, rue de Bagnolet. Paris 20e.

"Le vierge, le vivace et le bel aujourd'hui…":
Mallarmé.

– Mme André Necker,
Gérard et Joëlle Necker, Julien et Sophie,
Thierry Necker et Valérie Hoffman,
Mme Eugène Necker,
Claude et Françoise Dumont,
Les familles Caillaux et Mullin,
ont la tristesse de faire part du décès de

M. André NECKER.

Les obsèques ont lieu au temple de Rodez (Aveyron),
le lundi 14 février 1994. Selon la volonté du défunt,
ni fleurs ni couronnes, mais des dons à l'association
pour la recherche sur le cancer.

*"Je suis venu comme une lumière dans le monde,
afin que quiconque croit en moi ne demeure pas
dans les ténèbres."*
Jean XII, 46

Mme Evelyne BOUTROS,
M. Hélias BOUTROS,
M. Nicolas BOUTROS et familles
ont la douleur de vous faire-part du décès de

Georges BOUTROS,

leur époux, père et frère,
survenu le 20 novembre 1994,
à l'âge de 74 ans.

La cérémonie religieuse sera célébrée
le mercredi 23 novembre 1994 à 14 heures,
en l'église grecque orthodoxe d'Antioche
(7, rue Georges Bizet. Paris 16e),
suivie de l'inhumation au cimetière
Montparnasse.

Les condoléances seront reçues au domicile
du défunt (32, rue du Bac. 75007 Paris),
le mercredi 23 novembre 1994 à partir
de 17 heures et le jeudi 24 novembre1994.

Le Mouvement français pour le planning familial,
son bureau confédéral et son conseil d'administration,
tiennent à saluer la mémoire de

Mme LAGROUA WEILL-HALLÉ,
fondatrice de l'association,
décédée le 8 janvier 1994.

C'est en 1956 que cette jeune femme médecin eut
le courage de revendiquer publiquement pour les
femmes le droit d'avoir ou non des enfants.

C'est parce qu'elle a osé rompre le silence qu'a pu
se développer la lutte des femmes pour leur place
à égalité de chances et de droits dans la société.

Le Mouvement français pour le planning familial
assure ses proches de sa sympathie.

LAIVES (71)
CHALON-SUR-SAONE
MÂCON
Annie, son épouse;
Rolande, Bertrand, Amélie et Anne,
Sylvie et Vincent, M. et Mme LUCET,
Mme Marie-Louise ALLIOT,
Françoise, Etienne et Estelle,
Mme Denise RUBIN,
Melle Louise ALLIOT,
Ainsi que tous leurs parents et alliés
ont la douleur de vous faire-part du décès de

Monsieur Bernard ALLIOT,
Chevalier du Mérite agricole,
Président du comité des fêtes de MÂCON,
Membre du Rotary,

survenu à l'âge de 68 ans.
Ses obsèques religieuses seront célébrées
mercredi 19 avril 1994, à 10 heures, en l'église
de Laives où l'on se réunira.
Condoléances sur registre.

Fleurs naturelles seulement.

4
VIVE LES VACANCES!

« Alors, ça y est, là, bientôt les vacances! Les chefs, les sous-chefs, la cantine, la cafète, les trajets, pendant trois semaines, un mois, fini, ça, oublié! Reste plus qu'à faire les bagages, à charger la galerie de la bagnole, et en avant! Vivement le calme, la détente, les balades, la plage, l'herbe tendre, les petites bouffes et les grands câlins. Vous avez le cœur en fête, hein? Oui, ben, vous feriez mieux de l'avoir en berne! Vous ne savez pas ce qui vous attend. Moi, si. J'ai sous les yeux la liste des terribles dangers que vous courez, bande d'inconscients, on la trouve dans toutes les bonnes pharmacies, et je suis épouvantée. […]

Vos ordonnances: vous devez en avoir des tas, vu qu'on vous recommande de ne pas les ranger toutes dans le même sac. Des fois que vous le paumiez en route. Les médicaments, pareil. Évitez de prendre des tranquillisants avant et pendant le trajet: risque de somnolence au volant.[…] N'oubliez pas d'emmener de quoi lutter contre le mal des transports […], vos cartes de groupe sanguin et une trousse de première urgence […]. Arrêtez-vous toutes les deux heures pour permettre à vos gamins de s'aérer et, je cite, de gambader.[…]

Soleil: mon conseil: abritez-vous, tête mouillée, le corps enduit d'un écran total, waterproof les jours de pluie, sous un parasol, où vous aurez installé une glace à trois faces […].

Mer: à éviter si elle est froide pendant la digestion ou une exposition au soleil […].

Morsures: portez des chaussures montantes dans les chemins rocailleux et les sites à serpents […].

Piqûres d'insectes: rincez la plaie avec de l'eau vinaigrée après l'avoir chauffée au bout d'une cigarette allumée. »

Claude Sarraute, *Le Monde*, 3 juillet 1993.

Ce texte est rempli d'expressions familières, argotiques ou difficiles à comprendre. Associez chacune d'elles à sa définition.

1. la cafète – 2. la bagnole – 3. les petites bouffes – 4. les grands câlins – 5. avoir le cœur en fête – 6. avoir le cœur en berne – 7. une carte de groupe sanguin – 8. une trousse de première urgence – 9. gambader – 10. un écran total – 11. waterproof

a. carte médicale individuelle

b. crème de protection solaire

c. être triste

d. la voiture (familier)

e. les bons repas (familier)

f. buvette, libre service (dans une université, une entreprise), où l'on peut consommer des boissons, des sandwiches, des pâtisseries

g. moments de tendresses

h. pochette contenant quelques éléments de pharmacie indispensables

i. qui résiste à l'eau, étanche

j. sautiller, faire des bonds

k. se sentir joyeux

Imaginez d'autres « terribles dangers » qui peuvent guetter les vacanciers: embouteillages, chaleur, plages surpeuplées, risques d'accidents pour les enfants, etc. »

Les plaisirs de la table sont enracinés dans la tradition française.

La gastronomie constitue tout autant un art

de bien vivre qu'une marque d'éducation.

Il est peu de moments de la vie familiale, sociale ou professionnelle

qui ne fournissent quelque prétexte

à manger, à boire ou à faire la fête.

À BOIRE ET À MANGER

L'HÉRITAGE DE LA SOCIÉTÉ DE COUR

La gastronomie date, en France, du siècle de Louis XIV. Une tradition vinicole* ancienne, propice à l'éducation du palais*, a sans doute développé le goût pour la bonne chère*. La bienveillance des clercs de l'Église catholique envers la nourriture et le vin (contrairement à ceux de l'Église protestante par exemple) a aussi favorisé le raffinement culinaire. On note à maintes occasions dans l'Histoire le rôle de la gastronomie dans la politique et la diplomatie… Bien des affaires, des traités, des conflits, se sont réglés lors d'un banquet à Paris ; haut lieu du pouvoir politique, Paris est devenu tout naturellement une ville d'intérêt gastronomique. Les premiers restaurants se sont ouverts à la fin du XVIIIe siècle. La cuisine française a joui, très tôt, d'une grande réputation dans de nombreux pays. Elle accompagnait la circulation des idées : on vantait sa légèreté, sa finesse, laissant entendre, en quelque sorte, qu'elle s'accordait bien avec l'intelligence et l'esprit. Certains n'ont pas hésité à dire qu'il n'y avait qu'en France que l'on savait manger. Partout ailleurs dans le monde, on ne faisait que s'alimenter !

Sous le règne de Louis XIV, à la Cour et dans la haute noblesse, il y avait parfois jusqu'à quarante-huit plats dans un souper, mais on ne mangeait pas tout ! Le repas était divisé en trois, quatre ou cinq services, le plus souvent quatre : les hors-d'œuvre, les entrées, les rôtis, les entremets. On apportait un ensemble de plats (parmi lesquels on choisissait ce qu'on voulait), puis on desservait et on apportait une nouvelle série de mets, chaque ensemble constituant « un service ». C'est au milieu du XVIIIe siècle qu'on se mit à présenter aux invités les premiers « menus », sous la forme de cadrans divisés en quartiers symbolisant les différents services. Au XIXe siècle, le menu permettait aux convives de savoir si on allait leur servir un repas « à la française » (avec plusieurs services) ou bien un repas dit « à la russe », qui se répandait de plus en plus, et où il n'y avait qu'un seul service. Peu à peu, le menu s'imposa dans les banquets. On prit aussi l'habitude de le proposer dans tous les restaurants, même modestes, pour indiquer la totalité des plats et boissons proposés, avec les prix. Née en France, la vogue du menu gagna les pays limitrophes, puis le monde entier.

HISTOIRE DE GOÛTS

Les goûts en France ont, semble-t-il, beaucoup changé au cours de l'histoire. Aux XIVe et XVe siècle, le goût pour les épices était très prononcé, surtout dans l'aristocratie. Un grand nombre de

Vinicole = du boire le vin

la bonne chère = bonne nourriture

Handwritten annotations (margins):

avant   jeûner = to fast

Nobility was never waking up at the right hour so déjeuner was there breakf[ast]

petit-déjeuner déjeuner dîner

DÉJEUNER, DÎNER, SOUPER

Autrefois, on déjeunait le matin, on dînait à midi (le repas le plus important de la journée), on goûtait l'après-midi et on soupait le soir. Dans certaines régions de province, à la campagne, on continue parfois à utiliser ces termes.

L'aristocratie oisive* de l'Ancien Régime prit l'habitude de faire glisser le déjeuner du matin en milieu de journée et de se faire servir le dîner en fin de journée. Au XIXᵉ siècle, ce rythme fut adopté par la bourgeoisie, puis devint le modèle standard dans tous les milieux, les pensionnats, les casernes, les hôpitaux, etc. Au moment de l'industrialisation, les ouvriers luttèrent pour que soient respectées des heures de repas fixes.

La journée de tous les Français est rythmée par ces trois moments : le petit déjeuner (au lever), le déjeuner, le dîner. Le « souper » ne se prend plus que de façon très exceptionnelle, tard après le spectacle.

LE FROMAGE, EMBLÈME D'UNE NATION ?

« Pour un peu, le fromage serait aux Français ce que sont les pâtes aux Italiens, un véritable marqueur de notre identité culturelle. Est-ce en raison de ce caractère emblématique* qu'on a prêté à différentes personnalités historiques – dont Churchill et de Gaulle – cette fameuse phrase "Un peuple qui a produit 180 variétés de fromages ne peut pas être sur son déclin", dont il faudrait, semble-t-il, restituer la paternité à Jean Cocteau ? [...].

Un mets pour tous les palais*

Le roquefort est parmi nos fromages celui qui illustra le mieux et à plusieurs reprises notre histoire. Ce fut l'un des premiers à retenir l'attention de l'un de nos monarques. On raconte que Charlemagne, s'arrêtant chez l'évêque d'Albi, se vit offrir entre autres mets du roquefort. Prenant le bleu pour de la pourriture, il l'écarta : l'évêque lui apprit alors respectueusement qu'il en gâchait le meilleur. Charlemagne l'apprécia tant qu'il en commanda deux caisses par an.

ces épices a disparu aujourd'hui, puisqu'on n'utilise guère ordinairement que le poivre, le clou de girofle, le cumin, la cannelle, la muscade ; mais on accorde toujours une grande place aux assaisonnements*. Les recettes montrent qu'on affectionnait les éléments acides comme le vin, le vinaigre, la groseille. Le goût pour le sucré s'est développé tardivement et modérément, avec une séparation assez nette entre le salé et le sucré. Il y a peu de plats salés-sucrés dans la cuisine traditionnelle. Les sucreries sont bien souvent considérées comme des aliments pour les enfants et pour les femmes. Les hommes sont censés ne pas tellement apprécier les desserts, bien qu'il y ait de nombreuses exceptions...

Ce qui continue à différencier les Français des autres Européens, c'est leur goût pour les aliments forts. Ils boivent du café noir (avec une prédilection pour le pur Arabica) plutôt que du café crème. Ils préfèrent le chocolat noir au chocolat au lait, les yaourts nature aux yaourts sucrés

ou parfumés aux fruits, la moutarde forte à la moutarde aux condiments. Ils aiment les aliments qui ont une odeur, que ce soit les fromages ou le pain qui sort du four. Il n'y a pas de plus beau compliment quand on est invité à manger chez quelqu'un que de dire : « Ça sent bon ! »

UNE CULTURE CULINAIRE

Apprécier la bonne nourriture, être gourmet, font partie de la bonne éducation et des qualités qu'une personne se doit d'avoir. À l'inverse, quelqu'un qui n'est ni gourmand ni connaisseur, qui ne manifeste aucun intérêt pour la table, présente la très mauvaise image d'un personnage grossier, peu sociable. Un des grands plaisirs qu'il est important de savoir partager est de manger et de parler de ce qu'on mange. La gastronomie fait partie du patrimoine culturel, les scènes de ripailles* et de « bonnes bouffes » jalonnent la littérature. Une véritable culture culinaire s'est développée, avec d'in-

nombrables livres de recettes, des revues spécialisées, des rubriques gastronomiques, des guides de bons restaurants.

Ce qu'on appelle « la grande cuisine », ce sont les mets raffinés que l'on mange essentiellement dans les très grands restaurants. Mais les cuisiniers amateurs – aussi bien les hommes que les femmes – connaissent un certain nombre de bonnes recettes, transmises par des parents ou des amis, qu'ils se font un plaisir de mijoter lorsqu'ils ont des invités. Ce qu'on qualifie de « cuisine bourgeoise », c'est la cuisine classique : le pot-au-feu, le canard aux navets, le gigot d'agneau aux flageolets, le coq au vin, la soupe au pistou, des recettes traditionnelles mais toujours assurées d'obtenir un franc succès.

Dans les années 70, est apparue pendant un temps la mode de « la nouvelle cuisine », qui bouleversait les règles de la cuisine traditionnelle. Elle prônait* l'utilisation de produits sains et naturels, les légumes à peine cuits, la diminution des graisses et des calories, la cuisine à l'huile (plutôt que la cuisine au beurre), ou mieux encore la cuisson à la vapeur. La nouvelle cuisine inventa des plats aux noms à faire rêver : « la caille rôtie sur son lit de petits légumes », « le gigotin de lapereau sur canapé de thym », « l'œuf au plat au paillasson de tomates et basilic ». Vive la légèreté et la minceur ! Mais les restaurants nouvelle cuisine présentaient des assiettes souvent bien peu remplies… et des additions « salées » ! La guerre qui s'est menée pendant quelques années entre les partisans de la nouvelle cuisine et ceux de la cuisine bourgeoise a été largement gagnée par ces derniers.

Comme certains puristes s'indignent que beaucoup d'enfants ne soient plus élevés dans l'amour de la gastronomie, on organise depuis quelques années dans les écoles primaires des cours d'éveil au goût, qui doivent les sensibiliser au goût des choses de la table et du terroir, et leur apprendre à aimer ce qui est bon. Vive « les gastronomes en culottes courtes » !

CUISINE DE TOUS LES JOURS

Les Français sont réputés pour leur chauvinisme en matière de cuisine. Les normes européennes préconisées pour la fabrication de certains produits alimentaires (par exemple l'obligation de pasteuriser les fromages) provoquent des tollés car elles menacent de rendre ces produits fades. Elles sont une véritable atteinte aux traditions culinaires !

On se moque souvent des voyageurs français qui sont capables de réclamer un steak-frites dans un pays lointain… Si le steak-frites est toujours un grand classique, que ce soit à la maison ou au restaurant, il n'a jamais constitué la base unique ni même essentielle de l'alimentation, loin de là ! On peut même dire, à l'inverse, que les goûts et les préoccupations diététiques imposent une très grande variété dans les menus.

Ce qui a beaucoup changé, c'est le contenu de l'alimentation quotidienne. Il n'y a guère qu'à la campagne et dans les petites villes de province que l'on continue à manger tous les jours des plats cuisinés comme autrefois, préparés à base de légumes du jardin ou achetés sur le marché. Partout ailleurs – et surtout dans les villes – la nourriture s'est diversifiée. La grande distribution a transformé l'image de certains aliments, naguère considérés comme des produits

Au XIVe siècle, le roquefort fut le premier fromage à bénéficier de lettres* patentes. En 1666, il fut aussi le premier fromage à faire l'objet d'un texte juridique élaboré par le Parlement de Toulouse. Au XVIIIe siècle, l'Encyclopédie de Diderot et d'Alembert le consacre premier fromage d'Europe. […] D'autres variétés doivent également leur notoriété à nos souverains : Louis XI, sauvé d'un ours par deux bûcherons qui lui firent connaître le saint-marcellin, introduisit ce fromage à la table royale ; Louis XIV est à l'origine de l'importation de l'edam en France ; Napoléon III participa à la renommée du Camembert… […]

La langue du fromage… et ses vertus

Pour Brillat-Savarin "Un dîner sans fromage est un homme sans moustaches" ou encore "Un dessert sans fromage est une belle à qui il manque un œil". Balzac, dans "La Comédie humaine", Le "Colonel Chabert" et "Les Illusions perdues", fait l'éloge des fromages de chèvre de la Touraine et du Berry ainsi que celui de Brie. Le fromage est aussi à l'honneur chez des auteurs aussi divers que Georges Duhamel, Colette, Jean Giono, Benjamin Péret, Henri Pourrat, Marcel Proust, Jean-Jacques Rousseau, François Villon, Émile Zola… sans oublier La Fontaine avec "Le Corbeau et le Renard" ou "Le Rat qui s'est retiré du monde". Pour sa part, Molière vante les vertus thérapeutiques du fromage. Dans "Le Médecin malgré lui", Sganarelle offre un morceau de fromage à la femme de Thibaut, qui est en train de mourir ; dans "Le Malade imaginaire", Toinette, déguisée en docteur, recommande un régime dans lequel on trouve "du bon gros bœuf, du bon gros porc, du bon fromage de Hollande". Jusqu'au soir de sa mort, où Molière réclama un morceau de parmesan. C'est aussi dans l'histoire du camembert que l'on trouve une utilisation médicale du fromage. Le camembert, dont la naissance légendaire coïncide presque avec celle de la République, est à la fois un symbole – notamment celui du Français vu par l'étranger – et un mythe national. »

Antoine Vial, *Le Mangeur*,
Autremente, juin 1993.

● ● ● ● ● ● ● ● ● ● ● ● ● ● ● ● ● ●

LE BIFTECK ET LES FRITES

«Le bifteck participe à la même mythologie sanguine que le vin. C'est le cœur de la viande, c'est la viande à l'état pur, et quiconque en prend, s'assimile la force taurine*. De toute évidence, le prestige du bifteck tient à sa quasi-crudité: le sang y est visible, naturel, dense, compact et sécable* à la fois.

Le sanguin est la raison d'être du bifteck: les degrés de sa cuisson sont exprimés, non pas en unités caloriques, mais en images de sang; le bifteck est saignant (rappelant alors le flot artériel de l'animal égorgé) ou bleu (et c'est le sang lourd, le sang pléthorique des veines qui est ici suggéré par le violine, état superlatif du rouge). La cuisson, même modérée, ne peut s'exprimer franchement; à cet état contre-nature, il faut un euphémisme*: on dit que le bifteck est à point, ce qui est à vrai dire donné plus comme une limite que comme une perfection.

Manger le bifteck saignant représente donc à la fois une nature et une morale. Tous les tempéraments sont censés y trouver leur compte, les sanguins par identité, les nerveux et les lymphatiques* par complément. Et de même que le vin devient pour bon nombre d'intellectuels une substance médiumnique* qui les conduit vers la force originelle de la nature, de même le bifteck est pour eux un aliment de rachat, grâce auquel ils prosaïsent* leur cérébralité* et conjurent par le sang et la pulpe* molle, la sécheresse stérile dont sans cesse on les accuse. La vogue du steak* tartare, par exemple, est une opération d'exorcisme* contre l'association romantique de la sensibilité et de la maladivité: il y a dans cette préparation tous les états germinants* de la matière: la purée sanguine et le glaireux* de l'œuf, tout un concert de substances molles et vives, une sorte de compendium significatif des images de la préparturition*.

Comme le vin, le bifteck est, en France, élément de base, nationalisé plus encore que socialisé; il figure dans tous les décors de la vie alimentaire: plat, bordé de jaune, semelloïde*, dans les restaurants bon marché; épais,

de luxe et devenus maintenant accessibles à tous. Le gigot d'agneau ou le saumon sont devenus presque aussi banals que le bon poulet. Inversement, les classes moyennes et supérieures ont pris goût à des produits naturels autrefois réservés aux plus pauvres, comme le pain noir ou les légumes cuits à l'eau. Les Français se sont habitués à consommer des produits venus d'ailleurs. Des plats qui passaient pour «exotiques» sont devenus courants: les pizzas, le taboulé, la paella, le couscous (cité en quatrième position dans les plats préférés des Français), la cuisine asiatique. On boit moins systématiquement du vin à table, mais on choisit un vin d'appellation contrôlée plutôt qu'une «piquette*».

La façon de manger a beaucoup changé aussi, puisque de plus en plus de Français prennent le repas de midi à l'extérieur de chez eux. Le petit déjeuner est toujours rapide et frugal (on avale un café ou un café au lait, dans lequel on trempe une ou deux tartines); il est même, pour beaucoup, complètement inexistant, ce qui explique que les Français soient généralement affamés à partir de midi ou treize heures. Mais le déjeuner est un repas beaucoup moins important qu'il ne l'était. Beaucoup d'enfants et d'adultes déjeunent à la cantine de leur école ou de leur lieu de travail. Certains se contentent de manger «une bricole sur le pouce*», un plat unique, ou même un sandwich ou un croque-monsieur. C'est le dîner qui est devenu pour beaucoup le repas principal. La plupart des gens considèrent, en effet, qu'il est indispensable de faire au moins une fois par jour un vrai repas, d'une part parce que c'est nécessaire à la santé, d'autre part parce que c'est un moment important dans la vie de famille.

La cuisine de tous les jours est loin

d'être gastronomique! C'est de plus en plus une cuisine vite faite, à base de produits surgelés, de conserves, d'aliments précuits, de salades vendues épluchées et sous vide, de sauces d'assaisonnement toutes prêtes, de plats cuisinés achetés au supermarché ou chez le traiteur. Depuis quelques années, dans les grandes villes, se sont développés aussi des services qui permettent de commander par téléphone et de se faire livrer à domicile, dans l'heure qui suit (pour un prix très abordable), des plats tout préparés: pizzas, couscous, etc.

On mange davantage en dehors des repas. Alors qu'il y a vingt ans, les parents interdisaient à leurs enfants de manger avant le repas («Tu n'auras plus faim à table») ou même après («Tu n'avais qu'à manger à table»), petits et grands ont pris maintenant l'habitude de grignoter, à n'importe quel moment de la journée ou le soir devant la télévision, des chips, des fruits secs, des friandises, en buvant du coca-cola ou des sodas...

LE PLAISIR DE RECEVOIR

Lorsqu'ils ont des invités, les Français s'efforcent de faire la cuisine. Il serait inconvenant de proposer à des amis ou à des parents un repas tout fait, pour lequel on n'aurait pas fourni le moindre effort! Même s'il s'agit d'un dîner «à la bonne franquette*», «sans faire de chichis*», on considère qu'un vrai repas doit comporter au moins un hors-d'œuvre, un plat de viande ou de poisson accompagné de légumes, un plateau de fromages et un dessert, le tout arrosé de vin.

Pour un repas plus cérémonieux, prévu à l'avance, on «met les petits

juteux*, dans les bistrots spécialisés ; cubique*, le cœur tout humecté* sous une légère croûte carbonisée*, dans la haute cuisine ; il participe à tous les rythmes, au confortable repas bourgeois et au casse-croûte* bohème* du célibataire ; c'est la nourriture à la fois expéditive et dense, il accomplit le meilleur rapport possible entre l'économie et l'efficacité, la mythologie et la plasticité* de sa consommation.

De plus, c'est un bien français (circonscrit, il est vrai, aujourd'hui par l'invasion des steaks américains). Comme pour le vin, pas de contrainte alimentaire qui ne fasse rêver le Français de bifteck. À peine à l'étranger, la nostalgie s'en déclare, le bifteck est ici paré d'une vertu supplémentaire d'élégance, car dans la complication apparente des cuisines exotiques, c'est une nourriture qui joint, pense-t-on, la succulence à la simplicité. »

Roland Barthes, *Mythologies*, Seuil, 1957.

plats dans les grands ». C'est important de passer du temps à mijoter de bons petits plats. On prépare un beau plateau de fromages, on sort une nappe et de la jolie vaisselle. On sert l'apéritif et des amuse-gueule : biscuits salés, olives, cacahuètes, et même éventuellement des petits canapés (petits toasts). Pendant le repas, on ouvre de bonnes bouteilles de vin et après le café, on propose des digestifs.

BOIRE UN PETIT COUP, C'EST AGRÉABLE

On parle beaucoup de vin dans la littérature, et le vin fait tout autant partie du patrimoine français que le steak-frites. Pourtant, jusqu'au XIXe siècle, les ouvriers buvaient surtout de l'alcool. C'est seulement à partir de la Première Guerre mondiale que le vin s'est démocratisé (« le vin du poilu »). Le vin est devenu aujourd'hui la bois-

son la plus populaire et fait partie de la vie quotidienne, puisqu'une personne sur deux boit du vin à table. On boit en France autant de vin que d'eau minérale. Ce qui a changé, c'est qu'en moyenne, on boit du vin en moins grande quantité, mais de meilleure qualité.

Le vin a été paré de nombreuses vertus. Pendant longtemps, on allait jusqu'à le prescrire pour raison médicale, parce que c'était un fortifiant, qu'il était bon pour le sang, etc. Il est en tout cas toujours associé au bien-être, à la fête, aux plaisirs des retrouvailles – il désaltère, il délie les langues, il rend gai – si bien qu'il est pratiquement impossible de refuser un verre de vin dans certaines occasions. Il arrive même qu'on donne aux enfants (de façon exceptionnelle) une goutte de champagne ou du vin mélangé à de l'eau.

LES BONNES MANIÈRES À TABLE

C'est peut-être à table que les règles de la bonne éducation se sont le plus maintenues. Bien se tenir à table impose de ne pas mettre ses mains sur les genoux ni ses coudes sur la table, de ne pas faire de bruit en mangeant ni en buvant, de ne jamais porter son couteau à la bouche.

Si on apprécie la gourmandise comme art de vivre, la gloutonnerie, au contraire, est un signe de mauvaise éducation ! Il est très impoli de commencer à manger avant que tout le monde ne soit servi. Les invités doivent attendre que la maîtresse de maison ait commencé à manger ou leur ait proposé de le faire. Ils doivent éviter de se jeter sur les plats comme s'ils étaient affamés*, mais peuvent néanmoins se resservir pour montrer qu'ils apprécient ce qui leur est offert. Il est de bon ton de faire des commentaires élogieux sur ce qu'on mange, sans excès toutefois.

L'ÉPOPÉE DES CAFÉS

« **Sans ses cafés, Paris ne serait plus lui-même. Mais, sans Paris, y aurait-il des cafés ? L'âme d'une ville est chose complexe. […] Auberges et tavernes existaient de longue date ; au temps de François Villon, dont la devise était "Tout aux tavernes et aux filles", Paris en comptait plus de 4 000 mais on n'avait pas idée d'y débiter autre chose que du vin. […] En 1669, son excellence Sikulab Aga Mustapha Raca, ambassadeur extraordinaire du sultan Mahomet IV, vint présenter ses lettres* de créance au Roi-Soleil. Or le diplomate, rapidement devenu la coqueluche* de la Cour, avait pour habitude d'offrir une tasse de café à ses visiteurs (dans laquelle il prenait la précaution de glisser un morceau de sucre). En un rien de temps, le café se trouva érigé au rang de boisson à la mode. Dès 1671, Paris possédait plusieurs boutiques où l'on vendait publiquement le café. Ces établissements étaient alors très frustres* dans leur aménagement et il fallait vraiment avoir pris le goût de la "liqueur arabesque" pour daigner* les fréquenter. […]**

Un gentilhomme sicilien, Francesco Procopio dei Coltelli, alors simple garçon au café Pascal, allait avoir l'idée qui fera sa fortune, mais aussi celle de la corporation tout entière. Installé en 1686 rue des Fossés-Saint-Germain (rue de l'Ancienne-Comédie), il voulut faire de son café un endroit somptueux. On posa des miroirs (alors d'un grand luxe) sur les murs, on accrocha des lustres de cristal aux plafonds et on disposa des tables de marbre. Décidément inventif, Procopio prit l'habitude d'afficher les nouvelles du jour sur le tuyau de son poêle. La carte de son établissement innovait aussi résolument : pâtes d'orgeat, hypocras, eaux de bergamote et de cédrat, ratafia, marasquin, huile de Vénus, rossolis, eau de frangipane, populo, aigre de cèdre, eau de la Reine d'Espagne, crème de roses, glaces, fromages glacés et sorbets étaient ainsi proposés à l'aimable clientèle. Le succès de ce nouveau concept fut tel que les cafés se multiplièrent rapidement : ils seront 300 dès 1714 et 380

Dans les milieux populaires, la consommation d'alcool est souvent associée à la virilité*. Un des rites d'initiation, lors du service militaire, consiste à « prendre une bonne cuite* ». Ensuite, un homme, un « vrai » se doit de bien « tenir l'alcool » ; il doit apprendre à boire sans se saoûler. Si on tolère des convives « un peu pompettes* », une personne saoûle suscite l'indignation générale. L'homme alcoolique (« un homme qui boit ») est banni* de la société, et la femme alcoolique encore davantage.

LES CAFÉS

Les cafés, qui s'appelaient d'abord des « maisons de café » s'ouvrirent lorsque le café (la boisson) fut introduit en France, à partir du milieu du XVIIe siècle. Assez rapidement, le nom de « café » s'étendit à tous les commerces où l'on consommait des boissons, y compris des boissons alcoolisées. Au XVIIIe siècle, les cafés étaient des endroits privilégiés, où l'aristocratie et la bourgeoisie allaient s'informer, se cultiver, prendre part à des débats. C'étaient de véritables centres d'animation intellectuelle et politique. Apparurent ensuite les cafés-concerts, puis les cafés-théâtres.

Dans les villages et les petites villes, les cafés sont restés très longtemps un des principaux lieux de la vie sociale. C'est au café qu'on se retrouvait – surtout les hommes – pour « boire un coup », et même plusieurs, chacun payant sa « tournée » à tour de rôle ! Bien souvent, dans les petits villages, le café-buvette était aussi l'épicerie, la boulangerie, le marchand de tabac et de journaux. On y trouvait tout, à n'importe quelle heure. Le café était donc l'attraction principale, et parfois unique,

du village. C'est là qu'on apprenait les nouvelles, qu'on discutait de tout et de rien, de la pluie et du beau temps, ou que l'on refaisait le monde en parlant politique ! Certains jouaient aux cartes (le plus souvent à la belote), les jeunes venaient faire des parties de baby-foot. L'été, on s'installait dehors en terrasse et on jouait aux boules, avant et après le dîner. Pour un prix modique, on pouvait passer quelques instants ou rester pendant des heures au café, retrouver l'ambiance chaleureuse des copains de bistrot, ou au contraire s'installer tranquillement dans un coin en lisant le journal ou en rêvant.

Mis à part quelques joueurs de cartes (généralement âgés) et quelques « piliers de bistrots » (les ivrognes), les gens fréquentent de moins en moins les cafés, qui sont en train de disparaître massivement. Dans les villes, il y a de moins en moins de « cafés de quartier », ceux qui étaient fréquentés par des habitués. Dans de nombreux villages, il n'y a souvent plus un seul café. Si toutefois il existe encore un grand nombre de cafés dans les villes, leur fonction a changé, leur clientèle également. On y va pour une raison précise et de moins en moins pour passer le temps. On s'arrête quelques minutes au « café du coin » pour prendre un café « au comptoir », le matin avant de commencer à travailler ou après le déjeuner avec des collègues. On y avale à toute vitesse un sandwich à l'heure du déjeuner. On se donne rendez-vous dans un café, parce que c'est commode. Les cafés qui subsistent sont effectivement souvent les cafés « bien situés » – au centre des villes, près des gares ou des cinémas, dans des lieux très animés, parce que ce sont des lieux de rendez-vous, en particulier pour les jeunes. On peut y passer un long moment ou s'y retrouver avant d'aller ailleurs. Un certain nombre de grands cafés sont des « café-tabac-PMU* », fréquentés par les fumeurs et les joueurs de tiercé*. On a vu aussi se créer quelques bistrots à thème : les bars à vins, les bars à bières.

La belle saison est l'époque où les cafés sont le plus fréquentés, du moins ceux qui ont une terrasse. À Paris et dans les grandes villes, dès qu'il y a un rayon de soleil ou les soirs d'été, si le temps est doux, les terrasses des cafés sont envahies par les flâneurs. Dans le sud de la France, c'est à « l'heure du pastis », (l'heure de l'apéritif) que les bistrots se remplissent.

Les décors ont changé. Le comptoir en zinc a le plus souvent disparu, les anciennes tables « bistrot » également ; ils ont été remplacés par des meubles plus « modernes » (souvent plus laids, mais plus faciles à entretenir, dit-on). Et puisque ce sont des jeunes qui fréquentent principalement les cafés, aujourd'hui, on a souvent installé pour les attirer et les retenir des flippers, des jeux électroniques ou encore des billards.

Les cafés qui ont échappé à cette transformation radicale sont, pour la plupart, des cafés connus pour leur passé prestigieux, leur clientèle d'écri-

en 1723. La circulation des nouvelles constituait sans nul doute le point fort des cafés, à une époque où il n'y avait pas de journaux. On comprendra sans peine qu'ils soient devenus les principaux foyers d'opposition au régime pendant le XVIIIe siècle. [...] Des escouades* d'espions reçurent mission de tendre l'oreille aux indiscrétions et une sévère réglementation fut imposée : les cafés devaient être fermés à 9 h du soir en hiver et 10 h en été. Les cafetiers ne devaient laisser entrer « aucune femme de débauche, soldats, mendiants, gens sans aveux* et filous* ». Il leur était défendu de « donner à boire, ni recevoir personne chez eux les jours de dimanche et fêtes pendant le service divin ». [...] La Révolution ouvrit aux femmes les cafés, dont elles étaient jusqu'alors exclues. On y faisait et refaisait l'histoire et l'on put vite juger de l'opinion d'un homme au café qu'il fréquentait ! [...] Cette période troublée se révélera particulièrement féconde pour la corporation, et Paris, qui comptait 1 800 cafés en 1788, en aura 4 000 en 1807. »

« Paris le Journal »,
mensuel d'information
de la Ville de Paris, décembre 1993.

• • • • • • • • • • • • • • • • •
• • • • • • • • • • • • • • • • •

LES BOUGNATS PARISIENS, LES ROIS DE LA LIMONADE

Les Bougnats étaient les paysans de l'Aveyron obligés d'émigrer à Paris au début du XXe siècle parce que l'agriculture ne suffisait pas à nourrir toute leur famille. Ils vendaient et livraient du bois et du charbon, mais ils étaient aussi cafetiers : dans leur petite boutique, ils servaient du vin aux ouvriers. Ils avaient la réputation de constituer une communauté très soudée et solidaire, de savoir travailler dur... et de savoir faire des économies.

Il n'y a plus guère de marchands de bois et de charbon à Paris, mais les Bougnats (et leurs descendants) sont restés les rois de « la limonade » (le commerce de boissons), puisqu'ils possèdent plus d'un café sur deux et que 80 % des garçons de café sont auvergnats.

• • • • • • • • • • • • • • • • •

CAFÉS LITTÉRAIRES

« J'écris dans les cafés au risque de passer pour un ivrogne et peut-être le serais-je en effet si les puissantes républiques ne frappaient de droits, impitoyablement, les alcools consolateurs. À leur défaut j'avale à longueur d'année ces cafés crème douceâtres avec une mouche dedans. J'écris sur les tables de cafés parce que je ne saurais me passer longtemps du visage et de la voix humaine dont je crois avoir essayé de parler noblement... J'écris dans les salles de cafés ainsi que j'écrivais jadis dans les wagons de chemins de fer, pour ne pas être dupe de créatures imaginaires, pour retrouver, d'un regard jeté sur l'inconnu qui passe, la juste mesure de la joie ou de la douleur. »

G. Bernanos, *Préface aux «Grands cimetières sous la lune»*, Plon, 1988.

COTES D'AMOUR DU FÊTARD

Le fêtard n'a pas toujours la cote* dans les dictionnaires. Les rédacteurs rivalisent de citations péjoratives pour le déconsidérer*.

Le dictionnaire encyclopédique Quillet est un des seuls à ne pas considérer le fêtard dans un sens péjoratif :

« Est fêtard ce qui se passe au milieu des fêtes, des réjouissances. Est un fêtard ou une fêtarde celui ou celle qui aime faire la fête. »

Le Petit Robert illustre sa définition du fêtard (« personne qui aime faire la fête et s'amuser ») par cette citation de Mac Orlan : « Le visage du petit fêtard imbécile [...] entre deux femmes bêtement saoûles ». Il renvoie aux termes « noceur » et « viveur » !

Quant au Robert méthodique, il donne un exemple édifiant à l'appui de sa définition : « Les fêtards nous ont réveillés au milieu de la nuit... »

D'après A. Biguine, D. Cherry, F. Conti, *Le Guide du savoir-fête*, Éd. Evident, 1986.

vains célèbres. À Paris, ce sont *les Deux Magots, le Flore, la Closerie des lilas, la Coupole*. On y va pour voir ou pour être vu. On y paie très cher le plaisir d'être dans un endroit agréable et prestigieux, dans un décor immuable fréquenté par des célébrités !

JOURS DE FÊTE

Fêtes nationales, fêtes de famille, fêtes religieuses ou profanes*, l'importance de ces fêtes diffère selon les individus. La fête nationale – le 14 Juillet, fête anniversaire de la prise de la Bastille, lors de la révolution, en 1789 – est une occasion de s'amuser, à une période où il fait beau et où il est agréable d'être dehors. Le 13 juillet au soir, des feux d'artifice sont tirés dans de nombreux endroits, à l'initiative des municipalités. Le 14 Juillet, à Paris, un défilé militaire prestigieux a lieu le matin, en présence du président de la République. Le soir, des bals populaires gratuits ont lieu dans les rues, dans les cours des casernes de pompiers, dans les mairies ; on y danse traditionnellement sur des airs d'accordéon (au son des « flonflons ») la valse musette, le paso-doble, le tango. Ce jour-là les

enfants s'amusent à tirer des pétards, ce qui fait beaucoup de bruit, fait hurler de peur les filles… et provoque un certain nombre de brûlures !

Les autres fêtes officielles de l'État ne sont pas des divertissements, mais commémorent la fin des deux grandes guerres. Le 11 novembre (jour férié depuis 1922) fête l'armistice de 1918 ; le 8 mai (jour férié depuis 1981) célèbre la fin de la Deuxième Guerre mondiale. Dans chaque ville et village de France, une cérémonie officielle est organisée, au cours de laquelle les anciens combattants vont en cortège déposer des gerbes de fleurs au pied du monument aux morts, « à la mémoire des soldats morts pour la France ».

Chaque village a sa fête patronale, c'est « la fête du pays ». À l'origine c'était une fête religieuse organisée un dimanche fixe dans l'année, généralement l'été. On fêtait le saint patron du village, avec messe, processions, bénédictions, puis kermesse et bal. D'un village à l'autre, on invitait tous ses parents et proches à venir à la fête. Jeunes et vieux allaient à la messe le matin, puis faisaient un grand repas. L'après-midi, se déroulaient des jeux pour petits et grands : courses en sac, compétitions diverses et, le soir, il y avait un grand bal. Les fêtes patronales sont maintenant surtout des fêtes foraines, avec bal, manèges et attractions pour enfants et adultes, stands de tirs, buvettes, ventes de confiseries. Dans certains villages, elles sont l'occasion de compétitions sportives ; dans le midi de la France ce sont, par exemple, des courses de vachettes. Les jeunes d'une région font souvent la tournée des fêtes les unes après les autres. Il arrive trop fréquemment qu'elles dégénèrent*

en bagarres ou finissent en accident lorsque l'alcool a un peu trop coulé.

Car « faire la fête », c'est s'amuser, parfois danser… et pratiquement toujours boire de l'alcool ! L'alcool joue un rôle important dans toutes les fêtes, les réceptions, les dîners entre amis. Le fait de « prendre un verre » ensemble (sous-entendu « d'alcool ») détend l'atmosphère, déride les timides, aide à communiquer et à mettre de l'ambiance.

Il est rare qu'une fête ne propose pas aussi de quoi manger. Si c'est une fête publique, il y a des stands où l'on peut acheter différentes choses. Si c'est une réception privée, il peut y avoir un repas servi à table. De toute façon, il y a au moins un buffet, plus ou moins somptueux, selon l'occasion ou les moyens de ceux qui reçoivent. Les fêtes de famille – en particulier les baptêmes, les communions, les mariages – sont avant tout des occasions de faire « un bon gueuleton », de bien manger et de bien boire.

Aller à une fête, c'est sortir du quotidien. Mais, à part lors des fêtes familiales qui sont aussi des célébrations religieuses, où la tradition d'une tenue particulière est souvent encore respectée, « on ne s'habille plus » comme on le faisait auparavant. On met rarement une tenue de soirée pour aller à une fête, au bal ou « en boîte », à une réception ou à une soirée chez des amis. On ne met pas de vêtements sophistiqués, on ne va pas spécialement chez le coiffeur, mais on se prépare tout de même plus longuement que pour aller au travail : « on se pomponne », les femmes généralement se maquillent, se parfument et portent des bijoux. ∎

FÊTE DES BEAUX-ARTS

« Tous les quatre ans, l'association d'élèves et d'anciens élèves des Beaux-Arts et des écoles d'architecture réunit à Paris les fanfares* les plus délirantes de France et d'ailleurs pour un concours tragi-comique [...]. Pour gagner les faveurs du jury et de l'auditoire [...], il faut de l'esbrouffe*, de l'impossible, du grandiose. Certaines fanfares usent de stratagèmes* pervers des plus simples – chœurs de vierges ou d'éphèbes* bronzés pour aguicher la foule, sacrifice de poupées gonflables remplies de vin rouge – ou plus sophistiqués, neige synthétique, structures animées… [...]

Fidèle à la tradition des grandes bacchanales, la fête se poursuivra dans le décor doré de la salle Wagram [...]. Il ne s'agira pas d'une de ces soirées de frou-frou mondain [...], mais d'un véritable gala où les noctambules*-bons vivants, vaccinés au gros rouge* et airs "bozartiens" [Beaux-Artsiens], viendront guincher* aux sons des cuivres* rutilants* des héros du jour. Le déguisement est de rigueur, il participe à l'ambiance généreuse de ces nuits de brassage où chacun s'exhibe en habits d'apparat – pirates torchés au rhum ou marquises en grande pompe, titis parisiens et aristocrates déchus – tous s'épancheront* au bar. Java et cha-cha ouvriront le bal, mais le répertoire des fanfares suit les modes, se glisse dans les répertoires contemporains, du disco plastique [...] au rock gluant [...], en passant par les tubes du terroir [...].

Les fêtes des Beaux-Arts n'ont pas besoin d'artifice, de lasers, [...] pour enivrer l'assemblée, il suffit de se laisser envelopper par la cacophonie* générale des conversations, des bruits de verre, des hululements* de trompettes et des couinements* de trombones ; on peut parler, chanter en chœur [...]. La musique accompagne, fait chalouper* les âmes, on joue du regard en inventant la lune, le costume est là pour travestir les a priori, les modes et les genres, les hommes sont femmes, les femmes sont hommes. »

Le Jour, 12-13 juin 1993.

10
ACTIVITÉS

1
IL FAUT MANGER POUR VIVRE ET NON PAS VIVRE POUR MANGER

Classez les mots et expressions suivants en trois catégories, selon qu'ils désignent :

a. un amateur de bonne nourriture ou de bon vin

b. un mangeur ou un buveur pas très exigeant sur la qualité

c. une personne qui mange ou qui boit avec excès

d. une personne qui n'apprécie pas beaucoup la nourriture

1. avoir un bon coup de fourchette ... **a**
2. avoir une bonne descente .... **c**
3. boire comme un trou .... **c**
4. connaisseur .... **a**
5. déguster .... **a**
6. dévorer .... **c**
7. gastronome .... **a**
8. glouton .... **c**
9. goinfre .... **c**
10. goulu .... **c**
11. gourmand .... **a b**
12. gourmet .... **a**
13. grignoter .... **b d**
14. picorer .... **d**
15. s'empiffrer .... **c**
16. se jeter sur la nourriture .... **c**
17. vorace .... ☐

2
BIEN SE TENIR À TABLE

Avant d'accepter une invitation à dîner, assurez-vous que vous connaissez quelques règles élémentaires de savoir-vivre.

Est-ce correct ou incorrect ?

	correct	incorrect
1. En arrivant, vous enlevez vos chaussures pour être plus à l'aise.	☐	☐
2. Pour ne pas vous tacher, vous mettez votre serviette autour du cou.	☐	☐
3. Vous attendez que la personne qui invite donne le signal avant de commencer à manger.	☐	☐
4. Vous montrez que vous appréciez un plat en faisant « miam miam ».	☐	☐
5. Le canard à l'orange est vraiment délicieux, vous en reprenez quatre fois.	☐	☐
6. Vous vous léchez les doigts après avoir mangé une cuisse de poulet.	☐	☐
7. Il vaut mieux ne pas utiliser son couteau pour manger la salade.	☐	☐
8. Vous mangez le fromage avec un couteau et une fourchette.	☐	☐

3
FÊTES ET FÊTARDS

Voici quelques expressions qui signifient « faire la fête ». Consultez un diction-naire pour voir si elles sont exactement synonymes.

faire : la bamboula / la bombe / la bringue / la foire / la java / la noce / la nouba
faire la tournée des grands ducs ; festoyer

Classez les mots et expressions suivants en indiquant à quelle catégorie ils correspondent :

1. Certains sont simplement synonymes de « fête ».
2. D'autres qualifient de façon péjorative
   une fête qui dégénère.
3. Certains qualifient « celui qui aime faire la fête ».
4. D'autres désignent ceux qui exagèrent
   quand ils font la fête.

a. participer à une beuverie ....☐
b. aller dans une boum ....☐
c. être un boute-en-train ....☐
d. être un joyeux fêtard ....☐
e. aller à une fiesta ....☐
f. être un joyeux drille ....☐
g. festoyer ....☐
h. être un noceur ....☐

i. faire une orgie ....☐
j. être invité à une sauterie ....☐
k. se rendre à une soirée ....☐
l. organiser une surprise-partie ....☐
m. mener une vie de barreau
   de chaise ....☐
n. avoir une vie de patachon ....☐

4
AU PROPRE ET AU FIGURÉ

Trouvez le sens de ces expressions (où il est question de manger et de boire, mais d'une façon un peu particulière…) en sélectionnant la bonne définition.

1. manger ses mots
2. manger la soupe sur la tête
   de quelqu'un
3. manger (ou souvent « bouffer »)
   de la vache enragée
4. se bouffer le nez
   (entre voisins par exemple)
5. bouffer du curé
6. bouffer du kilomètre
7. dévorer un roman
8. dévorer quelqu'un des yeux
9. être dévoré de remords
10. soûler quelqu'un de paroles
11. boire les paroles de quelqu'un
12. boire du petit lait

a. avoir très peu d'argent,
   mener une vie difficile
b. écouter quelqu'un
   avec un intérêt passionné
c. éprouver une très grande
   satisfaction d'amour-propre
d. être anti-clérical, être très opposé
   à la religion
e. être beaucoup plus grand qu'un autre
f. être tourmenté
g. rouler très longtemps en voiture
h. lire avec beaucoup d'intérêt
i. parler beaucoup trop
j. parler de façon indistincte
k. regarder avec passion
l. se disputer

5
DES HISTOIRES DE PAIN

Trouvez le sens exact de ces expressions (parmi les trois propositions qui suivent).

1. Manger son pain blanc le premier
   a. manger plus vite que les autres
   b. commencer dans la vie par ce qui est le plus agréable
   c. manger du pain en guise d'apéritif

2. Je ne mange pas de ce pain-là
   a. je n'aime pas le pain complet
   b. je ne suis pas d'accord avec ce que vous dites
   c. je refuse ce genre de compromis.

3. Gagner son pain à la sueur de son front
   a. être apprenti-boulanger
   b. gagner sa vie en travaillant durement
   c. faire la mendicité

4. Avoir du pain sur la planche
   a. avoir beaucoup de travail
   b. travailler comme menuisier
   c. être trop gros

5. Long comme un jour sans pain
   a. très long et ennuyeux
   b. un jour de jeûne
   c. une période de malchance

6. Ôter le pain de la bouche à quelqu'un
   a. conseiller à quelqu'un de se laver les dents
   b. dire à quelqu'un qu'il a une miette au coin de la bouche
   c. priver quelqu'un du nécessaire

7. Ça ne mange pas de pain
   a. ça ne coûte rien
   b. ce genre de personne (ou d'animal) ne mange pas de pain
   c. quand on fait un régime, on ne doit pas manger de pain

6
CE QUE BIEN MANGER VEUT DIRE

Une étude du CRÉDOC sur les comportements alimentaires des Français montre que « bien manger » peut avoir plusieurs significations selon les personnes.

1. un repas complet (entrée, plat chaud, fromage, dessert)

2. un repas varié, sain et équilibré

3. un repas sans trop de graisses ni de sucres

4. manger juste à sa faim, en étant raisonnable

5. un repas convivial, avec des gens qu'on aime bien

6. manger ce qu'on aime

7. aller dans un bon restaurant

Imaginez quelles sont les catégories de personnes qui se réfèrent plutôt à l'une ou à l'autre de ces définitions (jeunes, retraités, personnes seules, etc.).

Composez un menu correspondant à l'une de ces définitions.

Quelle serait votre définition personnelle ?

Depuis le Moyen Âge, l'amour est considéré comme un art

dans lequel excelleraient les Français…

Chaque époque a eu ses histoires d'amours célèbres.

Et aujourd'hui, que sont devenues les "belles écouteuses"

dont parlait Verlaine?

Qu'en est-il du mythe de Don Juan?

PLAISIRS D'AMOUR

AU MOYEN ÂGE L'AMOUR COURTOIS

Au tout début du Moyen Âge, les troubadours chantent une forme d'amour que l'on appelle «l'amour courtois». C'est l'amour du chevalier pour la Dame chère à son cœur, qui exalte l'honneur, l'élégance morale, à mi-chemin entre l'amour platonique* et l'amour charnel. L'amour courtois célèbre l'amour hors mariage, les délices de l'adultère… mais montre aussi l'issue souvent fatale de la passion.

C'est surtout dans le sud de la France que se développe, durant tout le Moyen Âge, une tradition du discours sur l'amour. Le code amoureux est plus libre parce que l'Église est moins riche, moins cultivée et donc moins influente que dans le Nord.

Au Moyen Âge, dans ce qu'on appelle «les cours d'amour», des personnes des deux sexes traitent des choses de l'amour

et de l'art de la galanterie. Elles se livrent à des jeux littéraires, discutent de problèmes de droit ou de cas concrets, prenant par exemple comme thème de leurs débats: «L'amour peut-il exister entre gens mariés?».

Le mythe de Tristan et Iseult est sans doute l'un des plus importants du monde occidental. Après avoir bu par erreur un philtre* magique, Tristan et Iseult sont unis dans un amour éternel. Or Iseult a un mari, et Tristan, contraint à l'exil, doit se marier lui aussi… Persécutés par des malveillants, torturés par la culpabilité, Tristan et Iseult luttent en vain contre leur folle passion mais ils ne peuvent vivre séparés. Au moment où Iseult va enfin rejoindre Tristan, elle arrive trop tard, il vient de mourir de désespoir. Elle meurt à son tour, sur son corps. Tristan et Iseult sont enfin unis dans la mort… Au cours du XIIᵉ siècle, il y a eu plusieurs versions de la légende, une légende sans doute celtique à l'origine.

HÉLOÏSE ET ABÉLARD

Aux environs de l'an 1100, Abélard, chanoine* de Notre-Dame de Paris, est le précepteur* d'Héloïse, une jeune fille savante, nièce du chanoine Fulbert. Il tombent amoureux l'un de l'autre, se marient en secret et ont un fils. Lorsque l'oncle d'Héloïse découvre cette idylle*, il fait émasculer* Abélard. Abélard se retire alors à l'abbaye de Saint-Denis et Héloïse entre au couvent d'Argenteuil. Mais, durant toute leur vie, ils échangent une correspondance passionnée. Que l'authenticité de cette correspondance puisse être contestée, peu importe! L'histoire d'Héloïse et d'Abélard est exemplaire, car c'est une conception très novatrice* de l'amour. Leur relation amoureuse est vécue dans la réciprocité et, ce qui rend Héloïse séduisante, c'est autant son éducation que sa jeunesse et sa beauté. L'échange intellectuel, la conversation, le plaisir d'écrire font partie des raffinements de l'amour. C'est un amour pur, qui peut être vécu à travers les mots lorsque l'amour physique n'est pas possible. Il est capable de s'opposer aux conventions sociales et de transgresser les lois.

LA CARTE DU TENDRE

Publiée en 1653 par Madeleine de Scudéry (surnommée Sapho), «la carte du Tendre» figure une sorte d'atlas des sentiments, une typologie* des conduites et des pratiques amoureuses.

À partir de la ville de la Nouvelle-Amitié (la rencontre), le but du voyage consiste à franchir les obstacles pour atteindre la ville de Tendre... Trois voies sont possibles : la plus rapide, au milieu, conduit au désastre ; celles qui l'encadrent sont plus longues, mais conduisent à des lendemains plus solides. Entre la mer d'Inimitié* et le lac d'Indifférence, le fleuve Inclination conduit tout droit à la Mer dangereuse et aux Terres inconnues. On peut traverser les villages Grand-Esprit et Joli-Cœur pour aller jusqu'au fleuve Estime...

La carte du Tendre donna alors lieu à un jeu de société à la mode. Où situer Monsieur ou Madame Un Tel ? Quelle voie sont-ils en train de choisir ? Comment faire comprendre aux hommes qu'il n'y a pas de véritable amour sans respect et estime pour les femmes ?

LA PRINCESSE DE CLÈVES

«La Princesse de Clèves» est un roman écrit par Madame de Lafayette (proche des Précieuses) en 1678. Il eut un grand succès à sa sortie et est encore très lu de nos jours. Il montre que l'amour est parfois douloureux et impossible à réaliser. Il finit souvent dans la folie, la mort ou le renoncement.

Madame de Clèves, mariée selon l'usage à un homme qu'elle n'aime pas, tombe éperdument amoureuse du duc de Nemours, qui la poursuit de ses ardeurs. Déchirée entre son devoir et la force de son amour, elle s'efforce de fuir Nemours car elle veut rester irréprochable vis-à-vis de son mari et conserver sa propre estime. Après la mort de son mari, devenue libre, elle refuse d'épouser Nemours et se retire au couvent.

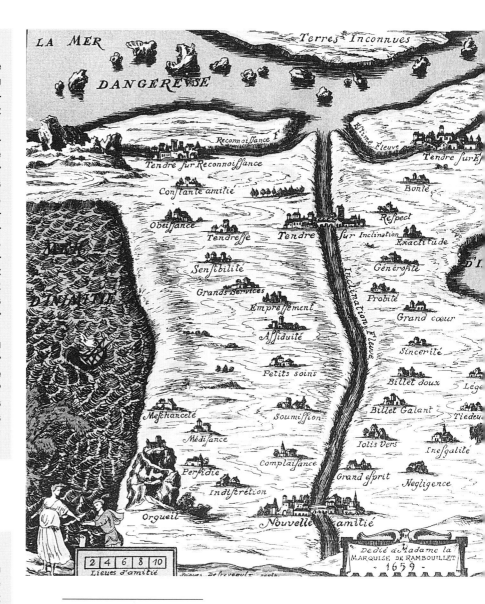

LES PRÉCIEUSES

À partir du XIVe siècle, la situation des femmes de la noblesse se dégrade progressivement. On instruit de moins en moins les jeunes filles ; les femmes sont écartées de nombreux métiers qu'elles exerçaient auparavant ; les femmes mariées sont soumises à l'autorité de leur mari. Alors que les femmes n'ont pratiquement aucune liberté dans le choix du conjoint, l'Église catholique considère que le mariage est un lien indissoluble. L'adultère est permis (surtout pour les hommes !) à condition qu'il reste secret et qu'il ne remette pas en cause le mariage institué. Le veuvage* précoce est un statut très enviable pour les femmes, puisqu'il leur permet d'être libre de leur destin. C'est le cas de la marquise de Sévigné, veuve à 25 ans... «La veuve joyeuse» est d'ailleurs restée un grand thème de la littérature.

«L'amour peut aller au-delà du tombeau mais il ne va guère au-delà du mariage», écrit Madeleine de Scudéry, une «précieuse» célèbre. On peut dire que les «précieuses» du XVIIe siècle

Les précieuses eurent beau susciter des moqueries par les excès de leurs revendications (on en voit une belle illustration dans « Les Précieuses ridicules », de Molière), leurs idées n'en eurent pas moins une influence certaine. Elles imposèrent les valeurs féminines. Les hommes adoptèrent des manières moins grossières (ils cessèrent de se moucher dans leurs doigts et de roter en public !). La galanterie s'imposa dans les relations entre hommes et femmes, y compris dans la vie conjugale.

MARIVAUDAGE ET LIBERTINAGE

Le XVIIIᵉ siècle est pour l'aristocratie une époque de grande liberté sexuelle, tant pout les femmes que pour les hommes. Bien que l'adultère* de la femme soit juridiquement un délit, il fait quasiment partie des mœurs ! Le siècle des Lumières réconcilie la femme d'esprit et la femme galante. Les femmes reçoivent dans les salons pour des discussions littéraires et exercent une réelle influence sur la vie politique lorsqu'elles sont les maîtresses des puissants (la plus célèbre est Madame de Maintenon, favorite de Louis XIV).

Dans la continuité de la préciosité, Marivaux écrit une quarantaine de pièces galantes : « Le Jeu de l'amour et du hasard », « La Surprise de l'amour », « La Double Inconstance », etc. Ces pièces sont faites de longues conversations spirituelles et légères. Les personnages y exposent les cheminements de l'amour, depuis les extases de la première rencontre jusqu'à la passion partagée, dans un mélange étonnant de réflexions métaphysiques, de propos triviaux et de dictons populaires. À cette époque, le terme de « marivaudage » apparaît pour désigner de façon assez péjorative des propos « précieux », c'est-à-dire mièvres*

sont les premières féministes. Elles se révoltent contre la grossièreté des hommes et la vulgarité des mœurs* à la cour du roi Henri IV. Elles revendiquent le droit à l'instruction et à la liberté. Pour s'émanciper* du pouvoir des hommes (les pères et les maris), elles s'attaquent violemment aux mariages arrangés, préconisent le mariage à l'essai ou même le célibat, prônent le refus des relations sexuelles et de la procréation. Le véritable amour est un sentiment tendre et platonique, et l'homme amoureux doit accepter d'être un amant de cœur, courtois et délicat.

LES LIAISONS DANGEREUSES

Contemporain de Sade, Laclos publie en 1782 « Les Liaisons dangereuses ». Ce sera sa seule œuvre. Lors de sa parution, le livre connaît un immense succès, parce qu'il fait scandale par son immoralité. Il analyse les sentiments, les perversions*, les manœuvres de ses personnages avec une grande rigueur. Le héros du livre est le libertin Valmont. Avec l'aide de sa complice, la marquise de Merteuil, il met au point une stratégie pour séduire et corrompre* la jeune et vertueuse* Madame de Tourvel, qui sort du couvent et est amoureuse de Danceny. Mais Valmont se prend au jeu, il tombe amoureux de Madame de Tourvel. Madame de Merteuil se venge en organisant un duel entre Valmont et Danceny. Valmont, blessé et sur le point de mourir, dévoile la correspondance de madame de Merteuil et montre son hypocrisie*.

LA DAME AUX CAMÉLIAS

«La Dame aux Camélias» est publiée en 1848 par Alexandre Dumas fils, sous forme de roman, puis adaptée au théâtre. Elle est reprise au cinéma dans de multiples versions, toujours avec succès.

L'héroïne en est Marguerite Gautier, une très jolie femme d'origine modeste. En raison de ses difficultés, elle est devenue une «demi-mondaine» c'est-à-dire qu'elle se fait entretenir par un vieil homme riche. Elle est rongée par une maladie de poitrine, la tuberculose.

Marguerite aime un jeune homme de bonne famille, Armand Duval, qui l'aime aussi. Mais le père du jeune homme vient supplier Marguerite de renoncer à voir son fils pour ne pas que soit compromise une famille honorable. C'est alors que Marguerite quitte Armand, en lui faisant croire qu'elle ne l'aime plus. Le sacrifice de la courtisane au grand cœur est d'autant plus admirable qu'elle a le bon goût de mourir à la fin de la pièce!

MADAME BOVARY

«Madame Bovary» est un roman qui, lors de sa parution en 1857, valut à son auteur, Gustave Flaubert, un procès pour «immoralité».

Emma Bovary est une petite bourgeoise de province. Jeune fille, elle lit en cachette des romans qui excitent son imagination. Mariée ensuite à un médecin, elle s'ennuie dans une existence qu'elle trouve médiocre, alternant des périodes d'exaltation et de mélancolie maladive. Pour se distraire, elle prend des amants, mais tous l'abandonnent plus ou moins rapidement, effrayés par ses excès passionnels. Le déshonneur et les dettes qu'elles a accumulées secrètement l'amènent à se suicider à l'arsenic. Elle meurt après d'affreuses souffrances, laissant son mari seul et ruiné... Depuis ce livre, on qualifie de «bovarysme» cette évasion dans l'imaginaire des femmes insatisfaites.

et maniérés*. Au XIXᵉ siècle, le marivaudage est devenu synonyme de raffinement dans la conversation, de galanterie en amour.

Dans l'esprit des Lumières, le libertinage se constitue comme un courant intellectuel de libération de l'esprit, mais c'est aussi un mode de vie qui se veut mondain et raffiné. Le libertin affirme sa volonté d'indépendance en matière de morale et de mœurs, il explore toutes les formes de l'érotisme, cherche la jouissance et les sensations nouvelles et n'hésite pas à provoquer le scandale. Le libertinage donne lieu à une production littéraire abondante, qui va d'écrits légèrement licencieux* à des ouvrages pornographiques!

La première moitié du XIXᵉ siècle est marquée par le romantisme. En réaction contre le rationalisme des siècles précédents et après les grands bouleversements de la Révolution, l'âme romantique est rongée par «le mal du siècle»: l'inquiétude, l'insatisfaction, la mélancolie, le vague à l'âme. Le héros romantique passe sans cause apparente par des élans d'enthousiasme et de dépression, essaie d'analyser ses émotions, se sent unique et incompris de la société. Le héros romantique est un grand sentimental, il souffre beaucoup, mais il aime ça! L'amour est une des grandes causes de ses souffrances: le manque

d'amour, les limites de l'amour, l'absence de l'être aimé. « Un seul être vous manque et tout est dépeuplé », écrit Lamartine.

Les héros des romans de Stendhal – « Le Rouge et le Noir », « La Chartreuse de Parme » – ont certains traits du caractère romantique, par leur côté passionné, leur goût pour l'introspection* ; ils voient l'amour comme un « affreux supplice ». Mais ce sont aussi des calculateurs et des arrivistes*. Dans « Le Rouge et le Noir », le héros, Julien Sorel, est un jeune homme pauvre, au caractère sensible et ombrageux, « révolté contre la bassesse de sa fortune », décidé à se faire une place dans la société aristocratique, bien qu'il la méprise profondément. Il devient l'amant de Madame de Rênal, la mère des enfants dont il est le précepteur dans une ville de province, puis il la quitte à cause des commérages. Monté à Paris, il croit toucher à la réussite en épousant une jeune marquise ; mais une lettre de Madame de Rênal, l'accusant d'être un arriviste sans scrupules, ruine ses ambitions. Après qu'il eut tenté de la tuer, il est mis en prison, et là pour la première fois de sa vie, juste avant de mourir, il est heureux parce qu'il se laisse aller à la passion dans les bras de madame de Rênal.

Le XIXe siècle est aussi celui de « la France bourgeoise », qui valorise la famille comme une institution essentielle de la société, mais considère la femme comme un être inférieur. Le mariage est un mariage de raison, une alliance d'intérêts entre deux familles. La jeune fille doit rester vierge et timide jusqu'à son mariage, et il est de bon ton qu'ensuite elle méprise les plaisirs de la chair. En revanche, il est tout à fait admis que le jeune homme soit « initié » par des prostituées ou par des domes-

tiques, et après son mariage, il n'est pas rare qu'il fréquente les maisons closes* ou qu'il entretienne une liaison avec une maîtresse (en général une jeune femme de condition modeste !). L'important est que tout cela reste discret et que les convenances soient respectées. Il est pourtant amusant de souligner l'engouement de cette société bourgeoise pour le théâtre de boulevard, dont le thème est le plus souvent l'adultère, un chassé-croisé d'hommes et de femmes de la bonne société qui passent leur temps à se tromper mutuellement !

AMOUR FUSIONNEL

« Je ne pense à rien, si ce n'est à l'amour », écrit Aragon dans des textes de jeunesse. Les surréalistes voient dans le désir « le seul ressort du monde » et dans son côté subversif l'un des moteurs de la révolution. La femme occupe une place centrale dans leur œuvre : elle est la muse* inspiratrice. « L'amour charnel ne fait qu'un avec l'amour spirituel. L'attraction réciproque doit être assez forte pour réaliser, par voie de complémentarité absolue, l'unité intégrale, à la fois organique et psychique » (André Breton, « Manifeste du surréalisme »). Aragon et Elsa Triolet représentent le modèle du couple uni dans l'amour et l'engagement intellectuel.

Au milieu du XXe siècle, la femme est un peu à la charnière de deux époques. D'une part, elle hérite du statut qui en faisait surtout une femme au foyer, une mère (dans le meilleur des cas, éventuellement, une inspiratrice). D'autre part, elle participe de plus en plus activement à la vie sociale et professionnelle.

C'est Simone de Beauvoir qui va occuper une place importante dans la

Elsa

Suffit-il donc que tu paraisses
De l'air que te fait rattachant
Tes cheveux ce geste touchant
Que je renaisse et reconnaisse
Un monde habité par le chant
Elsa mon amour ma jeunesse.

Oh forte et douce comme un vin
Pareille au soleil des fenêtres
Tu me rends la caresse d'être
Tu me rends la soif et la faim
De vivre encore et de connaître
Notre histoire jusqu'à la fin.

C'est miracle que d'être ensemble
Que la lumière sur ta joue
Qu'autour de toi le vent se joue
Toujours si je te vois je tremble
Comme à son premier rendez-vous
Un jeune homme qui me ressemble.

Suffit-il donc que tu paraisses
De l'air que te fait rattachant
Tes cheveux ce geste touchant
Que je renaisse et reconnaisse
Un monde habité par le chant
Elsa mon amour ma jeunesse.

Poème d'Aragon, Gallimard, 1959, mis en musique et chanté par Léo Ferré.

La vie en rose

Quand il me prend dans ses bras
Il me parle tout bas
Je vois la vie en rose
Il me dit des mots d'amour
Des mots de tous les jours
Et ça m'fait quelque chose.
Il est entré dans mon cœur
Une part de bonheur
Dont je connais la cause
C'est lui pour moi, moi pour lui
Dans la vie.
Il me l'a dit,
L'a juré pour la vie.
Et dès que je l'aperçois
Alors je sens en moi
Mon cœur qui bat.

Édith Piaf/Louiguy, © 1947, Arpège Éditions Musicales, avec l'autorisation des Éditions Arpège.

1

2

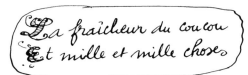

5

6

9

10

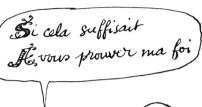

3

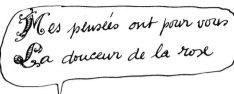

4

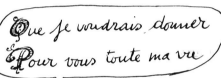

7

8

11

12

handwritten: la beauté | la coquetterie / façon de parler / façon de marcher / façon de s'habiller / charmante

---

L'HOMME IDÉAL

Pour une femme, l'homme idéal :

■ C'est celui qui la fait rire : 80 % (plutôt que celui qui fait la vaisselle : 15 %)

■ Il se lève la nuit pour donner le biberon : 79 %

■ Il prend un plan d'épargne logement pour lui offrir une maison de rêves : 84 %

■ Il lui fait la surprise de l'inviter au restaurant : 74 %

■ Il est flatté que d'autres hommes lui tournent autour : 67 %

■ Il trouve qu'elle est la plus intelligente : 63 %

■ Il fait honneur à sa cuisine : 62 %

■ Il se tue à la tâche pour gagner beaucoup d'argent : 35 %

Les femmes préfèrent :

■ Chouchouter* leur homme (48 %) plutôt qu'être chouchoutées (47 %)

■ Un tête-à-tête devant la télévision (59 %) plutôt qu'un dîner chez des copains (39 %)

■ Que leur homme soit actif (50 %) plutôt que rêveur (48 %)

■ Qu'il soit jogger (60 %) plutôt qu'amateur de lecture (30 %)

Sondage IFOP pour *Elle – Europe 1*, 17 septembre 1991.

LA FEMME IDÉALE

Les hommes sont séduits :

■ Par son intelligence : 25 %

■ Par son physique : 22 %

■ Par son humour : 19 %

Les plus gros défauts chez une femme :

■ La jalousie : 24 %

■ La susceptibilité* : 21 %

■ L'hypocrisie : 21 %

■ Qu'elle ne les écoute pas : 17 %

■ Qu'elle n'aime pas le sport : 14 %

■ Qu'elle leur impose ses copines : seulement 4 % !

Le pire, c'est :

■ Qu'elle boive : 33 %

■ Qu'elle les trompe : 22 %

■ Qu'elle ait une aventure homosexuelle : 7 %

■ Qu'elle dépense l'argent du ménage : 6 %

Sondage Louis Harris pour *VSD*, 3 octobre 1991.

---

prise de conscience des femmes, en particulier dans le développement de la pensée féministe. Elle s'attache, dans son œuvre et dans sa vie, à construire une représentation de la femme émancipée, « libérée », accédant à une véritable existence sociale (« On ne naît pas femme, on le devient »). Elle défend l'union libre entre un homme et une femme, chacun devant s'efforcer de respecter la liberté et l'autonomie de l'autre. L'amour entre un homme et une femme ne repose pas sur un contrat de mariage, c'est une relation à construire et à consolider en permanence. Le couple que Simone de Beauvoir a formé pendant de très longues années avec Jean-Paul Sartre a représenté pour toute une génération une sorte de modèle d'une forme de compagnonnage amoureux et intellectuel.

handwritten: fling = idylle / histoire d'amoureuse

AMOURS ET AMOURETTES
PREMIÈRE RENCONTRE

Les rencontres se font encore souvent dans les fêtes, dans les bals ou dans « les boîtes », ou encore par l'intermédiaire d'amis communs, dans des dîners, dans des clubs de vacances, à l'université, plus rarement par hasard, dans des lieux publics, la rue ou les cafés. C'est en fait bien souvent sur leur lieu de travail que se rencontrent les hommes et les femmes.

Ce sont encore généralement les hommes qui font les premiers pas, très rarement les femmes. L'homme « repère » une femme qui lui plaît et jette son dévolu* sur elle, du moins en apparence ! Il peut arriver qu'un homme et une femme s'abordent d'un accord tacite*, qu'une femme « se débrouille » pour montrer à un homme qu'il lui plaît, en lui adressant la parole, en l'appelant au téléphone après un premier contact

sous un prétexte quelconque… Mais il importe que chacun joue le rôle traditionnel fixé par des conventions sociales toujours en vigueur. Beaucoup d'hommes avouent qu'il leur est essentiel d'avoir l'impression de prendre l'initiative, pour conforter leur image de la virilité. Sinon, ils se sentent, d'une certaine façon, frustrés du plaisir de séduire une femme. Une femme qui fait la cour à un homme est une femme « facile » : on n'a donc aucun mérite à la « conquérir »…

handwritten: simplement la physique

« Sois belle et tais-toi », donnait-on jadis comme conseil aux jeunes filles pour séduire les hommes… En fait, même au XIXᵉ siècle où les femmes étaient en situation de retrait, les manuels de savoir-vivre recommandaient aux jeunes filles de savoir « écouter et parler ». On n'a jamais beaucoup apprécié « les ravissantes idiotes ».

Que disent aujourd'hui les hommes de ce qui les séduit chez une femme ? En premier lieu, c'est effectivement l'aspect physique. Ils sont attirés par sa beauté, son charme, son allure générale. Ce peut être aussi « un petit quelque chose » qui la rend « irrésistible* » et unique, même si elle ne possède aucune qualité physique spectaculaire ! Ce sont aussi ses qualités d'esprit, son humour, qui la rendent attirante.

Ce qui séduit le plus une femme chez un homme, dans un premier temps, c'est son charme, sa bonne humeur et surtout son humour. L'attrait physique un peu trop mis en évidence est considéré comme suspect. D'un homme beau, on dit que c'est « un bellâtre* ». S'il est bien bâti, on ironise sur le fait qu'« il a tout dans les muscles, rien dans la tête ». Cela n'empêche pas que se perpétue le mythe de la séduction exercée par certains professionnels du sport. Les moniteurs de natation

handwritten: bellâtre = macho / bien bâti = muscular / le boîte en train =

(aux pectoraux* impressionnants), les moniteurs de ski (bronzés) ont la réputation d'être de véritables don Juan !

Si la rencontre a lieu dans un groupe, c'est l'homme aimé ou admiré par les autres, le boute-en-train* de la bande, qui est censé avoir le plus de succès auprès des femmes. Mais l'homme silencieux, mystérieux, distant ou secret, « le beau ténébreux* » – bref, l'homme inaccessible ! – a aussi ses chances ! Et l'homme-enfant, le timide, ou encore le désespéré peuvent donner à certaines femmes des envies de le protéger…

Aussi bien chez l'homme que chez la femme, c'est sans doute tout simplement la vitalité, la vivacité d'esprit, l'aisance de la parole, la faculté de s'intéresser au monde, un mélange de qualités spirituelles et intellectuelles qui sont des éléments décisifs dans la séduction. Le séducteur professionnel, le beau parleur, celui « qui s'écoute

parler » ou qui affiche sa virilité et son envie de dominer les femmes inspirent généralement beaucoup de méfiance, tout comme la femme qui manifeste de façon trop affichée son désir de plaire et de séduire tous les hommes.

Ce qui subsiste surtout d'une certaine tradition de coquetterie et de théâtre amoureux, ce sont les jeux qui constituent le préambule à une relation, où interviennent les regards, les sourires, les gestes. Les déclarations, même si elles sont faites avec une certaine dérision, font partie du « cinéma » que joue chacun (« T'as de beaux yeux, tu sais »). Les compliments, pour être appréciés, doivent être légers, indirects, discrets. S'ils sont trop flatteurs, ils paraissent hypocrites ou montrent de façon trop évidente le but qu'ils cherchent à atteindre ! Une femme à qui l'on dit qu'elle est jolie se doit de minauder en répliquant qu'il n'en est rien, qu'elle est fatiguée et qu'elle a justement en ce

---

IDÉAL FÉMININ, IDÉAL MASCULIN

« Une femme sur deux rêve d'un homme brun, et seulement 22 % d'un homme blond ; de leur côté les hommes, sans dédaigner les brunes (27 %), préfèrent assurément les blondes (37 %). À la blondeur est traditionnellement associée une image de féminité et de personnalité modérée et sans excès. Si la majorité des femmes n'aime pas les blonds, c'est que l'image en paraît justement "efféminée". [...] L'image de l'homme brun est associée à une idée de maturité, de virilité et même de domination sociale ; celle de la femme blonde au fantasme d'une féminité fortement affirmée, mais soumise. [...]

Quand on demande aux personnes interrogées ce qui leur a plu au moment de la rencontre, les hommes mentionnent [...] des caractéristiques physiques de la partenaire, dans 43 % des cas, ce que les femmes, pour leur part, ne font que dans 34 % des cas. Ainsi s'explique peut-être que la naissance du couple soit un peu plus souvent considérée comme résultant d'un coup de foudre ou d'un déclic par les hommes que par les femmes (52 % contre 47 %). »

Michel Bozon, « Radiographie du coup de foudre », *Sciences Humaines*, août-septembre 1992.

CLICHÉS

« Quelles que soient les formes que prennent les différents stéréotypes et lieux communs affectant l'image de la Française en France et hors de France, le trait dominant est immuable : petite chatte, femme-enfant, femme fatale, prostituée, maîtresse, séduisante, élégante, expérimentée, sexy, amorale, soumise, la Française est perçue comme une créature souvent charmante, un peu méprisable. La métaphore de la femme en général. [...] Dans la mythologie à usage interne ou externe, le Français est un tombeur ; par conséquent, les Françaises doivent tomber à point. »

Michèle Sarde, *Regards sur les Françaises*, Stock, 1983.

---

minauder = jouer la naïveté
faux modester

● ● ● ● ● ● ● ● ● ● ● ● ● ● ● ● ●

NOUVEAU DÉSORDRE AMOUREUX

Le point de vue des hommes

Qu'est-ce qui a, selon vous, le plus changé dans les relations amoureuses depuis une dizaine d'années ?

- Le fait que les femmes prennent plus d'initiative : 44 %
- La possibilité d'avoir plusieurs relations amoureuses en même temps : 24 %
- L'importance plus grande donnée au plaisir de la femme : 21 %
- La possibilité de connaître plusieurs grands amours dans sa vie : 13 %
- La perte d'importance de la virginité chez la femme : 11 %
- La possibilité d'avoir des relations homosexuelles : 5 %
- Rien : 10 %

78 % des hommes pensent que, depuis une dizaine d'années, les relations amoureuses ont changé. 19 % pensent le contraire.

La révolution, c'est bien sûr le nouveau rôle des femmes dans la société qui les rendrait plus autonomes mais aussi plus exigeantes avec les hommes.

Sondage SOFRES, pour *Le Nouvel Observateur*, 21-24 mai 1991.

Le point de vue des femmes

Au cours des vingt dernières années, qu'est-ce qui a le plus contribué, selon vous, à changer la vie des femmes ?

- La contraception (la pilule) : 59 %
- L'accès des femmes aux responsabilités : 43 %
- Le progrès dans les équipements ménagers : 30 %
- La possibilité d'accéder à des nouveaux métiers réservés aux hommes : 37 %
- La légalisation de l'avortement : 31 %
- Le développement de l'union libre : 21 %
- Les changements de mentalité des hommes : 17 %
- La simplification du divorce : 13 %
- Les mouvements féministes (MLF, etc.) : 9 %
- Les nouvelles techniques de procréation : 7 %

Sondage SOFRES, pour *Le Nouvel Observateur* et « La Marche du Siècle », 7-15 novembre 1990.

● ● ● ● ● ● ● ● ● ● ● ● ● ● ● ● ●

moment une mine épouvantable. Si on lui dit qu'elle a une jolie robe qui lui va à merveille, elle répondra en général que c'est une « une vieille robe », ou « une petite robe de rien du tout » achetée en solde à « trois francs, six sous » (sous entendu : tout le charme de la robe vient de celle qui la porte !). De même que les compliments lors d'une rencontre doivent être légers, l'éventuelle suite à la relation doit être envisagée de manière subtile et élégante. Il faut laisser à l'autre la possibilité de manifester son intérêt ou, au contraire, de s'aménager des portes de sortie. Il est donc important de ne pas paraître trop empressé, au risque de faire fuir, ni trop insistant, ce qui serait grossier.

Ce n'est qu'ensuite (si tout s'est bien passé !) que les amoureux peuvent se dire – dans l'intimité uniquement – des mots tendres, parfois uniques et originaux… mais souvent très banals. Ce peut être tout simplement « chéri » ou « mon chéri », ou encore « mon ange », « mon trésor » ou « mon chou ». Ce sont parfois des noms d'animaux – « ma puce », « mon chat », « mon lapin ». Les mots qu'utilisent les amoureux entre eux sont les mêmes que ceux que l'on adresse affectueusement aux enfants.

COEXISTENCE PACIFIQUE

Si la société française a toujours été une société mixte où les hommes et les femmes se cotoyaient et dans laquelle les femmes avaient une influence certaine, celles-ci étaient pourtant loin d'avoir les même droits que les hommes. Comme dans bien d'autres pays, les féministes des années 60-70 se sont battues pour obtenir l'égalité des droits. Les femmes ont effectivement obtenu une égalité juridique totale avec

les hommes, que ce soit dans la vie personnelle ou professionnelle, et les mentalités se sont beaucoup modifiées.

Gardons-nous cependant de laisser penser que l'égalité réelle est totale et qu'il n'y a pas de différences… Mais si on parle parfois « d'exception française » dans les relations hommes-femmes, c'est pour indiquer que tout en évoluant vers un sens plus égalitaire, les relations ne sont jamais devenues neutres, asexuées, ou conflictuelles à outrance. La guerre des sexes n'a pas lieu ! Il est assez impensable d'imaginer en France – comme c'est le cas dans certains pays – des lieux non mixtes, réservés soit aux hommes, soit aux femmes. Que ce soit dans la vie professionnelle ou sociale, les hommes apprécient d'être en compagnie des femmes, et réciproquement.

Les relations – y compris dans le cadre professionnel – ne nient pas la différence des sexes. La courtoisie, la galanterie, le désir de séduire ne sont jamais totalement absents, sans que pour autant on accuse les hommes d'être séducteurs ou les femmes aguicheuses*. Celles-ci, même lorsqu'elles

loterie nationale
2 gros lots de 2 MILLIONS
TIRAGE : 20 FEVRIER
Saint-Valentin

*aguicheuse = flirty
les hommes
les aiment*

occupent un poste très important, ou lorsqu'elles font ce qu'on appelle encore souvent « un métier d'homme », refusent d'adopter un comportement masculin et s'efforcent, au contraire, d'affirmer leur féminité.

LES HOMMES PLUS ÉGAUX QUE LES FEMMES !

Au XIXe siècle, et même au XXe, jusque dans les années 60, le mari exerçait au sein du couple une suprématie* évidente. Dans les milieux bourgeois, l'homme s'occupait des questions d'argent, prenait les grandes décisions, exerçait une autorité incontestable sur sa femme et ses enfants. La femme était avant tout « une femme d'intérieur », se devait d'être une bonne « maîtresse de maison » et une bonne mère. Elle se devait aussi d'avoir des activités à l'extérieur, du type « bonnes œuvres » : visites à des malades et à des pauvres, participation à des ventes de charité, etc. Dans les milieux modestes, même si les femmes étaient obligées de travailler pour des raisons financières, le modèle bourgeois était en vigueur à la maison : les hommes ne levaient pas le petit doigt !

La généralisation du travail des femmes et l'influence des mouvements féministes depuis les années 1970 ont entraîné un certain changement dans la répartition traditionnelle des rôles dans les couples. Le problème du partage des tâches domestiques se pose bien évidemment, surtout chez les couples avec enfants ; or c'est justement chez ceux-là que l'évolution des rôles se fait le plus lentement ! Les femmes qui ont une activité professionnelle ne sont pas pour autant déchargées des tâches domestiques qui leur étaient traditionnellement imparties. Excepté dans les familles aisées qui peuvent avoir une employée de maison (et même dans ce cas, ce sont les femmes qui organisent et décident du travail à faire), les femmes passent toujours beaucoup plus de temps que les hommes aux tâches strictement ménagères, à l'entretien du linge et de la maison. Le week-end, beaucoup d'hommes passent l'aspirateur ou font la cuisine, font les courses avec leur femme, mais il s'agit davantage d'une aide que d'un véritable partage égalitaire. En revanche, le bricolage, les petites réparations à effectuer dans la maison ou sur la voiture restent largement l'affaire des hommes.

En ce qui concerne les soins et l'éducation à donner aux enfants, là aussi ce sont les femmes qui bien souvent sont le plus présentes. Ce sont généralement les mamans qui s'occupent des visites chez le médecin, qui suivent le travail scolaire, qui organisent les loisirs. Mais il est vrai aussi que, de plus en plus, les hommes savent s'occuper des enfants, changer un bébé et lui donner le bain ou préparer un repas. Ils sont tout à fait capables, s'il le faut, de se débrouiller seul avec un ou plusieurs enfants. Parmi les jeunes générations, il y a de plus en plus de « papas-poules » qui revendiquent leur désir de « profiter » de leurs enfants, d'être plus proches d'eux, de s'en occuper eux-mêmes.

De façon générale, les rôles sont beaucoup plus égalitaires dans les couples jeunes et chez les gens d'âge moyen. Les hommes et les femmes ont pris l'habitude de partager les mêmes activités, que ce soit à l'école, au travail ou dans les loisirs. Il est bien évident que cela a des effets sur la manière dont ils vivent quand ils sont en couple. ∎

COUPLE ET GRAND AMOUR

89% des personnes interrogées (93% des femmes) rêvent d'une vie commune avec une seule personne tout au long de leur vie, mais 71% pensent que ne pas passer toute sa vie amoureuse avec la même personne ne constitue pas un échec. La société française actuelle tolère bien que l'on vive plusieurs amours successives (73%), bien que pour 69% « ces vies amoureuses successives des parents soient préjudiciables* aux enfants. »

Sondage BVA pour *Paris-Match*, 10 juin 1993.

UNE BONNE MAÎTRESSE DE MAISON

« Savoir recevoir ne se limite pas à des qualités de cuisinière, de décoratrice, de diplomate ou d'intendante.[...] La maîtresse de maison devra seconder son époux dans un art encore plus délicat : la conversation. L'animation de la table lui revient en effet de droit. Choix de sujets, intervention diplomatique pour éviter la gaffe, occultation* de ce qui ne doit pas être dit. [...] Quoique plus apparemment développé dans la bourgeoisie, cet art de la répartie* se reproduit en milieu populaire où l'hôtesse sait assaisonner son langage en même temps que la salade. Si la Française a réussi ces deux opérations délicates, son mari est un homme heureux et elle aura passé victorieusement une des épreuves les plus difficiles que comporte la hiérarchie invisible du savoir-vivre français, car, contrairement à beaucoup d'autres peuples, le Français aime montrer sa femme. Il la sort volontiers et surtout lui confie le soin de recevoir ses amis, ses collègues, quelquefois ses clients, son patron même, pour arrondir les angles*. Elle est l'objet de sa vanité* et de son orgueil et même plus que l'objet de sa satisfaction personnelle ; présenter sa femme est comme déboucher une vieille et précieuse bouteille. La femme, légitime ou non, est présente dans la vie sociale. »

Michèle Sarde, *Regard sur les Françaises*, Stock, 1983.

1 LETTRE D'AMOUR

Juliette Drouet a écrit quelque 18 000 lettres à Victor Hugo tout au long des 50 ans que dura leur liaison. Voici un extrait d'une de ces lettres.

« Je prévois encore une journée bien triste, mon adoré, car tu ne viendras pas encore aujourd'hui ou si peu que cela ne sert qu'à me faire sentir davantage le vide de ton absence. J'ai beau me raisonner et beau faire, je ne peux m'habituer à vivre sans toi. Je t'aime avec la déraison, l'impatience et la passion du premier jour. Chaque minute me semble un siècle. Il me semble que mon âme brûle à blanc dans moi et qu'elle me dévore. Enfin je donnerais tous les jours qui me restent à vivre pour chacune des secondes qui me rapprocheraient de toi. Je t'aime mon amour, je t'aime mon adoré comme aucun homme ne fut jamais aimé. »

Juliette Drouet, *Lettres à Victor Hugo*, 1833-1882.

Quels sont les reproches que Juliette Drouet fait à Victor Hugo ?

En vous inspirant de cette lettre, écrivez vous-même une lettre de reproches à une personne que vous aimez, mais en utilisant un style complètement différent.

2 QU'EST-CE QU'UN HOMME ?

« L'ordre si souvent entendu : « Sois un homme » implique que cela ne va pas de soi et que la virilité n'est peut-être pas si naturelle qu'on veut bien le dire. À tout le moins, l'exhortation signifie que la détention d'un chromosome Y ou d'organes sexuels masculins ne suffit pas à circonscrire le mâle humain. Être un homme implique un travail, un effort qui ne semble pas être exigé de la femme. […] Sans en être pleinement conscients, nous faisons comme si la féminité était naturelle, donc inéluctable, alors que la masculinité devrait s'acquérir et se payer cher. L'homme lui-même et ceux qui l'entourent sont si peu sûrs de son identité sexuelle, qu'on exige des preuves de sa virilité. « Prouve que tu es un homme », tel est le défi permanent auquel est confronté un être masculin ».

Élisabeth Badinter, *XY, De l'identité masculine*, Éditions Odile Jacob, 1992.

Pourquoi Élisabeth Badinter a-t-elle appelé son livre « XY » ?

Dans quelles occasions et par qui sont prononcées ces phrases : « Sois un homme », « Prouve que tu es un homme » ?

Pendant des siècles, l'idéal de « virilité » semblait aller de soi, alors qu'aujourd'hui les hommes s'interrogent sur leur identité profonde. Pourquoi cette remise en cause ?

Selon vous, est-ce que les définitions de « la virilité » et de « la féminité » diffèrent selon les époques et selon les cultures ?

3 JE T'AIME, UN PEU, BEAUCOUP…

Phèdre, l'héroïne de Racine, parle ainsi de sa rencontre avec Hippolyte :

« Je le vis, je rougis, je pâlis à sa vue ;
Un trouble s'éleva dans mon âme éperdue
Mes yeux ne voyaient plus, je ne pouvais parler »

Cette façon de vivre le coup de foudre vous paraît-elle actuelle ou tout à fait désuète ? Les manifestations du coup de foudre, décrites surtout dans la littérature et la chanson populaire, diffèrent-elles selon les cultures ?

4

AMOURS CÉLÈBRES

Rappelez-vous à quelle période a été écrite chacune de ces œuvres.

1. Moyen Âge
2. Renaissance (XVIᵉ siècle)
3. Grand Siècle (XVIIᵉ siècle)
4. Siècle des Lumières (XVIIIᵉ siècle)
5. XIXᵉ siècle

a. La Princesse de Clèves (Madame de Lafayette)
b. Le Jeu de l'amour et du hasard (Marivaux)
c. Les Liaisons dangereuses (Laclos)
d. Le Rouge et le noir (Stendhal)
e. Madame Bovary (Flaubert)
f. Phèdre (Racine)
g. Tristan et Iseult

5

PETITES ANNONCES À DÉCODER

Fem. ch. hom. srx. et rche… désespérément

«Légers, volages, menteurs déséquilibrés, immatures, fragiles, hypocrites, froids, incultes et radins : ainsi doivent être la plupart des hommes. Car des milliers de femmes "Jnes, jlies, ms sles" passent désespérément des petites annonces dans le *Chasseur français*, comme dans le *Nouvel Observateur*, pour dénicher le compagnon idéal qu'elles définissent de manière très précise. Une précision qui ne vise pas le physique. Pourtant elles se décrivent elles-mêmes avec moult détails – ce que ne font jamais ces messieurs – et elles sont d'ailleurs toutes "bles, pqutes, mgnes, fmmes, élég, etc.". Mais elles ne recherchent pas d'équivalents masculins qui soient "bx, piquts, mgns, mscls, etc.". Peu leur chaut l'apparence masculine. […]

Elles sont sérieuses et elles exigent du sérieux. Certes elles demandent aussi, et avec insistance, comme si elles en étaient trop privées, de la "ftsie", de la "tdrsse", du "gt pr ls vyges, le sprt", et elles manifestent de plus en plus fréquemment du "dégt pr le tbc". La cote des fumeurs est en grosse baisse… Mais si le "fmr" est "srx", alors là, ça passe.

La quête de sécurité domine tout. Et celle du fric qui permet de l'assurer. Jamais ou presque un homme n'avance une exigence financière. Alors que ces dames dans leur écrasante majorité spécifient qu'il leur faut quelqu'un avec une "bne sttion" ou tout simplement "aisé". S'il est "gnrx", c'est encore mieux. "Gnrx" doit être ici aussi compris comme protecteur. L'oiseau rare qu'elles veulent toutes dénicher est en fait un mélange bizarre de fourmi, de cigale, de gros ours et qui serait en plus cultivé !»

L'Événement du Jeudi, 13-19 août 1992.

Que signifient les abréviations que l'on trouve classiquement dans les petites annonces des magazines, à la rubrique « Rencontres » ?

Quelles sont les qualités essentielles de « l'oiseau rare » recherché par les jeunes femmes qui passent des annonces ?

Est-ce que le système des petites annonces vous paraît un moyen de trouver le compagnon idéal ?

6
LIAISONS DANGEREUSES

« La peinture de l'adultère ne cesse de varier selon les époques : il peut servir de prétexte à analyser les mécanismes de la jalousie (Racine, Beaumarchais), à éclairer les sombres mobiles de la trahison (Shakespeare), à dénoncer l'hypocrisie sociale (Molière dans *Don Juan*), à transgresser les institutions (Sade), à ridiculiser maris godiches et bourgeois imbéciles (Feydeau, Courteline) ou à châtier les passions coupables en les condamnant à d'éternels tourments, comme dans Tristan et Iseult […]. Il semble qu'il y ait tout de même une constante dans le spectacle des liaisons dangereuses : sous bien des plumes illustres, il sert à dépeindre l'âme féminine. […] Dans le lit de leurs amants, beaucoup d'apprenties fugueuses ne découvrent que la honte, le remords, la culpabilité. Il faut qu'on les punisse. Et que la morale soit sauve. […] Les romanciers se sont acharnés sur leurs héroïnes : au féminin, il n'y a pas d'adultère heureux. Ce qui est jeu pour le mâle devient tragédie pour la femme. »

L'Événement du Jeudi, 18-24 juillet 1991.

L'adultère est un thème actuellement beaucoup moins à la mode. Pourquoi selon vous ?

Est-ce que l'adultère vous semble être un thème important dans la littérature de tous les pays ?

7
HISTOIRES D'AMOUR

Faites correspondre les expressions et définitions qui suivent.

1. avoir le béguin pour quelqu'un
2. avoir quelqu'un dans la peau
3. avoir une histoire avec quelqu'un
4. avoir un petit faible pour quelqu'un
5. ce n'est pas de l'amour, c'est de la rage
6. conter fleurette
7. filer le parfait amour
8. l'amour est aveugle
9. se mettre en ménage
10. sortir avec quelqu'un
11. une femme qui porte la culotte
12. vivre d'amour et d'eau fraîche

a. courtiser, faire la cour
b. dans le couple, c'est la femme qui commande
c. être très amoureux, au point d'en être presque malade
d. c'est un amour fou, très passionnel
e. l'amour suffit à remplir la vie
f. avoir une attirance (souvent passagère) pour quelqu'un
g. vivre en couple
h. être attiré par quelqu'un
i. avoir une relation avec quelqu'un, pas forcément pour longtemps
j. avoir une relation amoureuse d'une certaine durée

8
INAVOUABLE JALOUSIE

« Comme jaloux, je souffre quatre fois : parce que je suis jaloux, parce que je me reproche de l'être, parce que je crains que ma jalousie ne blesse l'autre, parce que je me laisse assujettir à une banalité : je souffre d'être exclu, d'être agressif, d'être fou et d'être commun. »

Roland Barthes, *Fragments d'un discours amoureux*, Le Seuil, 1977.

Un quart seulement des Français ose avouer sa jalousie, car la jalousie est considérée comme une maladie honteuse et dégradante. Pourquoi le jaloux est-il honteux ?

En d'autres temps ou d'autres lieux, la jalousie n'est-elle pas considérée comme une preuve d'amour ?

La famille est une institution en pleine mutation*.
Les sociologues parlent d'un «bouleversement
des modèles familiaux»
et un démographe, Louis Roussel, a écrit un livre,
qui a eu beaucoup de succès :
«La Famille incertaine».

LA VIE DE FAMILLE

LA FAMILLE TRADITIONNELLE

« Papa, maman, la bonne* et moi », ainsi commençaient beaucoup d'histoires drôles sur la famille, dans les années 50. Dans la seconde moitié du XXᵉ siècle, la structure de la famille a profondément changé, avec de nombreux divorces, des naissances hors mariage, etc. Mais on a tendance à oublier que, durant les siècles précédents, le modèle de la famille n'avait pas été unique ni immuable*…

Ce qui a le plus changé, au cours des deux derniers siècles, c'est la fonction exercée par la famille, et donc la place des individus en son sein. Jusqu'au début du XXᵉ siècle, elle avait surtout pour mission « la conservation des biens, la pratique commune d'un métier, l'entraide quotidienne dans un monde où un homme et plus encore une femme isolés ne pouvaient pas survivre, et, dans les cas de crise, la protection de l'honneur et des vies » (Philippe Ariès, historien de la famille).

On fondait rarement un foyer par amour ; les mariages étaient le plus souvent « arrangés » par les familles. Mais l'amour n'était pas pour autant toujours absent. Il pouvait naître pendant les fiançailles ou après le mariage. Dès le XVIIIᵉ siècle, Marivaux montrait dans ses pièces de théâtre qu'amour et mariage pouvaient aller ensemble !

La famille était un lieu de production économique. Dans beaucoup de milieux – les paysans, les artisans, les commerçants – toutes les générations, tous les individus participaient à la même activité, y compris les femmes et les enfants, et même certains oncles ou tantes célibataires. Il était difficile d'imaginer de ne pas avoir d'enfant, puisqu'il fallait à tout prix un « héritier » pour perpétuer cette famille. Si un enfant mourait, on le remplaçait par un autre… à qui on donnait souvent le prénom de l'enfant disparu. L'éducation se faisait dans le cadre familial, par une immersion très précoce dans le monde des adultes et des frères et sœurs plus âgés. L'enfant devait obéissance. Il n'avait pas à faire de choix personnels, il devait suivre le chemin tout tracé par ses parents.

C'est à partir de la Révolution française qu'ont commencé à être revendiquées l'égalité de traitement entre enfants d'une même famille et l'abolition du droit d'aînesse. Mais si l'activité familiale ne suffisait pas à nourrir tous les enfants, on considérait comme normal que ce soit le fils aîné qui succède au père, pour assurer la continuité du patrimoine et pour éviter sa dispersion. C'est pourquoi, chez les paysans, l'exode rural* a surtout été celui des fils cadets et des filles.

L'AMOUR EN PLUS

Au XXᵉ siècle, les conditions socio-économiques ont évolué, la durée de vie s'est allongée, l'Église a perdu de son influence, les individus sont considérés comme « libres et égaux ». « La propriété et le lignage* ont été supplantés* dans les critères de choix du partenaire par le bonheur personnel et l'épanouissement individuel » (« Histoire de la famille moderne », Seuil, 1977). Le couple est de plus en plus fondé sur les sentiments. Auparavant, un bon ménage c'était une union où l'homme ne buvait pas sa paie*, ne battait pas sa femme ; « faire un beau mariage », c'était s'unir à quelqu'un d'un milieu social plus élevé. Maintenant, on met de plus en plus au premier plan l'amour entre mari et femme.

La réussite d'un couple est aussi en grande partie la réussite de ses descendants. Le rêve des parents est souvent d'accéder à une promotion sociale à travers leurs enfants. Aussi, se sacrifient-ils pour eux, tout en leur donnant une éducation sévère, « pour leur bien ».

LES FEMMES EN SCÈNE

Dans la seconde moitié du XXᵉ siècle, l'émancipation des femmes et le développement du travail féminin ont accéléré les transformations de la famille. Dans les milieux populaires et les classes moyennes, les femmes étaient depuis longtemps nombreuses à travailler pour des raisons économiques, parce qu'elles devaient gagner leur vie. Mais le modèle de référence était le modèle bourgeois, celui de la femme au foyer. Les jeunes filles qui travaillaient espéraient faire un mariage qui leur donnerait la possibilité de « s'arrêter de travailler ». Les femmes aspiraient à quitter leur travail pour se consacrer aux soins du ménage et surtout à l'éducation des enfants.

Le Code Napoléon, en vigueur jusqu'en 1965, accordait toujours à

l'homme la puissance maritale et paternelle*. La femme devait obéissance à son mari ; c'est lui qui choisissait le domicile conjugal. Une femme mariée ne pouvait pas travailler sans le consentement* de son mari et ce qu'elle gagnait était considéré comme « un salaire d'appoint ».

À partir de la fin des années 60, les choses ont évolué très vite, tant sur le plan des pratiques que sur le plan juridique. La contraception* s'est généralisée, le nombre moyen d'enfants est devenu inférieur à deux, sauf dans les milieux ruraux, dans les milieux très modestes (où les femmes étaient peu instruites) et dans les familles catholiques très pratiquantes. Les conditions matérielles ont beaucoup changé. Même si les femmes ont continué à assumer la plus grande partie des tâches ménagères, elles ont été aidées par les appareils ménagers (une publicité des années 70 pour un robot ménager, proclamait : « Moulinex libère la femme »). Les tâches domestiques ont été moins valorisées. Il est devenu désormais plus économique d'acheter les vêtements plutôt que de les coudre ou de les tricoter, de manger des confitures ou des conserves du supermarché plutôt que de les faire soi-même.

Capables de contrôler la naissance de leurs enfants et de se libérer de certaines contraintes matérielles, les femmes ont commencé à se considérer comme des individus à part entière, dans la famille et dans la société. Elles ont cessé d'accepter d'être uniquement des épouses et des mères. Le travail est devenu une des conditions de leur autonomie matérielle et de leur épanouissement personnel. Elles se sont mises massivement à travailler par choix, et ceci quel que soit leur milieu social ou leur profession. Actuellement, plus des

LES FEMMES DANS LA MAISON

EXPOSITION
Du 1er Mars au 30 Mai 1982

Bibliothèque
Marguerite Durand
Mairie du 5ème Arrondissement
21, place du Panthéon

ENTRÉE GRATUITE
de 14H à 18H

trois quarts des femmes de 25 à 50 ans ont un emploi. Elles n'interrompent pas leur activité professionnelle lorsqu'elles ont leur premier enfant ni même le second. L'activité baisse seulement à partir du troisième enfant (une femme sur deux seulement continue alors à travailler). Il faut dire que le travail des femmes a été facilité par le système scolaire français, puisque, contrairement à ce qui se pratique dans d'autres pays, l'école accueille les enfants toute la journée. Dès l'âge de 2 ans, un enfant sur trois va à l'école maternelle, et à partir de 3 ans, pratiquement tous les enfants sont scolarisés.

ATTENTION FRAGILE

L'importance accordée à l'amour conjugal a contribué à fragiliser la famille et le couple. C'est l'amour et le bonheur qui sont à l'origine du couple et de sa survie. On se marie parce qu'on s'aime, on se sépare si on ne s'aime plus. Les enfants sont des enfants désirés, mais ils ne constituent plus une raison

disputer = s'engueuler
punir = punition
corriger = correction

gifler = slap
gronder = to explode, to scream

HISTOIRE DE L'ENFANCE

Philippe Ariès, historien de la famille, a montré que la notion d'enfance datait seulement de la fin du XVIIe siècle.

« Sous l'Ancien Régime, la société se représentait mal l'enfant, et encore plus mal l'adolescent. La durée de l'enfance était réduite à sa période la plus fragile, quand le petit d'homme ne parvenait pas à se suffire ; l'enfant alors, à peine physiquement débrouillé*, était au plus tôt mêlé aux adultes, partageait leurs travaux et leurs jeux. De très petit enfant, il devenait tout de suite un homme jeune, sans passer par les étapes de la jeunesse […]. La transmission des valeurs et des savoirs, et plus généralement la socialisation de l'enfant, n'étaient donc pas assurées par la famille, ni contrôlées par elle ; l'enfant s'éloignait vite de ses parents, et on peut dire que, pendant des siècles, l'éducation a été assurée par l'apprentissage grâce à la coexistence de l'enfant ou du jeune homme et des adultes.

[À partir de la fin du XVIIe siècle], un changement considérable est intervenu. […] L'école s'est substituée à l'apprentissage comme moyen d'éducation. Cela veut dire que l'enfant a cessé d'être mélangé aux adultes et d'apprendre la vie directement à leur contact […]. Commence alors un long processus d'enfermement des enfants, [une mise en quarantaine à l'école, au collège] qui ne cessera plus de s'étendre jusqu'à nos jours et qu'on appelle la scolarisation […].

Cette mise à part – et à la raison – des enfants doit être interprétée comme l'une des faces de la grande moralisation des hommes par les réformateurs catholiques ou protestants, d'Église, de robe ou d'État. Mais elle n'aurait pas été possible dans les faits sans la complicité sentimentale des familles. La famille est devenue un lieu d'affection nécessaire entre les époux et entre parents et enfants. Cette affection s'exprime surtout par la chance désormais reconnue à l'éducation. »

Philippe Ariès, L'Enfant et la Vie familiale sous l'Ancien Régime, Le Seuil, 1973.

pour un couple ni de se marier (30 % des enfants naissent hors mariage) ni de rester ensemble. L'intérêt des enfants n'est plus guère mis en avant pour éviter une séparation souhaitée par l'un des deux partenaires. Dans la très grande majorité des cas, ce sont les femmes qui demandent le divorce. Ceci est rendu possible par leur plus grande autonomie, acquise notamment par le travail.

Beaucoup d'enfants vivent donc avec un seul de leurs parents (dans ce qu'on appelle maintenant « une famille monoparentale »). C'est un mode de vie qui n'a plus grand-chose à voir avec le modèle traditionnel de la famille…

LES TEMPS CHANGENT

C'est à partir des années 50-60 que le modèle « traditionnel », c'est-à-dire le modèle éducatif autoritaire, a commencé à être sérieusement contesté. On assiste alors à un « conflit de générations », à un énorme décalage entre les jeunes et leurs parents, qui leur rétorquent sans arrêt : « De mon temps, ça ne se passait pas comme ça. » Un film de Diane Kurys, « Diabolo Menthe », a bien restitué cette atmosphère des années 60.

Les jeunes réclament plus de liberté, aspirent à ne plus vivre uniquement dans le cercle familial. Au lieu d'aller se promener le dimanche en famille, ils préfèrent sortir avec des copains ou même rester dans leur chambre pour lire ou pour écouter de la musique. À la radio, il y a des émissions qui leur sont destinées : c'est l'époque de *Salut les copains*, qui passe tous les jours en fin d'après-midi. Les jeunes veulent désormais choisir leurs copains, leur musique, leurs lectures, leurs films, leur façon de s'habiller. Ils récla-

ment une certaine liberté sexuelle, jusque-là inexistante ou du moins clandestine, surtout pour les filles ! En mars 1968 (les prémices de Mai 68), lorsque « l'agitation » démarre sur le campus de l'université de Nanterre, c'est pour réclamer que les étudiants et les étudiantes aient le droit de se rendre visite dans leurs chambres universitaires !

LE COCON FAMILIAL

Depuis les années 70, le modèle autoritaire a considérablement reculé dans la plupart des familles. Les relations parents-enfants ne sont plus fondées uniquement sur les interdictions, sur la crainte d'une « engueulade », d'une correction ou d'une punition. Les décisions des parents sont souvent discutées ou du moins argumentées.

De même qu'en politique on aspire à plus de démocratie, la famille devient elle aussi plus « démocratique ». Les enfants ont la possibilité d'affirmer leurs choix. Les conflits entre parents et enfants ne portent plus sur les revendications pour plus de liberté, mais surtout sur les résultats scolaires. À l'école, la discipline s'est aussi beaucoup assouplie (beaucoup trop, estiment certains parents !). Les garçons et les filles s'y côtoient, puisque la mixité a été introduite dans pratiquement tous les établissements scolaires.

On assiste aujourd'hui à un renversement de tendances. La famille n'est plus rejetée par les jeunes, bien au contraire ! Alors que les générations précédentes attendaient avec impatience le moment de quitter leur famille pour se sentir enfin libres, les jeunes vivent de plus en plus longtemps chez leurs parents (à 22 ans, 60 % des garçons

et 45% des filles vivent encore chez leurs parents). On parle de « la famille-refuge »… Cela s'explique en effet par l'allongement de la durée des études, la difficulté à trouver un emploi ; mais c'est aussi parce qu'il règne dans les familles une meilleure ambiance et que les jeunes s'y sentent suffisamment libres.

L'enfant, un Adulte en Miniature

L'enfance et l'adolescence sont considérées, avant tout, comme des périodes d'apprentissage, dans lesquelles le rôle des adultes (aussi bien dans la famille qu'à l'école) est d'amener des petits êtres « en friche* » à devenir de futurs adultes. Pour illustrer le rôle des parents, on a souvent utilisé l'image d'un jardinier en train de faire pousser une plante délicate. Il faut la connaître, l'aimer, l'arroser, et la protéger des mauvaises herbes !…

Comme on considère que le caractère d'un enfant dépend prioritairement de l'éducation que lui donnent ses parents, les parents ont avant tout un rôle éducatif. Un enfant doit être « bien élevé ». S'il est « mal élevé », c'est la faute de ses parents, qui sont alors considérés par les autres adultes comme de mauvais parents. S'il n'est pas rare, en France, de voir des parents gronder ou gifler leur enfant en public, ce n'est pas forcément qu'ils sont particulièrement sévères ou en colère, c'est aussi une façon de montrer qu'ils

●●●●●●●●●●●●●●●●●●●●
Entente cordiale

Les relations entre parents et adolescents sont apparemment au beau fixe*. On les juge de part et d'autre excellentes ou très bonnes (78% pour les parents, 77% pour les enfants). Les parents trouvent leurs enfants affectueux (51%), indépendants (40%) et responsables (37%). Réciproquement, on les trouve attentifs (55%) et affectueux (48%). [...] En cas de conflit, on discute d'abord, pour 64% des adolescents et 88% des parents. [...] Dans le détail des relations parents-adolescents, il y a des points à propos desquels l'entente se défait : sur les résultats scolaires pour les garçons, sur la participation aux tâches de la maison pour les garçons et les filles. Les mères sont plus soucieuses que les pères des résultats scolaires (56% de mécontentes contre 49%). Les pères sont davantage préoccupés que leurs épouses par... la participation aux tâches ménagères des enfants (60% de mécontents contre 55%). [...] Les adolescents disent s'entendre autant avec leurs deux parents (44%), mais 38% reconnaissent qu'ils ont une meilleure relation avec leur mère (41% des filles, 35% des garçons) et 17% avec leurs père.

24-27 mars 1990,
FR3, *La Marche du siècle* et *Le Figaro*, (échantillon représentatif de 400 parents et de 400 enfants de 13 à 17 ans).
●●●●●●●●●●●●●●●●●●●●

●●●●●●●●●●●●●●●●●●●●
Éducation morale

Les qualités que les parents cherchent à encourager chez leurs enfants :

1. **La tolérance et le respect des autres**
2. **Le sens des responsabilités**
3. **Les bonnes manières**
4. **L'application au travail**
5. **La loyauté**
6. **La générosité**
7. **La détermination, la persévérance**
8. **L'esprit d'économie, ne pas gaspiller l'argent des autres**
9. **L'indépendance**
10. **L'imagination**

***Les valeurs des Français*, sous la direction d'Hélène Riffault, PUF, 1994.**
●●●●●●●●●●●●●●●●●●●●

● ● ● ● ● ● ● ● ● ● ● ● ● ● ● ● ●

FAIS PAS CI, FAIS PAS ÇA

Fais pas ci, fais pas ça,
Viens ici, mets-toi là
Attention, prends pas froid
Ou sinon gare à toi
Mange ta soupe
Allez, brosse-toi les dents
Touche pas ça
Fais dodo
Dis papa, dis maman
Refrain
Fais pas ci, fais pas ça
Ah da da, prout prout cadet
À cheval sur mon bidet

Mets pas tes doigts dans le nez
Tu suces encore ton pouce ?
Qu'est-ce que t'as renversé ?
Ferme les yeux, ouvre la bouche
Montre-moi tes ongles, vilain
Va te laver les mains
Ne traverse pas la rue
Sinon panpan cucul* *(refrain)*

Laisse ton père travailler
Viens donc faire la vaisselle
Arrête de te chamailler*
Réponds quand on t'appelle
Sois poli, dis merci
À là dame, donne ta place
C'est l'heure d'aller au lit
Faut pas rater la classe *(refrain)*

Tu m'fatigues, je n'en peux plus
Dis bonjour, dis bonsoir
Ne cours pas dans l'couloir
Sinon panpan cucul
Fais pas ci, fais pas ça
Viens ici, ôte-toi d'là
Prend la porte, sors d'ici
Écoute ce qu'on te dit *(refrain)*

Tête de mule, tête de bois
Tu vas recevoir une beigne*
Qu'est-ce que t'as fait d'mon peigne ?
Je le dirai pas deux fois
Tu n'es qu'un bon à rien
Je le dis pour ton bien
Si tu n'fais rien de meilleur,
Tu seras balayeur ! *(refrain)*

Vous en faites pas les gars,
Moi aussi on m'a dit ça :
Fais pas ci, fais pas ça
Fais pas ci, fais pas ça,
Et j'en suis arrivé là,
Et j'en suis arrivé là.

**Auteurs A. Segalen et J. Lanzman,
compositeur J. Dutronc,
© 1968 Éditions musicales Alpha.**

● ● ● ● ● ● ● ● ● ● ● ● ● ● ● ● ●

s'occupent bien de l'éducation de leur enfant, qu'ils ne sont pas laxistes*.

Les parents protègent leur enfant du monde extérieur, considéré *a priori* comme dangereux. Sauf à la campagne, où tout le monde se connaît, un jeune enfant ne sort jamais sans être accompagné, pas même pour aller à l'école. Les parents surveillent ses fréquentations, connaissent ses copains, et les parents de ses copains. On lui explique qu'il ne doit en aucun cas parler à un inconnu, accepter un bonbon de lui ni à plus forte raison le suivre.

Pour bien élever un enfant, il faut l'amener à se transformer : ne pas céder à ses caprices (« Il ne faut pas tout lui passer »), ne pas trop le gâter (« gâté, pourri »). Il faut lui inculquer la politesse (« Dis bonjour à la dame », « Dis merci », « Merci qui ? »), des habitudes alimentaires (« Il faut apprendre à manger de tout »), de bonnes postures (« Tiens-toi droit »), à bien se tenir à table (« On ne met pas les coudes sur la table »), lui apprendre à se contrôler (« Ne parle pas si fort », « Ne cours pas si vite »).

Les enfants doivent savoir se comporter correctement quand ils sont avec des adultes. Ils doivent les laisser parler entre « grandes personnes », donc rester calmes et sages. S'ils sont à une table d'adultes pour un repas de famille, ils doivent savoir se tenir, rester tranquilles (même si le repas dure longtemps) et ne pas quitter la table avant d'avoir demandé la permission. Il ne doivent pas « parler pour ne rien dire », ou pour « faire l'intéressant » ; ils ne doivent pas « répondre » à un adulte qui leur fait une remarque ni le contredire.

Ces bonnes habitudes, acquises au prix de beaucoup d'interdits et d'une

certaine discipline, d'où ne sont pas exclues les corrections (« Ça t'apprendra ! »), doivent devenir en quelque sorte des réflexes.

Mais l'objectif n'est pas uniquement de « dresser » l'enfant comme un petit animal. Il faut aussi éveiller son esprit. Il n'est pas bon qu'un enfant reste « bébé », il doit avoir de la personnalité. On considère que s'il a bien assimilé ce qu'on lui a appris, si on lui a donné le bon exemple, s'il a les bons modèles de référence, il doit être capable, en grandissant, d'improviser la bonne conduite en toutes circonstances. Il doit alors savoir se comporter en public, ne pas être trop timide. Peu à peu, on lui laisse de plus en plus de marge de liberté pour lui apprendre, à user de cette liberté (« Je te fais confiance »).

« QUI AIME BIEN CHÂTIE BIEN » ?

Dans l'éducation traditionnelle, les interdits n'étaient jamais accompagnés d'une explication. Les enfants devaient obéir à ce qu'on leur disait de faire : « C'est comme ça. Si on te demande pourquoi, tu diras que tu ne sais pas ! ». Les écarts de conduite étaient souvent sanctionnés par les parents, qui ne se posaient pas de questions. La mère donnait facilement une fessée aux petits, une claque aux plus grands. Le père intervenait dans les cas jugés plus graves, en donnant une « correction » : fessée, coups de martinet ou de ceinture, coups de pieds aux fesses !

Les punitions corporelles dures sont devenues rares. Par contre, la fessée – pour les petits – ou la claque ont toujours des adeptes. Beaucoup de parents avouent qu'il leur arrive d'avoir « la main leste* »… Sans forcément

justifier son caractère éducatif, ils estiment qu'une gifle peut calmer un enfant… et aussi les parents! Les autres punitions ne sont ni très variées ni vraiment terribles. On n'enferme évidemment plus les enfants dans le noir. On ne les envoie plus se coucher sans dîner, on les prive rarement de dessert (les parents sont trop contents que leur enfant ait bon appétit!). En revanche, on peut envoyer un enfant se calmer tout seul dans sa chambre, ce qui a surtout pour effet de vexer son amour-propre. Quand on veut vraiment lui «ôter l'envie de recommencer», on peut aller jusqu'à le priver de télévision ou d'une fête chez des copains, lui supprimer ou lui réduire son argent de poche.

Les châtiments* corporels sont formellement interdits à l'école. Certains parents s'insurgent – et peuvent porter plainte – contre des enseignants qui se laisseraient aller à utiliser les anciennes méthodes: donner un coup de règle sur les doigts, une petite tape sur le bras ou une gifle, tirer l'oreille d'un élève, le faire mettre à genoux mains sur la tête, lui coller du ruban adhésif sur la bouche parce qu'il est bavard. D'autres parents se plaignent du manque de discipline à l'école et ne seraient pas complètement hostiles à l'utilisation de tous les moyens possibles.

S'il peut y avoir des pratiques et des avis différents sur l'efficacité pédagogique d'une «claque», il est certain que l'opinion publique est très sensible au problème des enfants battus. Dans les sondages portant sur les attitudes des Français face au non-respect de la loi, à la question: «Dans quelles occasions dénonceriez-vous un de vos voisins à la police?», la première réponse concerne généralement les parents qui maltraiteraient leurs enfants.

À CHACUN SON RÔLE

La relation entre l'enfant et ses parents était – et est toujours en grande partie – fondée sur une répartition traditionnelle des rôles entre le père et la mère. La mère représente la tendresse. Dans la vie quotidienne, c'est elle qui s'occupe le plus de l'enfant. En général,

LES RELATIONS MÈRES/FILLES

Les mères et les filles se voient fréquemment: 48% des filles disent qu'elles voient leur mère au moins une fois par semaine. Beaucoup de filles considèrent qu'elles sont très proches: elles sont «de vraies amies, des complices, des confidentes» (65%), elles partagent les mêmes valeurs (69%). Dans les milieux aisés, on insiste sur le partage des mêmes valeurs, tandis que dans les milieux plus modestes, on parle davantage de la complicité. Les filles uniques sont souvent celles qui ont le moins de complicité avec leur mère et les mères au foyer ne sont pas forcément les plus proches de leurs filles. La proximité n'empêche pas la reconnaissance de différences, puisque beaucoup disent qu'«elles ne sont pas sur la même longueur d'ondes et qu'elles voient les choses très différemment» (52% des filles et 53% des mères).

LA TRANSMISSION DES VALEURS

71% des filles déclarent qu'elles ont beaucoup appris de leur mère, (25% pensent avoir peu appris et 1% n'avoir pas du tout appris). Ce que leur mère leur a transmis dépasse de beaucoup la sphère domestique et apparaît plutôt comme une véritable pédagogie générale de la vie: c'est avant tout une façon de vivre, de grandes valeurs (48%), bien plus que des conseils ménagers (27%) ou une manière d'être avec les autres (22%).

Ce qui leur paraît très important, c'est l'héritage moral: l'honnêteté (95%), le respect des autres (90%), les bonnes manières (88%), le goût du travail (84%), le sens de la famille (83%), mais assez peu les croyances religieuses (42% seulement). En revanche, 41% seulement des filles pensent avoir hérité de leur mère le sens de l'humour alors que 72% des mères croient l'avoir légué*. Les mères et les filles ne doivent pas avoir la même idée de ce qu'est l'humour!

D'après un sondage SOFRES – *Bonne Soirée*, 11-17 mars 1993.

LE RETOUR DE LA BAFFE

La télévision propose une émission intitulée : « Qui commande à la maison ? ».

« Une mère démissionnaire* confrontée à la dépression de sa fille, un jeune couple obsédé par les rapports de force, une famille permissive débordée par le despotisme* soudain de l'aîné, un divorce pour tyrannie masculine : tous disent, hommes, femmes et enfants, leur difficulté à saisir, à éprouver, à exercer le pouvoir au foyer. L'autorité déguisée sous diverses métaphores* : "règle du jeu", "limites", "place", apparaît comme la marque identitaire et la reconnaissance affective de chacun.

Roberte, prof de danse, pour élever Marie, 16 ans, regard anxieux et débit* mélancolique, a adopté le credo* de sa génération : "il est interdit d'interdire." Divorce, émancipation, relations de copinage entre mère et fille : Marie déchire, aujourd'hui, cette bédé* à la Bretécher. Elle déserte le lycée, fugue et fréquente des bandes où "l'on ne peut transgresser certaines lois". Sa grande affaire : empoisonner sa mère, lui faire "payer" l'absence de règles, d'horaires dont elle est la perplexe bénéficiaire : "Ma fille, dit Marie, je ne la laisserai pas sortir sans savoir où elle va." Jamais punie. Jamais interdite de télé : les délices du passé lui semblent aujourd'hui d'affreux signes d'indifférence, la liberté d'hier un piège pour demain. [...]

Un matin, Roberte claque Marie qui refuse de se lever. Effroi du côté maternel, euphorie* filiale, Marie a gagné "sa" guerre en déclenchant l'agressivité : "Ah, ça me calme, une bonne gifle de temps en temps", conclut-elle en fille indigne mais soulagée.

Le même désir de tarte* démange Dimitri, 15 ans, aîné d'une famille où l'on "canalise sans interdire", où priment le compromis et l'échange.

Face à une mère envahissante et à un père effacé, ce bonhomme vif a tenté de prendre le pouvoir, de secouer le clan, d'inverser les rôles. Il sèche l'école quinze jours, dépense 2 000 F en communications téléphoniques, vole sa famille d'accueil en Allemagne : en langage familier, cela s'appelle chercher

c'est elle qui lui fait faire sa toilette, qui achète et entretient ses vêtements, le fait manger, le conduit chez le médecin ou chez le dentiste, au cours de danse ou de piano, surveille son travail scolaire. C'est elle qui est chargée de l'élever correctement, de lui donner de bonnes habitudes. C'est surtout elle qui peut être amenée, en cas de désobéissance, à sanctionner ou à donner une gifle. Mais si l'enfant est vraiment insupportable, elle menace de le raconter au père.

Car c'est d'abord le père, plus distant et moins présent, qui représente l'autorité. Dans le modèle traditionnel bourgeois, où le père travaillait à l'extérieur alors que la mère restait à la maison, les enfants devaient se tenir tranquilles dès que le père rentrait de son travail afin qu'il puisse se reposer, lire son journal. Celui-ci voyait assez peu ses enfants, jouait rarement avec eux. La menace de « raconter au père » la bêtise de l'enfant était déjà le signe que la tension montait ! Et si la mère mettait à exécution la menace, c'est que la bêtise était vraiment grave... tout cela indépendamment même de la sanction que pouvait prendre le père, et qui pouvait aller des « gros yeux » à la « raclée* », en passant par la réprimande* ou la punition.

La situation a beaucoup changé dans les familles actuelles. La mère travaille souvent à l'extérieur et le père a envie d'être présent auprès de ses enfants. Il n'en demeure pas moins que, généralement, la mère s'occupe davantage des enfants que le père. Même si « les nouveaux pères », « les papas-poules », jouent avec leurs enfants, leur racontent des histoires, vont avec eux au cinéma ou à la piscine (peut-être même plus que les mères, parce qu'elles n'ont pas le temps !), le père continue à incarner davantage l'autorité, surtout pour les grosses bêtises.

PARENT, UN MÉTIER DEVENU BIEN DIFFICILE !

L'évolution de l'éducation a été considérable, en une génération seulement. Le modèle traditionnel n'a plus cours, mais il n'y en a pas vraiment de nouveau pour le remplacer. Les parents se débrouillent comme ils peuvent pour naviguer dans leurs contradictions. Le modèle d'éducation autoritaire qu'ils ont eux-mêmes subi est le seul modèle qu'ils connaissent. Ils peuvent à la fois le rejeter complètement, être terrifiés à l'idée de le reproduire avec leurs enfants... et lui reconnaître certains mérites ! Dans les causes de scènes de ménages dans les couples, c'est l'éducation des enfants qui est citée largement en tête.

De nombreux livres, articles de presse, émissions de radio ou de télévision témoignent de ce qu'on appelle « le désarroi des parents ». Jusqu'où faut-il être permissif* pour le bien des enfants ? Faut-il réaffirmer certaines limites, certains interdits ? Faut-il protéger les enfants des dangers de la vie ou au contraire les informer le plus tôt possible des difficultés pour leur permettre de mieux les affronter ?

La menace du chômage fait que les parents se sentent de plus en plus responsables de l'avenir de leurs enfants, ce qui les angoisse terriblement. Les mères qui travaillent – elles sont pourtant nombreuses – se culpabilisent de ne pas être assez présentes auprès de leurs enfants. Dès que les parents en ont la possibilité financière, ils consacrent de plus en plus de moyens à payer des cours particuliers ou des séjours linguistiques à leurs enfants, pour améliorer leurs performances scolaires.

« Les nouveaux parents », ceux qui ont des comportements en rupture avec ceux de la génération précédente, se rencontrent dans toutes les couches de la société, y compris dans la classe moyenne. On les trouve cependant davantage chez les cadres et dans les professions intellectuelles ; ils vivent surtout dans les grandes villes. C'est surtout eux qui sont stressés à l'idée de ne pas être de bons parents et qui peuvent avoir des comportements déroutants*. Ils prônent la liberté d'expression des enfants, mais ont peur de se comporter en parents « démissionnaires* ». Ils sont angoissés au premier rhume de l'enfant, à la moindre mauvaise note.

À l'opposé, c'est dans la bourgeoisie conventionnelle, catholique pratiquante, que l'éducation des enfants est la plus conforme au modèle traditionnel, avec des règles morales strictes, des principes éducatifs rigides, une séparation assez nette entre l'univers des enfants et celui des parents.

Dans les milieux ouvriers et paysans, les parents se posent moins de questions. L'éducation est plus permissive et indulgente et les enfants partagent souvent la vie des adultes. Mais les parents hésitent moins à donner une claque parce qu'ils sont moins préoccupés par les conséquences psychologiques que cela pourrait avoir. ■

la baffe*. La version analytique, dont il maîtrise, comme Marie, le lexique, donne : "Je veux voir jusqu'où je peux aller. Je cherche les limites." La prune* arrive enfin, plongeant les parents libéraux dans l'hébétude*. Quinze ans d'éducation "soft" se soldant par une demande de tarte ! Assimiler Freud pour découvrir que sa progéniture* raffole de la comtesse de Ségur, grande prêtresse du châtiment corporel. Le bon petit diable réclame une maman douce, un père ferme et quelques mandales* : "Mon père, c'est ma mère et ma mère, c'est mon père", tranche-t-il, imperturbable*. Du coup, les "inversés" méditent sur la preuve d'amour que représente la gratification* par la chiquenaude*. "C'est la confiance en lui, l'amour, que Dimitri recherche toutes les heures. Il nous teste, cherche si on l'aime encore." La mère possessive s'efface un peu : "Pour Dimitri, dit-elle, j'essaie de gommer cette force que j'ai et qui l'effraie. Je pense qu'il s'est démené pour me la faire perdre."

La règle comme preuve d'amour, la discipline comme repère identitaire : les années 90 ne feront pas l'économie du besoin d'autorité. »

L'Événement du Jeudi,
20 au 26 décembre 1990.

• • • • • • • • • • • • • • • • •

1
UNE MORALE DIFFÉRENTE?

Françoise Giroud, journaliste et romancière, a été secrétaire d'État à la Condition féminine (1974-76), puis à la Culture (1976-77). Dans cet article déjà ancien (1969), elle constate que si autrefois on se mariait pour la vie, le nombre de divorces augmente et va sans doute continuer à augmenter. L'histoire lui a donné raison…

« Le divorce offre une issue désagréable mais non déshonorante à une union malheureuse […]. Et serait-on celui qui souffre le plus de la séparation, il n'est plus permis d'une certaine manière, de tenir l'autre emprisonné à perpétuité dans un triste mariage. Une morale, différente sans doute, est née, qui s'oppose à cette mainmise sur autrui.

Ce progrès, car c'en est un, a un corollaire, l'insécurité. La plus médiocre des épouses, la plus sotte, la plus incapable, était assurée, une fois mariée, de le demeurer. Le plus volage des maris, le plus tyrannique, le plus maladroit, savait qu'il ne retrouverait jamais la maison vide. Querelles, discussions, reproches, bouderies, aventures extraconjugales ne mettaient pas en question, sauf dans des circonstances exceptionnelles, le mariage. On ne se mariait pas pour être heureux, mais pour être mariés.

Aujourd'hui, nul ne sait où passe le point de rupture, où se situe le seuil de la tolérance au malheur que l'on éprouve, ou à celui que l'on inflige. Plus l'indépendance économique sera à portée des femmes, moins elles « fermeront les yeux », comme on le recommandait à leurs mères, sur leur agacement, leurs désillusions ou leurs peines. Plus elles seront capables d'assurer cette indépendance, moins les hommes se sentiront obligés de les supporter décevantes, ou pesantes. […] »

Françoise Giroud, *L'Express*, 6 octobre 1969.

Le nombre de divorces n'a cessé de progresser avec le développement du travail des femmes. Pourquoi ?

Est-ce, selon Françoise Giroud, un mieux uniquement pour les femmes ou également pour les hommes ? Vous semble-t-il qu'elle prend plutôt parti pour les femmes ou pour les hommes ?

Pensez-vous qu'elle défend l'institution du mariage ou bien qu'elle est favorable à la possibilité de divorcer ? Quelles sont les raisons avancées ? Pourquoi parler d'une nouvelle « morale » ?

2
FAIS PAS CI, FAIS PAS ÇA

Lisez avec attention le texte de la chanson page 124 pour répondre aux questions suivantes :

Qui s'adresse à l'enfant : son père ou sa mère ?

Quels sont les reproches qui sont faits à l'enfant : sur l'hygiène ? sur la politesse ? sur son comportement à la maison ?

Quelles sont les expressions (utilisées par tous les parents !) pour le réprimander ?

De quoi le menace-t-on s'il n'est pas bien élevé ?

3

MÉCOMPTES DE FÉES

« Quand sa mère lui raconta Blanche-Neige […] la petite fille releva une […] incohérence. Blanche-Neige prend une pomme […] offerte par une très très vieille horreur, alors qu'on lui a toujours dit, à elle, la petite fille, qu'il ne faut jamais accepter ni bonbon ni quoi que ce soit d'autre d'un ou d'une inconnue. […]

Quand sa mère lui raconta, toujours de Charles Perrault, […] les contrariétés répétées de Cendrillon, la petite la trouva bête de ne pas avoir eu l'idée de consulter un avocat. Après tout, c'était Cendrillon la fille du patron, donc l'héritière en titre. Une bonne procédure bien menée et c'est belle-doche et ses deux mégères qui auraient passé la serpillère. Et puis cette histoire de pied, de pompe en vair et de prince qui ne pense qu'à ça, petite fille subodorait un accès de fétichisme. Elle n'avait pas encore lu Freud. Peau d'Âne. Tu parles d'un prénom pour une fille… Pourquoi pas Couenne de Mule. Et son papa, le roi, amoureux de sa fille… La petite fille était bien contente que son père à elle se contente d'être amoureux de sa mère. D'autant que le roi à tendances incestueuses faisait filer pour sa fille, des robes "couleur de lune". C'est quoi comme couleur ? "Comme ta robe en lamé que tu mets pour aller danser ?" Pourquoi alors "couleur de lune" ? Petite fille trouvait ça fumeux et prétentieux. À 5 ans, on est souvent conformiste, cartésien, on ne croit pas encore aux contes de fées. C'est plus tard qu'on vire crédule. »

L'Événement du Jeudi, 18-24 novembre 1993.

Choisissez parmi les définitions proposées celle qui correspond aux mots suivants :

1. une belle-doche – une mégère – 3. une serpillère – 4. une pompe – 5. de vair
6. subodorer – 7. incestueux – 8. prétentieux

a. en fourrure

b. femme acariâtre, méchante

c. morceau de tissu servant à laver le sol

d. qui concerne des relations sexuelles interdites par la morale
    et la loi (entre parents et enfants, entre frères et sœurs)

e. supposer, pressentir

f. une belle-mère, en argot

g. une chaussure en argot

h. vaniteux, orgueilleux

**Connaissez-vous ces contes de Perrault: Blanche-Neige ? Cendrillon ?
Peau d'Âne ? Les thèmes de ces contes vous paraissent-ils être des thèmes universels ?**

Pensez-vous que les contes de fées sont anachroniques pour les enfants d'aujourd'hui ?

3
UNE ÉDUCATION RÉUSSIE

Discutez en groupe ce qu'un jeune adulte peut considérer comme une réussite du point de vue de l'éducation qu'il a reçue.

a. Il est en bonne santé et bien dans sa peau.

b. Il réussit brillamment ses études.

c. Il a un groupe d'amis sur lesquels il peut compter.

d. Il est capable de se débrouiller. en toutes circonstances.

e. Il réalise ses rêves d'enfants.

f. Il fait le bonheur de ses parents.

Classez ces réponses selon vos préférences personnelles en les justifiant.

Est-ce que les critères de la réussite peuvent varier en fonction de l'époque, du milieu social, du pays dans lequel on vit ?

4
NOSTALGIE DU PASSÉ ?

À l'occasion d'un débat sur un projet de loi sur la famille, en juin 1994, Hélène Missoffe, député RPR, (un parti de droite), a fait cette déclaration au Parlement.

« Point n'est besoin de commentaires, pour constater que la notion de famille évolue rapidement et que cette évolution se fait autour de la place de la femme dans la société. Par la contraception, la femme maîtrise sa fécondité. […] Par l'acquisition du savoir, elle tient une place déterminante dans le monde du travail. En conséquence, elle a acquis le partage de l'autorité dans la structure familiale et une relative autonomie financière. […] Si certains hommes peuvent avoir la nostalgie du passé, aucune femme ne souhaiterait vivre comme sa grand-mère. »

Le Monde, 23 juin 1994.

Pourquoi la place de la femme dans la société a-t-elle autant d'incidences sur l'évolution de la famille ?

En quoi la vie des femmes d'aujourd'hui est-elle radicalement différente de celle de leurs grands-mères, sur le plan juridique, professionnel, familial et personnel ?

Parmi les grandes transformations
de ces vingt ou trente dernières années,
il faut noter la diversification des réseaux de relations sociales
dans pratiquement tous les milieux sociaux et à tous les âges :
on fréquente les parents des copains d'école de ses enfants,
les personnes avec lesquelles on pratique
le même sport ou les mêmes loisirs,
celles qui ont le même engagement politique ou syndical.

LES UNS ET LES AUTRES

VIE PRIVÉE, DÉFENSE D'ENTRER

Que l'on habite dans un appartement ou dans un pavillon, on a besoin pour se sentir vraiment « chez soi » de bien marquer les limites entre le domaine privé et l'extérieur. Des clôtures entourent la maison et le jardin. Il faut sonner à l'extérieur (dans la rue), pour que l'on vienne vous ouvrir la grille du portail. Il y a toujours des rideaux pour se protéger du regard des passants, et, dès que la nuit tombe, on ferme les volets pour ne pas être vu.

La séparation entre vie privée et vie publique remonte au XVIIIᵉ siècle, lorsque la bourgeoisie s'est mise à séparer nettement les lieux de vie domestique et familiale des lieux de travail – l'atelier de fabrication, de production ou de vente. Cela a entraîné un changement dans l'aménagement et la disposition des différentes pièces de la maison, qui a, en grande partie, subsisté jusqu'à nos jours.

Les pièces à fonction sociale sont séparées des pièces où la famille vit quotidiennement. La salle à manger, le salon, le bureau – les pièces où l'on reçoit – se trouvent généralement à l'avant de la maison ; elles donnent sur la rue. En revanche, la cuisine et les chambres à coucher se trouvent à l'arrière de la maison, à l'abri des regards.

Dans les milieux populaires, on avait l'habitude de manger tous les jours à la cuisine ; la salle à manger était réservée aux grandes occasions. C'est encore bien souvent le cas, notamment à la campagne. Dans les familles modernes, la salle à manger est devenue une pièce à vivre ; on l'appelle d'ailleurs maintenant « le séjour ». L'arrivée de la télévision dans la vie des familles a contribué à

INTIMITÉ

« L'inconnu, l'étranger reste à la porte. Puis on ouvre son entrée, puis son salon, puis sa salle à manger (et, à la rigueur, les toilettes). Beaucoup de visiteurs n'iront jamais plus loin. La salle de bains, séparée des toilettes, reste d'accès difficile et réservée à ceux que l'on peut inviter à passer la nuit sous son toit.

Le frigo*, les armoires et les tiroirs sont rarement d'accès libre, sauf à ceux que l'on considère comme les véritables "intimes" de la maison. La pièce qui demeure sacrée, c'est la chambre à coucher des parents. [...] Ainsi, si mon beau-père ou ma belle-mère, ou même mon père ou ma mère, vit sous mon toit, cela ne lui donne pas automatiquement accès à ma chambre à coucher, bien au contraire. »

Raymonde Carroll,
Évidences invisibles,
Américains et Français au quotidien,
Seuil, 1991.

QUI PARLE À QUI ?

«Notre vie sociale peut – presque – se quantifier* » : ainsi, sachez qu'un Français rencontre chaque mois, en moyenne, sept membres de sa parenté, qu'il a trois ou quatre amis, rend service dans l'année à un ou deux ménages voisins et adhère à une association. Telles sont, du moins, les conclusions d'une enquête de l'Insee sur la sociabilité des Français.

"Le réseau de relations se rétrécit avec l'âge, et, en même temps, il se modifie. Dans la vie d'un adulte, on peut distinguer trois grandes étapes : la jeunesse, qui est le temps privilégié des amitiés ; la maturité, celui des relations de travail, et la vieillesse, celui des relations de parenté." déclare le responsable de l'enquête.

Aux longues discussions entamées sur les bancs de la fac, poursuivies au café, puis éventuellement au téléphone une fois rentré chez soi, la vie en couple marque un premier coup d'arrêt. Et ce n'est rien à côté de l'arrivée du premier enfant. Avant 30 ans, les amis représentent plus du tiers des interlocuteurs et 40 % des contacts : le célibat, l'habitude des sorties collectives encouragent la convivialité. Dix ans plus tard, leur importance est deux fois moindre, et leur nombre ne fera ensuite que stagner.

[...] En vieillissant, les amis et les collègues se font plus rares. Dès l'âge de 60 ans, plus du quart des interlocuteurs et près de la moitié des discussions relèvent de la parenté : les enfants et leur famille essentiellement. Les relations de voisinage s'épanouissent aussi à l'automne de la vie.

Des aventuriers de la "tchatche*", les Français ? Des explorateurs de la causette* ? Oh ! que non ! On reste entre soi, les hommes avec les hommes, les employés avec les employés, les quadragénaires avec les autres quadragénaires*. Ainsi, deux fois sur trois, nous discutons avec une personne de même sexe que nous. [...] Dans le cadre du travail, le contact semble plus facile avec les collègues de même niveau hiérarchique. »

Le Point, 15 janvier 1990.

changer les habitudes, puisqu'on mange souvent « devant la télé », qui se trouve justement dans le séjour.

Si les invités ont accès à la salle à manger, au salon (et aux toilettes), la chambre à coucher et la salle de bains sont accessibles uniquement aux intimes. Pendant longtemps, la chambre à coucher était un endroit où on allait uniquement pour dormir, c'était une pièce qu'on ne chauffait pas en hiver. Il y avait la chambre des parents et la ou les chambres des enfants. À partir d'un certain âge, les frères et les sœurs devaient dormir dans des chambres séparées. La fonction de la chambre à coucher s'est modifiée. C'est davantage devenu un lieu de vie. On peut y avoir son bureau, on peut regarder la télévision dans son lit. Les enfants en particulier, et surtout dans les villes, passent beaucoup de temps dans leur chambre, c'est leur domaine bien à eux. C'est là qu'ils jouent, qu'ils écoutent de la musique, qu'ils font leurs devoirs, et qu'ils reçoivent leurs copains.

Le cercle des intimes – les personnes avec lesquelles on a des relations de confiance et de confidence – est généralement restreint*, stable et en fait assez fermé. On a tendance à rester entre soi plutôt qu'à fréquenter des « étrangers ». Les « intimes », ce sont souvent certains membres de la famille (mais pas tous), quelques amis, parfois un collègue de travail, rarement un voisin. C'est entre intimes qu'on se « dépanne » : échanges de service, gardes d'enfant, aide à la recherche d'un emploi ou d'un logement.

Il y a une séparation importante entre d'un côté la vie publique et professionnelle, de l'autre la vie privée. On ne parle généralement pas de soi, de sa vie intime, sur son lieu de travail.

Les collègues de travail ne sont pas censés pénétrer dans la vie privée, ne serait-ce que par téléphone. La discrétion que respectent les journalistes de la presse française, quand il s'agit de la vie privée des hommes politiques, en est une illustration. Toute personne publique a droit au respect de son intimité, si elle le souhaite, qu'il s'agisse de sa santé, de sa vie affective ou de tout autre sujet strictement privé. C'est ainsi que la maladie de l'ancien président de la République, Georges Pompidou (mort en 1974), a été gardée secrète jusqu'au bout. S'il arrive qu'un journaliste mal intentionné lance des rumeurs sur telle ou telle personnalité, les autres journalistes refusent souvent de les colporter*. Régulièrement, des débats agitent les médias sur ce thème. Faut-il continuer à respecter ce code de déontologie* implicite* ? Ou bien peut-on, au nom d'une soi-disant liberté de l'information, laisser « tout dire » sur les personnes publiques ?

VOISINS DE PALIER

Dans les relations de voisinage, la discrétion est de rigueur*. Dans les immeubles des grandes villes, quand on connaît ses voisins – ce qui n'est pas toujours le cas – si on se salue, c'est généralement uniquement « bonjour, bonsoir ». La règle habituelle est de maintenir les distances, de ne pas s'occuper des autres. « Chacun chez soi ». On s'étonne parfois de lire dans la presse qu'une personne a été retrouvée à son domicile, plusieurs mois après sa mort, sans que personne dans le voisinage n'ait remarqué son absence.

Même à la campagne, les relations de voisinage sont moins fréquentes et moins intenses qu'il y a trente ou quarante ans. Les petits commerces, qui

• • • • • • • • • • • • • • • •

LES AFFAIRES PRIVÉES,
DE FAMILLE ET DE MŒURS
CHOQUENT-ELLES LES FRANÇAIS ?

*Dans une élection présidentielle,
voteriez-vous pour le candidat proche de
vos idées politiques si vous appreniez
qu'il :*

	Oui, je voterais quand même pour lui
■ **Est alcoolique**	**7** %
■ **A des relations homosexuelles avec un mineur**	**11** %
■ **A des relations sexuelles avec une mineure**	**19** %
■ **S'est enrichi en Bourse en bénéficiant d'un délit* d'initié**	**21** %
■ **A capté un héritage dans des conditions douteuses**	**20** %
■ **Ne s'occupe pas de ses enfants**	**22** %
■ **A profité de son rôle d'élu local pour acheter à bas prix à un fournisseur une très belle propriété**	**25** %
■ **Bat sa femme**	**26** %
■ **Fume de temps à autre du haschich**	**31** %
■ **A eu un accident en état d'ivresse**	**34** %
■ **S'est fait exempter du service militaire avec un faux dossier**	**43** %
■ **A milité dans sa jeunesse dans un mouvement d'extrême-droite**	**41** %
■ **A des relations homosexuelles avec des adultes**	**45** %
■ **A un compte bancaire en Suisse**	**55** %
■ **A mis ses parents à l'hospice**	**55** %
■ **A fait avorter sa fille de 17 ans**	**53** %
■ **A milité dans sa jeunesse dans un mouvement d'extrême-gauche**	**58** %
■ **Fréquente des prostituées**	**60** %
■ **A des enfants qui se droguent**	**59** %
■ **A une femme alcoolique**	**68** %
■ **A plusieurs maîtresses**	**74** %
■ **Est franc-maçon**	**63** %
■ **A été marié trois fois**	**88** %

**Sofres, « L'état de l'opinion » 1991,
éditions du Seuil.**

• • • • • • • • • • • • • • •

étaient un des lieux de rencontre, ont plus ou moins disparu, les gens vont faire leurs courses dans les supermarchés de la ville voisine. Le soir, au lieu de sortir sur le pas de la porte pour discuter avec les voisins ou d'aller jouer aux boules sur la place du village, c'est « soirée-télé » ! Le téléphone a également contribué à transformer les habitudes. Plutôt que d'aller chez quelqu'un pour demander un service ou un renseignement, on passe un coup de fil. Et il est clair que l'on est moins à l'aise pour faire des commérages par téléphone que de vive voix…

DE BOUCHE À OREILLE

On dit parfois que celui qui tient l'information tient le pouvoir en France. C'est vrai qu'on a tendance à accorder* beaucoup de crédit aux médias, même si par ailleurs on ne se prive pas de les critiquer. « À la télé, ils ont dit que… » : ce « ils » énigmatique* peut représenter, tour à tour, le journaliste qui présente le journal télévisé, « l'expert » interviewé sur telle ou telle question, ou le présentateur de la météo. Énoncer une information ou une idée, en ajoutant « je l'ai lu dans le journal » ou « je l'ai entendu à

• • • • • • • • • • • • • • • • • •

LA COMMUNICATION
DE NOS JOURS...

Procès verbal :

L'ingénieur a marché sur la queue du chat, le chat l'a mordu.

Compte-rendu de l'animateur au chef de section :

L'ingénieur a marché sur la queue du chat, le chat l'a mordu.

Conclusion :

L'ingénieur souffre et ne peut plus marcher.

Rapport du chef de section au chef de département :

Ce con d'ingénieur a marché sur la queue d'un brave chat. Le chat l'a mordu et il a eu raison. L'ingénieur souffre, c'est bien fait pour ses pieds. Il ne peut plus marcher, c'est une bonne occasion pour le foutre à la porte.

Rapport du chef de département au chef de division :

D'après le chef de section, nous avons un ingénieur qui est con et qui souffre des pieds après avoir marché sur la queue d'un brave chat qui l'avait mordu. D'après le chef de section, c'est le chat qui a raison. Nous partageons l'opinion du chef de section car, même si on est mordu, ce n'est pas une raison pour marcher sur la queue des autres. Nous envisageons de mettre cet ingénieur à la porte.

Rapport du chef de division au directeur des études :

D'après le chef de département, le chef de section est devenu con parce qu'un de ses ingénieurs ne pouvait plus marcher à la suite d'une altercation avec un chat. Le chef de section indique que c'est le chat qui a raison puisque c'est l'ingénieur qui a blessé le chat en lui mordant la queue. Le chef de département veut mettre l'ingénieur à la porte. À la réflexion, cette décision pourrait déboucher sur un procès et ce serait folie dans le contexte social actuel. La meilleure solution consisterait à mettre le chef de section à la porte.

Rapport du directeur des études au PDG :

Un chef de département est devenu fou parce que son chef de section a écrasé la queue d'un ingénieur qui avait

la radio ou à la télé », c'est quasiment* donner la preuve de ce qu'on avance !

Parallèlement à ce respect pour la chose écrite et pour l'information officielle, la communication orale tient, elle aussi, une place très importante. Sur les lieux de travail par exemple, le bouche à oreille – ce qu'on appelle parfois « le téléphone arabe » ou « radio-couloir » – a finalement souvent beaucoup plus de poids que l'information sous forme de circulaires officielles et de notes de service. Et quand il s'agit de se procurer un renseignement, la plupart des gens ont le réflexe de chercher l'information auprès d'une personne qu'ils connaissent plutôt que de s'adresser à un service de renseignements ou de consulter une source officielle.

Ainsi, quand il s'agit de trouver un « bon médecin », « un bon dentiste », ou « un bon plombier », on commence généralement par demander conseil à ses proches ou par les informer de ses besoins. On accorde *a priori* toute confiance à celui qui est recommandé par un ami, en s'apprêtant à l'adopter immédiatement. On fait toujours plus confiance à un informateur, un collègue, un ami, un voisin – parce qu'il donne son avis, qu'il fait part de son expérience, qu'à un service spécialisé, mais anonyme ! On se fie aux conseils donnés de vive voix plutôt qu'à un annuaire ou à un horaire sur fiches. On veut vérifier oralement qu'une information écrite est toujours valable ou simplement juste. En cas de difficulté à s'orienter dans un endroit qu'il ne connaît pas, un Français, même s'il a un plan ou une carte, a toujours le réflexe de demander à quelqu'un de l'aider à trouver son chemin (« puisqu'il a l'air d'être du coin »). Quitte à redemander à une autre personne quelques dizaines de mètres plus loin...

LE MONDE DU TRAVAIL

Les sociologues qui étudient les relations de travail en France insistent sur l'extrême centralisation des décisions, le pouvoir des chefs, les distances établies entre les différentes strates de la hiérarchie, la peur des relations en « face à face ». Toute négociation est rendue difficile par le fait que les rapports de travail sont souvent encore vécus en terme de conflits entre des catégories professionnelles ayant des intérêts divergents* et sont assimilés à des rapports de force.

Au sommet de la hiérarchie, le patron est un personnage mythique, parce qu'on ne le connaît pas (il « descend » rarement

dans les ateliers), redouté, et dont les décisions paraissent totalement arbitraires*. Les supérieurs que l'on côtoie* quotidiennement, ce sont ceux que l'on appelle avec mépris « les petits chefs » ou « les cheffaillons » – chef de service, chef de bureau, contremaître. Ils sont issus du rang, on les connaît bien, mais puisqu'ils sont passés « de l'autre côté », ils sont souvent ridiculisés et accusés des pires mesquineries*.

Il y a toujours relativement peu de mobilité professionnelle, que ce soit dans le cas d'un changement de métier ou d'un changement de statut dans la hiérarchie. Le passage d'un statut à un autre dans une même entreprise est souvent difficile, mal accepté, tant par les anciens collègues qui se sentent

trahis que par la hiérarchie qui a du mal à reconnaître un changement de qualifications.

LES FAMILLES SOLIDAIRES

Les relations familiales sont loin d'avoir disparu, mais elles constituent désormais un réseau parmi d'autres. On a souvent tendance à opposer « le bon vieux temps » – la famille était très large et s'entraidait – à la vie moderne, où la famille se limite aux parents et aux enfants (ce que les démographes appellent la famille nucléaire).

Le changement majeur, c'est bien sûr que les familles, au sens large, ne vivent plus sous le même toit, mais aussi que le cercle familial s'est restreint. Quand on parle de « la famille », il s'agit en général de la famille proche : les parents, les grands-parents, les enfants et les petits-enfants, auxquels on peut ajouter les frères et sœurs, ainsi que leurs conjoints* (parfois traités de « pièces rapportées »). Souvent, il n'y a pas de rapports réguliers avec la famille étendue – au-delà du noyau parents/enfants – excepté à l'occasion de fêtes familiales, mariages et baptêmes, ou lors de l'enterrement d'un membre de la famille. Il est fréquent que les gens se perdent de vue et cessent toute relation à la suite d'un départ pour une autre ville ou d'un changement de situation. Mais il y a presque toujours une personne dans la famille qui est au courant de tout et qui répercute les nouvelles de tout ce qui se passe (mariages, séparations, deuils, naissances, déménagements, etc.).

La famille restreinte comprend tout de même pas mal de monde. Si on interroge les gens pour savoir quel est le nombre de personnes de leur famille dont ils se sentent vraiment proches, il

mordu son chat. Le chef de section prétend que c'est le chat qui a raison. De toute évidence, ce chef de section est con et le chef de division envisage de le mettre à la porte. Toutefois, l'expérience a prouvé que les cons n'ont jamais entravé la bonne marche de l'entreprise. C'est pourquoi nous pensons qu'il serait préférable de nous séparer du chef de département.

Rapport du PDG au Conseil d'Administration :

Un directeur des études me signale qu'un chat est à l'origine de troubles graves au sein de l'entreprise. Les chefs de section deviennent de plus en plus cons, ils se mordent la queue en marchant et veulent avoir raison des chefs de département qui sont devenus fous. Le chef de division a écrasé un ingénieur et le directeur des études prétend que seuls les cons sont capables de maintenir la bonne marche de l'entreprise. Nous envisageons de le mettre en retraite anticipée.

Nouveau Biologiste, avril 1982.

● ● ● ● ● ● ● ● ● ● ● ● ● ● ● ● ● ● ●

● ● ● ● ● ● ● ● ● ● ● ● ● ● ● ● ● ●
LE RÔLE-PIVOT
DES CINQUANTE-SOIXANTE ANS

Les 50-60 ans – et parmi eux, en particulier les femmes – jouent un rôle pivot* dans les solidarités familiales. Ils sont encore jeunes, en pleine forme, et disponibles puisqu'ils sont en retraite. Ils se trouvent sollicités par leurs enfants, leurs petits-enfants et leurs parents.

Non seulement ils aident leurs enfants et s'occupent de leurs petits-enfants, mais bien souvent, ils doivent aussi assister leurs propres parents, en faisant pour eux des courses, des démarches administratives (à 50 ans, une femme a plus d'une chance sur deux d'avoir encore sa mère). 64 % des sexagénaires* s'occupent régulièrement d'une personne âgée, 30 % accueillent une personne âgée à domicile.

D'après Libération, 12 octobre 1994.

● ● ● ● ● ● ● ● ● ● ● ● ● ● ● ●

● ● ● ● ● ● ● ● ● ● ● ● ● ● ● ● ● ●

GRANDS-PARENTS
ON VOUS AIME !

« Ma grand-mère, elle m'écoute toujours, constate Jérémy, âgé de dix ans. Elle ne répond jamais, oui, oui, très bien, pour se débarrasser de moi. Elle est attentive à ce que j'ai envie de lui raconter. "Voilà ce qui frappe le plus vos petits enfants de 8 à 12 ans lorsqu'ils parlent de vous. Leurs parents sont des gens pressés et débordés. Vous, leurs grands-parents, vous êtes disponibles, attentifs et patients. C'est très important pour eux car, dans le tourbillon de la maison ou de l'école, ils ont souvent l'impression qu'on ne les prend pas au sérieux. Vous les aimez beaucoup aussi, ils en sont persuadés. Comment le savent-ils ? Ils vous observent avec perspicacité* malgré leur jeune âge. "On peut leur dire quand on est triste ou jaloux, ils comprennent mieux que les parents", avoue Juliette. Vous savez aussi consoler un chagrin, particulièrement dans le domaine scolaire. "Quand j'ai une mauvaise note, confie Valérie, je le dis à ma grand-mère plutôt qu'à mes parents. Elle m'encourage toujours. Elle est convaincue que je ferai mieux la prochaine fois." [...]

"Nos grands-parents, dès qu'on leur demande de faire autre chose, ils disent oui, affirment-ils unanimes. Ils ont toujours le temps. Ils nous emmènent au cinéma, en promenade. Ils nous apprennent la couture, le tricot, le crochet, le petit bricolage. Parfois, ils agacent un peu avec leurs conseils de prudence ou de politesse, mais on sait que c'est pour notre bien." Chez toute grand-mère qui se respecte, il y a un grenier rempli de trésors : des vieux habits pour se déguiser, des jouets et même, selon Florence, une boule de cristal pour faire de la magie. Il y a surtout une armoire bourrée de jeux. Ce que l'on préfère, c'est faire de la cuisine avec bonne-maman. Gâteaux au chocolat, clafoutis, tartes. Elle donne toujours la permission de finir la pâte crue et sucrée. Ils passent aussi plusieurs heures à écouter les grands-parents raconter des histoires. Celles de leur enfance, de la guerre (attention, grand-père, c'est parfois un peu long) ou celle des parents quand ils étaient petits. »

Notre Temps, mars 1993.

● ● ● ● ● ● ● ● ● ● ● ● ● ● ● ● ● ●

y en a, en moyenne, cinq ou six. La famille proche est celle envers laquelle on a des droits et des obligations pendant toute sa vie. La loi entérine* cette responsabilité mutuelle*, puisqu'elle impose un devoir d'assistance entre ascendants* et descendants* directs s'ils se trouvent dans le besoin. Par ailleurs, les parents n'ont pas la possibilité de déshériter leurs enfants.

On constate l'importance et la permanence* des solidarités familiales dans la société française, quel que soit le milieu social, et cela peut-être d'autant plus qu'avec l'allongement de la durée de la vie, coexistent couramment dans une famille trois ou parfois même quatre générations. On peut trouver, dans ces solidarités familiales, une explication à la faible mobilité géographique des Français, souvent regrettée par les entreprises et les pouvoirs publics. Ces solidarités s'exercent à tous les âges de la vie et dans différents domaines. Ce sont bien sûr des liens affectifs, concrétisés par des visites régulières, par le déjeuner du dimanche souvent pris en famille. Ce sont des services rendus de façon réciproque, bricolage, travaux ménagers, courses, etc. Ce sont aussi souvent des soutiens financiers. Les parents aident, quand ils le peuvent, leurs enfants à se loger : en les installant dans un logement leur appartenant ou en leur permettant de devenir eux-mêmes propriétaires grâce à un prêt, ou même un don (un tiers des propriétaires de maisons ou d'appartements le sont devenus grâce à leurs parents). S'il est rare que les parents assurent les dépenses quotidiennes, ils apportent fréquemment, quand ils en ont les moyens, une aide financière pour de grosses dépenses – l'équipement ménager, l'achat d'une voiture – ou acceptent de prêter de l'argent (sans intérêt, ce qui est plus intéressant qu'un prêt bancaire !) en cas de difficultés. Les

grands-parents font des cadeaux, glissent de temps en temps « un petit billet » à leurs petits enfants.

Un cinquième des parents considèrent toujours qu'un de leurs principaux devoirs est de laisser « quelque chose » à leurs enfants. Les deux tiers des Français reçoivent au cours de leur vie un héritage (dont le montant peut être fort variable). Dans bon nombre de cas, c'est également grâce à la famille ou à ses relations que les jeunes trouvent un emploi. On peut dire que les solidarités familiales contribuent à renforcer les inégalités sociales, puisqu'elles jouent à la fois au niveau de l'insertion professionnelle et au niveau financier. On peut d'autant plus aider ses enfants qu'on appartient à un milieu favorisé.

Les grands-parents s'occupent souvent de leurs petits-enfants. Plus du tiers des femmes qui travaillent sont aidées, en particulier au moment des vacances scolaires, par leur mère. Si la proximité géographique le permet, la grand-mère s'occupe des petits-enfants, les jours où il n'y a pas d'école ; elle reste aussi au chevet du petit qui est malade. Durant les périodes de vacances scolaires, les petits-enfants font, pour la plupart, au moins un séjour chez leurs grands-parents, même quand ceux-ci ont encore eux-mêmes une activité professionnelle.

« Ô VIEILLESSE ENNEMIE »

Autrefois, en France, il était normal et courant que les personnes âgées, en particulier lorsqu'elles se retrouvaient seules après un veuvage, finissent leur vie en cohabitant avec leurs enfants. Des raisons affectives et morales étaient mises en avant – le devoir de prise en charge des parents – mais aussi le

manque de ressources financières de beaucoup de personnes âgées. Celles-ci sont maintenant beaucoup plus autonomes sur le plan financier et sur le plan médical. Avec l'amélioration du système des retraites, elles sont souvent à l'abri du besoin et, avec les progrès de la médecine, elles sont en meilleure santé.

L'entraide entre générations est toujours un principe majeur, mais il est désormais admis que la cohabitation entre générations est une contrainte pour tout le monde. Les personnes âgées manifestent le désir de rester chez elles aussi longtemps que leur santé le leur permet. Pour conserver leur indépendance, elles ne souhaitent pas aller chez leurs enfants. Elles ne souhaitent pas non plus aller en maison de retraite, parce qu'on y est « entre vieux » et qu'on doit se soumettre à une discipline et à des horaires.

Le problème se pose plus tardivement, pour les personnes de plus de 80 ou 85 ans, lorsqu'elles deviennent « dépendantes » et que, malgré le développement des services d'aide et de soins, le maintien à domicile pose problème. Le choix se pose alors entre la cohabitation avec les enfants (ou éventuellement les petits-enfants) ou l'institution. Le placement en institution est toujours délicat. Les enfants éprouvent généralement une certaine culpabilité à l'idée d'abandonner leurs vieux parents dans ce qu'ils considèrent comme des « mouroirs* ». C'est souvent la taille du logement qui est décisive : lorsque le logement est assez grand – ce qui est plus fréquent à la campagne ou dans les petites villes que dans les grandes agglomérations –, ils essaient de faire leur possible pour accueillir leur parent âgé chez eux, mais cela est difficile lorsqu'ils travaillent et qu'ils sont peu disponibles. D'autres raisons peuvent entrer en ligne de compte, en particulier l'aspect financier : les frais d'une institution sont élevés et amputeraient* une part de l'héritage à venir. ■

« Pour trouver une place aux personnes âgées, on essaie de les circonscrire* dans des appellations toutes plus caricaturales les unes que les autres, [...]: le "troisième âge", le "quatrième âge", les "jeunes vieux", les "vieux vieux", [...] les "supermamies", les "flamboyants", les "dépendants lourds", etc. [...] Ces étiquettes se partagent de plus entre deux représentations ; les "bons" : les jeunes vieux, actifs, bien portants, maîtres de leurs choix de vie, qui font des choses utiles pour la société, qui sont une richesse pour la nation, en fait tout sauf des "vieux" ; et les "mauvais" : les vieux vieux, ceux qui ne vont pas bien, ceux qui ne font pas des choses utiles, ceux qui coûtent cher à la société, en argent et en angoisse. Ce seraient là les vrais "vieux". [...]

Quels modèles d'insertion la société propose-t-elle – impose-t-elle – à ceux qui, vieillissant, n'ont pas eu la chance de garder ou de retrouver une place par eux-mêmes ? Quoiqu'on dise aujourd'hui de l'aliénation* du travail ou d'une activité qui s'y apparente, c'est par ces derniers que la majorité de la population est insérée* dans la vie sociale – le chômage vient rappeler tous les jours cette évidence. C'est pourquoi beaucoup de personnes vieillissantes s'efforcent de se conformer à l'image de plus en plus vulgarisée du retraité bénévole*, utile à la société, au travers d'activités multiples (conseil aux jeunes à la scolarité difficile, conseil à destination des pays en voie de développement, etc.). Pour beaucoup d'autres, c'est le modèle de la consommation qui est proposé, à travers le phénomène "club", notamment depuis les années soixante-dix (clubs de loisirs, de voyages, de cuisine, université du 3e âge, etc.). Pour un certain nombre d'autres personnes vieillissantes, l'insertion valorisée est celle qui se fait au niveau local, notamment par le biais* de relations familiales et de voisinages intenses. C'est alors l'image de grands-parents modèles qui s'impose. »

L'État de la France 93/94,
La Découverte/CRÉDOC, 1992.

1
POUR VIVRE HEUREUX, VIVONS CACHÉS

Pour chacune de ces expressions, trouvez la définition correspondante parmi la liste qui suit :

1. on n'a pas gardé les cochons ensemble
2. être à tu et à toi avec quelqu'un
3. être copains comme cochons
4. c'est pas mes oignons
5. chacun chez soi et les vaches seront bien gardées
6. marcher sur les plates-bandes de quelqu'un
7. laver son linge sale en famille
8. garder ses distances avec quelqu'un
9. être comme cul et chemise
10. la peur du qu'en-dira-t-on

a. être très amis
b. ce ne sont pas mes affaires, ça ne me regarde pas
c. que chacun s'occupe de ses affaires et tout ira pour le mieux
d. être inséparables
e. avoir peur de l'opinion des autres
f. refuser la familiarité avec quelqu'un
g. pas de familiarité entre nous
h. agir sans se soucier des droits de quelqu'un
i. être intimes
j. régler ses problèmes entre personnes concernées, sans témoin

4
LE JEU DU TÉLÉPHONE ARABE

Le pharmacien l'a dit à la bouchère

Et la bouchère l'a dit au cantonnier

Le cantonnier l'a dit à monsieur l'Maire

Et monsieur l'Maire l'a dit au charcutier

Le charcutier l'a dit au chef de gare

Le chef de gare l'a dit au père Camus

Le père Camus l'a dit à la fanfare

Et c'est comme ça que tout l'pays l'a su

Toutl'pays l'a su, chanson de 1932, paroles de Ch.-L. Pothier, musique de Borel Clerc.

Cette chanson fonctionne comme le jeu du « téléphone arabe », qui consiste à donner oralement une information à son voisin, qui la transmet à son tour à son voisin et ainsi de suite. À l'arrivée, l'information peut être très différente de ce qu'elle était à l'origine !

Jouez en groupe au téléphone arabe en partant, par exemple, de ce texte initial :

La concierge était dans l'escalier avec son balai à la main et son fichu sur la tête. Le chien de ma voisine est sorti brutalement et l'a renversée sur le palier.

3
LANGAGE PROFESSIONNEL

Les termes utilisés dans la vie professionnelle ne sont pas neutres. Ils diffèrent selon la situation, l'objet de la rencontre, la distance hiérarchique entre deux personnes.

Pour chacune des phrases suivantes, trouvez le terme approprié grâce aux définitions :

a. une entrevue : une rencontre entre personnes qui ont à traiter une affaire

b. un rendez-vous : une rencontre convenue entre personnes de même qualité

c. une audience : une réception accordée par quelqu'un d'important

d. convoquer : faire venir une personne auprès de soi en utilisant l'autorité dont on dispose

e. inviter : demander gentiment, avec douceur

f. sommer : ordonner

1. Le ministre a accordé .... à un journaliste.

2. Madame X demande .... à son chef de service pour lui demander une augmentation.

3. Le directeur du personnel .... une employée pour lui demander des comptes sur ses retards successifs.

4. Prenons .... pour étudier ce dossier ensemble.

5. Après la grève, le directeur a .... les ouvriers de rejoindre leur poste de travail.

6. Le personnel a été .... à participer à un pot amical.

2
SANS DOMICILE FIXE

Les travaux sociologiques réalisés sur les « nouveaux pauvres » montrent que c'est autant la perte des solidarités familiales que la perte d'un emploi qui peut être à l'origine de l'exclusion.

Comment les solidarités familiales peuvent-elles empêcher de sombrer dans la pauvreté ? Pourquoi trouve-t-on des nouveaux pauvres et des « SDF » (sans domicile fixe) surtout dans les grandes villes ?

Est-ce que la famille vous semble jouer un rôle identique dans tous les pays ?

5

LE MONDE DE L'ENTREPRISE

Tous ces termes désignent les personnes ou les groupes de personnes qui travaillent dans une entreprise.

1. les agents
2. les agents de maîtrise
3. la base
4. les cadres
5. les chefs
6. les chefs de service
7. les petits chefs
8. les contremaîtres
9. la direction
10. les dirigeants
11. les employés
12. l'encadrement
13. la hiérarchie
14. la main-d'oeuvre
15. la maîtrise
16. les opérateurs
17. les ouvriers
18. le patron
19. le PDG
20. le personnel
21. le personnel de base
22. le personnel d'exécution
23. les salariés
24. les subalternes
25. les subordonnés
26. les travailleurs

Classez-les en quatre groupes, selon qu'ils désignent :

a. de façon neutre, n'importe quelle personne travaillant dans l'entreprise
b. les propriétaires ou les personnes qui sont à la tête de l'entreprise
c. des personnes qui exercent une responsabilité sur d'autres personnes
d. des personnes sans responsabilités particulières

La politesse et les convenances

ne sont plus réglées par des codes rigides.

Cependant, il existe dans la vie sociale et professionnelle

des usages et des coutumes qu'il vaut mieux connaître

pour ne pas commettre d'impair*

et pour être accepté.

PETIT MANUEL DU SAVOIR-VIVRE

Trop Poli pour être Honnête ?

« L'esprit de politesse est une certaine attention à faire que, par nos paroles et par nos manières, les autres soient contents de nous », écrivait La Bruyère.

Il notait déjà (au XVIIe siècle) que la politesse est différente selon les époques et selon les lieux. Il est vrai que les règles de l'étiquette – telles qu'on peut encore les lire dans les manuels de savoir-vivre – ne sont plus guère en vigueur. Il est vrai aussi que, selon les milieux sociaux ou professionnels, selon que l'on est en ville ou à la campagne, on est plus ou moins protocolaire. Mais il y a un minimum de règles à respecter pour ne pas avoir l'air d'un rustre* ou d'un malpoli. Il y a « des choses qui se font et des choses qui ne se font pas », « des choses qui se disent et des choses qui ne se disent pas ».

Les Français sont dans leur ensemble très sensibles à ce qu'ils considèrent comme les règles élémentaires de la vie sociale : saluer, s'excuser, remercier. Quel que soit le milieu, l'apprentissage de la politesse tient une place importante dans l'éducation des enfants, qui doivent très tôt savoir dire : « Bonjour, madame », « S'il vous plaît, monsieur », « Merci, monsieur », etc. Cela doit devenir un réflexe !

Dans un magasin, par exemple, il faut respecter tout un rituel si on ne veut pas être considéré comme un affreux goujat. Le client salue à la cantonade* en entrant, il remercie le commerçant quand il a été servi, celui-ci doit le remercier quand il a été payé, ensuite il faut que chacun dise « au revoir »… De la même façon, si on écrase le pied d'une personne dans le métro, le plus important est de prononcer une excuse, même banale ! Toutes ces paroles sont déver-

••••••••••••••••••••

DE L'USAGE
DES BONNES MANIÈRES

« Depuis quatre siècles, traités, guides et manuels de savoir-vivre fleurissent à un rythme encore plus soutenu que les livres de cuisine […]. Les XVIe, XVIIe et XVIIIe siècles sont ceux des Civilités, ouvrages dont le but est soit d'enseigner au courtisan un comportement digne du lieu royal où il est reçu, soit d'apprendre au bon chrétien à se montrer digne de ce nom et à se distinguer des païens et des sauvages. Au XIXe siècle, tout change. La Cour a disparu, remplacée par "le grand monde", où des aristocrates devenus vertueux côtoient des bourgeois devenus gentilshommes […]. Aux Civilités succèdent d'innombrables Guides du Savoir-vivre, des Usages, des bons Usages. […] Aujourd'hui, dira-t-on, […] finies les attitudes guindées* et les formules toutes faites. Voire ! Car il est facile de remarquer que les plus décontractés sont ceux qui connaissent le mieux les formules en question et leurs règles d'emploi … »

Sylvie Weil, *Trésors de la politesse française*, Belin, 1983.

••••••••••••••••••••

● ●

LES MAUVAISES MANIÈRES DES FRANÇAIS

Ils avouent qu'il leur arrive ou qu'il leur est déjà arrivé :

	Ensemble	Hommes	Femmes
■ Au restaurant, en groupe, lorsqu'il s'agit de payer l'addition, de payer uniquement ce qu'ils ont consommé	45 %	51 %	39 %
■ De couper la parole aux autres au cours d'une discussion	44 %	42 %	46 %
■ De se mettre le doigt dans le nez	45 %	55 %	36 %
■ De parler la bouche pleine	36 %	40 %	33 %
■ De ne pas rendre rapidement ce qu'ils ont emprunté (un livre, un disque, etc.)	35 %	40 %	30 %
■ De bâiller ou de tousser sans mettre la main devant la bouche	30 %	35 %	26 %
■ De lire le journal par-dessus l'épaule de leur voisin dans les transports en commun	28 %	30 %	27 %
■ De ne pas dire bonjour à leurs collègues tous les matins	25 %	29 %	20 %
■ De lire le journal à table au nez de leur(s) convive(s)	16 %	20 %	11 %
■ De devoir de l'argent à un ami ou à un parent	15 %	18 %	12 %
■ De manger bruyamment au cinéma	10 %	12 %	8 %
■ De jeter dans la nature les détritus* de leur pique-nique	9 %	12 %	6 %
■ De ne pas se brosser les dents pendant au moins une semaine	8 %	14 %	3 %

D'après *L'Écho des savanes*, février 1993.
Sondage IPSOS/ÉCHO.

● ●

● ● ● ● ● ● ● ● ● ● ● ● ● ● ●

LA POIGNÉE DE MAIN

« Chez les peuples européens, comme chacun sait, la poignée de main sert à dire bonjour. Chez les Français en particulier, on se serre la main à tout moment de la journée.

Commencez donc par ôter de votre esprit toute idée de courbette : courber l'échine est, pour un Français, synonyme d'humiliation et d'échec. Faire des courbettes est une attitude réservée aux laquais des pièces de Molière. La poignée de main est d'ailleurs ici une institution bien préférable à notre profonde inclinaison du buste, croyez-moi : les Français sont tous de tailles différentes, et la synchronisation de leurs mouvements collectifs laisse à désirer ; imaginez-vous toutes ces têtes françaises risquant constamment de s'entrechoquer ?

sées de façon automatique, ce qui paraît ridicule ou hypocrite à certains étrangers, mais elles constituent les règles élémentaires de la politesse.

Lorsqu'on demande à des Français quelles sont pour eux les situations les plus impolies, c'est le manquement à ces marques formelles de politesse qui les choque le plus. On peut s'étonner qu'ils soient moins sensibles à des comportements pourtant grossiers (ne pas laisser sa place à une personne âgée ou à un handicapé dans un lieu public, couper la parole à quelqu'un, lâcher la porte sans se soucier des personnes qui suivent) et qu'ils soient peu nombreux à considérer qu'il est impoli de doubler dans une file d'attente ! Quant au manque de galanterie, les femmes s'y sont tellement habituées qu'elles ne

s'attendent même plus à ce que les hommes leur tiennent la porte !

Les règles de politesse ont pour objectif d'organiser la vie en société, mais aussi de s'opposer à l'expression de paroles ou de comportements violents. On essaie (avec de moins en moins de succès) d'interdire aux enfants de prononcer des jurons… mais les adultes ne s'en privent pas. Les grossièretés sont de plus en plus tolérées dans tous les milieux et à tous les âges.

L'écart est de plus en plus grand entre la tradition de « bonne éducation » et le comportement dans la vie quotidienne. Les pratiques sociales n'ont plus grand-chose à voir avec les conseils donnés dans les manuels de « savoir-vivre à la française ». Beaucoup de gens se plaignent du laisser-aller qui s'est progressivement développé, que ce soit dans les familles, les entreprises, les lieux publics, mais tout le monde y participe !

Ce sont les jeunes qui ont commencé à dénoncer durant les dernières décennies (dans la foulée de mai 68), les règles de « la politesse bourgeoise », non seulement parce qu'elles apparaissaient comme des contraintes formelles vides de sens, mais surtout parce qu'elles étaient synonymes d'hypocrisie sociale. Ils affirmaient que la vraie politesse devait être la politesse du cœur, celle qui consiste à faire attention aux autres.

Cette tendance s'est étendue à tous les milieux et à toutes les générations. De façon générale, dans la vie courante, on est devenu beaucoup moins « à cheval sur les convenances* ». Être poli, c'est avant tout se comporter correctement, considérer les autres comme des êtres égaux, les traiter comme on

[annotations manuscrites en haut à gauche]
relations plus conviviales (filtrer les appels avec
« faire les biz » le répondeur)
convivialité
parler de vive voix
papoter au téléphone.

enregistrer un message sur le répondeur = la boîte vocale.

[annotations manuscrites en haut à droite]
les gens sont plus amicaux, amiables,
à la campagne (l'amabilité)
« bavarder »

souhaiterait soi-même être traité. La bonne éducation, à notre époque, se caractérise davantage par le respect des autres que par la stricte conformité à un code formel de savoir-vivre.

SIMPLE COMME BONJOUR

En ville, on parle rarement à des gens qu'on ne connaît pas dans les lieux publics, si ce n'est pour demander son chemin, un renseignement, l'heure, ou encore en cas de difficultés particulières. Engager la conversation avec un inconnu qui occupe la table voisine au café ou au restaurant est considéré comme une tentative d'envahissement… ou de drague*! Les habitants d'un même immeuble peuvent se croiser pendant des années dans le même

ascenseur sans se dire autre chose que « bonjour » ou « bonsoir »! En revanche, quand on est à la campagne ou dans un petit village, on dit facilement bonjour à toute personne que l'on rencontre, même si on ne la connaît pas.

On salue différemment les personnes selon les circonstances et selon le degré d'intimité qu'on a avec elles. On donne une poignée de mains aux personnes que l'on ne connaît pas ou avec lesquelles on a seulement des relations formelles ou professionnelles. Mais on s'embrasse aussi beaucoup, non seulement entre personnes de la même famille, entre amis, mais dès que l'on se connaît un peu, parfois même entre collègues, dans certains milieux professionnels. On s'embrasse à chaque fois que l'on se dit bonjour ou au revoir,

C'est déjà assez difficile comme cela de réussir à serrer la main d'un Français dans une rencontre de groupe. Chez nous, les deux partis se mettent en ligne, face à face, et s'inclinent à tour de rôle comme des automates. C'est rapide et sans surprises. Mais, en France, on se regroupe en un rond informel comme pour une mêlée de rugby; au lieu d'introduire le ballon ovale, quelqu'un introduit sa main dans le cercle, et chacun essaie de l'attraper. Voici le jeu:

1. Tendez votre main pour attraper celle du Français ou de la Française qui vous fait vis-à-vis.

2. À ce moment précis, un autre individu intercepte la main que vous visiez. Retirez la vôtre et ricanez pour montrer que vous appréciez le jeu.

3. Dès que vous remettez votre main dans votre poche, un autre Français vous tend la sienne. Vous tendez alors la main à un troisième et le précédent reste la main en l'air en affichant bonne contenance à son tour. Vous avez aussi le droit de faire obstruction*: quand deux mains sont sur le point de se joindre sous vos yeux, vous tendez brusquement la vôtre en travers, en direction de celui qui vous fait face, et les deux autres doivent retirer les leurs et rire de bon cœur.

4. Répétez ce ballet jusqu'à l'heure de vous séparer.

Plus le nombre de Français qui se présentent est élevé, plus le jeu est amusant et plus il dure longtemps. Celui qui ne réussit à serrer aucune main a un gage: personne ne lui adresse la parole. Celui qui réussit à serrer la main de tout le monde a de sérieuses chances de faire carrière dans la politique française.

Un dernier détail. Ne donnez pas de tape dans le dos ou sur le ventre à un Français que vous voyez pour la première fois. Vous n'êtes pas en Amérique! »

Akio Suzuki, *Un Japonais à Paris*, Belfond, 1988.

**«VOUS PASSEZ VOTRE TEMPS
À NOUS FAIRE PERDRE LE NÔTRE»**

«Après mûres réflexions et vingt années de vie chez vous, je vais vous dire mon sentiment: vous me paraissez être le peuple le plus voleur de la terre, ô rassurez-vous, pas d'argent ni d'objets, mais tout simplement de la denrée la plus précieuse et la plus comptée: le temps. Pour le commun des Français, le temps d'autrui compte pour rien. D'où d'incompressibles attentes et queues un peu partout, chez le boucher, au guichet de la poste, etc. Il faut se résigner à sacrifier des journées entières pour assurer des tâches administratives courantes, sans oublier la somme des demi-heures perdues à contempler un chauffeur dont la livraison obstrue* la rue. Cette catégorie professionnelle me semble la plus brutale de tous les voleurs de temps, inutile de dire ou de faire quoi que ce soit: le chauffeur vous lance immédiatement un: "Je travaille, moi"; les agents en faction se fichent, me semble-t-il, éperdument des bouchons ainsi créés et le moindre coup de klaxon ralentit bien plus qu'il n'accélère l'opération. […]

N'accablons pas pourtant cette honorable corporation. En France, du plus petit fonctionnaire au ministre d'État, on mesure aussi sa propre importance à sa capacité à faire attendre. Ce n'est vraisemblablement pas pour rien qu'on nomme les clients des médecins, des "patients". Les ministères français peuvent se targuer* d'une variante dans ce processus social très français: on fait d'abord patienter au rez-de-chaussée de la puissance attentatoire* puis, passé un délai variable, on fait monter en étage, histoire de changer au moins de décor, et de gueule d'huissier contemplant le pauvre poireau* avec condescendance. Tout un art, comme on voit.

Encore plus agaçant: l'importantissime personnage qui consent enfin à vous recevoir, mais, sitôt en votre présence, se met instantanément à téléphoner ("Vous permettez?"), à moins qu'il ne reçoive une série d'appels qui réduiront à moins de dix minutes la demi-heure d'entretien prétendument accordée.

deux fois (une fois sur chaque joue), parfois trois ou même quatre fois selon les régions. En fait, les femmes et les filles s'embrassent, les hommes et les femmes s'embrassent, mais les hommes et les garçons entre eux se donnent plutôt une poignée de mains.

ALLÔ? ALLÔ?

Le téléphone, («L'admirable féérie» dont parlait Proust), est devenu un élément indispensable de la vie quotidienne. Aussi, certaines règles se sont imposées, au fur et à mesure de son développement. Dans les bureaux, on a multiplié les lignes directes. Il est donc important de se présenter immédiatement et de vérifier que l'on est bien en communication avec la personne ou le service demandé. Dans les communications personnelles, après s'être assuré que l'on est bien chez le correspondant souhaité, l'usage veut que l'on se présente.

Le téléphone est devenu un peu partout, et en particulier dans les grandes villes où il est répandu depuis

les années 60, un objet familier complètement intégré à l'intimité, quasiment aussi indispensable que l'électricité. Le lieu où on installe le téléphone s'est progressivement déplacé: considéré au départ avant tout comme un objet technique utilitaire, il était cantonné dans le couloir ou dans l'entrée, à mi-chemin entre le monde extérieur et la vie privée. Petit à petit, il a envahi les lieux plus intimes, la salle à manger ou le salon et très souvent, aujourd'hui, la chambre à coucher. On ne téléphone plus seulement pour des raisons utilitaires, mais fréquemment pour le plaisir. Le téléphone joue un rôle important dans les liens amicaux et familiaux. Il remplace bien souvent les visites ou les rendez-vous. On reste alors au téléphone pendant des heures, confortablement installé, juste pour le plaisir de «papoter*». Les adolescents et les femmes sont parmi les plus bavards. Bien des devoirs difficiles sont résolus au téléphone, avec les copains.

Le bon usage du téléphone exige de respecter certaines règles. On ne téléphone pas le matin de bonne heure, ni le soir après 21 heures, ni aux heures de repas, mis à part aux personnes très intimes, qu'on est sûr de ne jamais déranger. Le téléphone est parfois devenu tellement envahissant que l'usage du répondeur téléphonique s'est répandu, non seulement pour prendre les messages en cas d'absence, mais aussi pour filtrer les appels.

EN VISITE

En ville, depuis la généralisation du téléphone, on ne rend plus jamais visite à quelqu'un à l'improviste. Il est impoli de ne pas téléphoner pour annoncer sa visite (ne serait-ce que dix minutes avant), pour demander si cela ne dérange pas. Un visiteur qui arrive chez quelqu'un se voit toujours proposer quelque chose. Selon l'heure, ce peut être un café, un thé, une bière, un jus de fruit, ou un apéritif.

Les invitations à dîner se font généralement assez longtemps à l'avance (une semaine à un mois), rarement par « bristol » (carte de visite réservée aux réceptions officielles), le plus souvent par téléphone ou de vive voix. Lorsqu'on propose à quelqu'un « de le garder à dîner » ou qu'on l'invite au dernier moment, ce n'est pas considéré comme une invitation en bonne et due forme ; on se sent tenu de préciser que c'est « à la bonne franquette », « à la fortune du pot ».

À la campagne, le rythme de vie est différent, on prend son temps. La coutume veut que lorsqu'un visiteur se présente, on échange des paroles de politesse assez conventionnelles – « comment ça va », « ça va bien ? », « et la santé ? », « et les enfants ? » – avant de l'introduire à l'intérieur de la maison. Puis on lui propose en général de boire quelque chose. La maîtresse de maison sort les verres, les essuie, remplit un verre de vin, de cidre ou d'eau-de-vie. Si par exemple, l'objet de la visite est de venir acheter un lapin, des œufs... on ménage généralement un certain temps entre le moment où on se met d'accord et le moment où on paie, en buvant un verre, en parlant de choses et d'autres. C'est une façon de rendre la relation plus conviviale et de ne pas la limiter à un rapport marchand.

« L'Heure, c'est l'Heure... »

« L'exactitude est la politesse des rois », disait Louis XVIII... « Avant l'heure, c'est pas l'heure, après l'heure, c'est plus l'heure ! » disaient fréquemment nos grands-pères... Les Français pourtant semblent avoir une idée de la ponctualité assez souple ! On peut avoir l'impression, souvent à juste titre, qu'on vous fait attendre sans raison particulière.

Dans la vie professionnelle, on respecte généralement l'heure fixée pour un rendez-vous avec une personne précise. En revanche, les réunions professionnelles, les colloques, les séminaires, commencent rarement à l'heure exacte, ce qui étonne toujours certains étrangers. Beaucoup de gens considèrent qu'un retard est normal tant qu'il n'excède pas « le quart d'heure de tolérance ». Quant aux administrations, elles ont la réputation de faire perdre beaucoup de temps aux gens, en les faisant attendre et en les renvoyant de bureau en bureau pour la moindre démarche ! Les heures de rendez-vous chez le médecin ou le dentiste sont peu respectées (et c'est bien pire encore dans les hôpitaux !).

Par une sorte de convention tacite, les spectacles parisiens commencent rarement à l'heure annoncée, mais plutôt avec un bon quart d'heure de retard. Dans le cas contraire, cela est expressément précisé sur le programme : « Le spectacle commencera à 20 heures 30 précises » ou encore « Les portes du théâtre seront fermées dès le début de la représentation ».

Les rendez-vous privés sont tout aussi flous. Bien des gens considèrent, là aussi, qu'il est admis de tolérer un quart d'heure de retard. Si vous êtes invités à dîner à 20 heures (heure à peu près habituelle), il vaut mieux arriver avec un quart d'heure ou une demi-heure de retard... sous peine de déranger vos hôtes avant qu'ils n'aient terminé leurs préparatifs ou fini de prendre leur douche !

N'étant pas doté d'un tempérament totalement soumis, j'ai appris, en vingt ans, à meubler mes récurrentes* attentes. Bizarre : quand, en réponse aux excuses plus ou moins sincères des éminences* pour la longue attente qu'ils m'ont fait subir, je leur fais observer que cela m'a au moins donné le temps de lire le journal, j'ai réellement l'impression de les vexer. Comme si j'avais déjoué un piège important du jeu social.

Car je n'en démordrai pas : à mon sens, les Français sont parfaitement conscients de cet attentat permanent au temps des autres. Je n'en veux pour preuves que deux injures majeures de votre vocabulaire : "Vous me faites perdre mon temps." Et pis encore : "Je n'ai pas de temps à perdre." Et moi donc ! »

Ronald Koven (Boston Globe)
L'Événement du Jeudi, 29 juin 1989.

• • • • • • • • • • • • • • • • •

RETARDS « NORMAUX »

« Vous serez jugé sur la qualité de votre retard. Aussi toute heure publiée ou convenue doit-elle être mentalement corrigée. Le débarquant devrait être à peu près dans les temps, c'est-à-dire se conduire avec correction, en appliquant les dépassements suivants à l'horaire indiqué :
– Rendez-vous très important, *10 minutes de retard*
– Table réservée à 13 heures, *15 minutes*
– Table réservée à 20 heures, *20 minutes et plus*
– Première au théâtre, *30 minutes*
– Coquetèle, *de 40 à 80 minutes*
– Dîner en ville, *de 30 à 50 minutes*
– Soirée, *2 heures et plus*
– Visite à domicile (pour un médecin), *de 4 à 8 heures*
– Visite à domicile (pour un plombier), *de 3 jours à 3 mois*
– Remise de manuscrit (pour un auteur), *de 3 mois à 3 ans*
– Paiement d'une contravention, *jamais.* »

Alain Schiffres, *Les Parisiens*, J.-C. Lattès, 1990.

• • • • • • • • • • • • • • • • •

LES FRANÇAIS
SONT-ILS RADINS* ?

Certains stéréotypes ont la vie dure. Les Français sont, aux dires de certains étrangers, calculateurs, parcimonieux*. Il est vrai que la fable de la Fontaine, « La Cigale et la Fourmi », qui a alimenté les cours de morale à l'école primaire, prône les vertus de l'économie et de la prévoyance.

Il n'est pas bien vu d'être « panier percé* », mais on se moque aussi beaucoup des paysans ou des habitants de certaines régions (l'Auvergne en particulier) qui ont la réputation d'être « près de leurs sous ».

QUI GÈRE L'ARGENT
DU MÉNAGE ?

Traditionnellement, dans la bourgeoisie, c'était l'homme qui s'occupait de tous les problèmes économiques. À l'inverse, chez les paysans, les ouvriers, et dans les classes moyennes, c'était le plus souvent la femme qui était responsable de la gestion du budget du ménage. Cette situation s'est largement perpétuée. Plus le milieu social est modeste, plus ce sont les femmes qui tiennent seules les cordons de la bourse. Mais avec le développement massif du travail des femmes, on voit de plus en plus de couples, quel que soit le milieu social, où la femme et l'homme participent tous les deux à la gestion du budget familial. Ce n'est que récemment, en 1965, qu'une femme mariée a pu ouvrir un compte en banque sans le consentement de son mari et ce n'est qu'en 1985 qu'on a reconnu une égalité aux époux devant l'argent, y compris bien sûr devant les dettes.

L'ARGENT TABOU ?

Il subsiste, en France, un tabou certain concernant les questions d'argent, qui peut s'expliquer historiquement par le mépris que toutes les classes dirigeantes affichaient envers l'argent. L'Église catholique affirmait que le salut passait avant tout par la pauvreté. L'aristocratie ne s'occupait pas d'argent, elle laissait cela à des professionnels, les banquiers et les notaires. Quant aux républicains, ils dénonçaient les méfaits engendrés* par l'argent.

Dans la littérature, l'argent est bien souvent mis en cause, parce qu'il corrompt les hommes. Harpagon, « l'Avare » de Molière, accumule l'argent, fait fructifier son patrimoine… et finit par ne plus aimer que son or. Le Bourgeois gentilhomme est ridicule parce que c'est un parvenu*. Les romanciers du XIXᵉ siècle, Balzac, Zola, Stendhal, décrivent longuement les passions cupides* qui mènent leurs héros à leur perte et critiquent l'absence de scrupules de ceux qui s'enrichissent. Pour les auteurs chrétiens des XIXᵉ et XXᵉ siècles, tel Péguy, l'argent corrompt impitoyablement ceux qui le touchent.

Dans la vie politique française, les rapports entre le pouvoir et l'argent ont toujours été très complexes. On a toujours affirmé que le pouvoir politique ne devait pas être un moyen d'enrichissement. Fallait-il donc être riche pour faire de la politique ? La question n'était jamais posée publiquement.

L'industrialisation tardive de la France est due en grande partie au fait que les Français investissaient peu leur argent. L'argent était fait pour être amassé, on n'y touchait pas. Il n'y a pas si longtemps, les Français gardaient leurs économies chez eux. Ils cachaient leurs billets de banque ou leurs pièces d'or dans « un bas de laine », une lessiveuse ou les enterraient au fond du jardin ! S'ils décidaient de faire un placement, c'était bien souvent dans la pierre (« une valeur sûre »), ils achetaient alors un ou plusieurs appartements ou immeubles.

Il n'est pas de bon ton de paraître riche, d'« afficher sa fortune ». L'héritier fortuné est toujours mieux considéré que le « parvenu », traité facilement de « nouveau riche » ! On ne parle pas aisément de ce qu'on gagne, sauf peut-être avec des intimes, et encore ! Il est de mauvais goût de parler de ses revenus ou de ceux des autres. Se permettre de demander à quelqu'un combien il gagne peut être considéré comme choquant. Bien des gens ignorent ce que gagnent leurs amis ou même les membres de leur famille proche.

On met les formes pour réclamer de l'argent à quelqu'un qui vous en doit. On peut même y renoncer tellement c'est difficile à faire. Quand c'est possible, on évite de donner de l'argent de la main à la main, que ce soit un cadeau à un enfant ou à un adulte, les étrennes de la concierge ou le paiement d'un service rendu. Il est moins gênant de mettre un billet dans une enveloppe qui ne sera ouverte que plus tard. Curieusement, on a moins de pudeur pour donner un chèque. L'usage du chèque est entré complètement, et depuis déjà longtemps, dans les habitudes de la plupart des Français. Pratiquement tous les achats, même d'un petit montant, peuvent se régler par chèque.

Cependant, les comportements vis-à-vis de l'argent évoluent. Il semble que l'argent acquiert davantage droit* de cité.

Il n'est plus le diable absolu! L'argent provient du travail, rarement d'une fortune personnelle. C'est une rétribution pour un effort fourni, un moyen de se sentir libre et de profiter de la vie.

Selon de nombreuses enquêtes les Français considèrent qu'on ne doit pas choisir son métier uniquement en fonction du niveau de salaire mais aussi de la satisfaction, des relations que l'on a dans son travail. Ils pensent que les salaires doivent prendre davantage en compte l'utilité sociale de tel ou tel métier. De plus en plus – c'est une tendance récente – les individus sont évalués selon leur valeur sur le marché du travail. Les journaux parlent du « prix » que vaut telle ou telle personne. À la fin des années 80, le salaire d'un PDG n'est plus forcément considéré comme un scandale (contrairement aux périodes précédentes), s'il sait faire ses preuves de manager. Cela va de pair avec le développement du « culte de l'entrepreneur ». On admire les « battants », personnages dynamiques, parfois même agressifs, qui brassent de l'argent mais qui prennent des risques et qui créent des emplois. En revanche, les salaires mirobolants* des stars du cinéma, de la télévision ou du monde sportif suscitent beaucoup de critiques.

Désormais, l'argent est fait pour circuler. Épargner pour le plaisir de l'épargne est surtout le fait de personnes âgées. Non seulement on n'a pas d'argent chez soi, car tout est à la banque, mais on cherche à le faire fructifier en le plaçant au mieux, en achetant et en revendant des actions. On n'attend pas d'avoir économisé l'argent nécessaire pour faire des achats: on fait un emprunt pour acheter un logement, une voiture ou un téléviseur. À la campagne, les agriculteurs s'endettent pour moderniser leur exploitation.

L'engouement* pour l'argent va de pair avec une volonté de transparence. Gagner très vite beaucoup d'argent est suspect. Gagner de l'argent par le jeu des placements financiers plutôt que par le fruit de son travail est un peu immoral. Dans les années 90, la presse dénonce chaque jour de nouvelles « affaires » traduites en justice: scandales financiers, corruption, détournement d'argent public, etc. Des chefs d'entreprise sont inculpés pour « recel » ou « abus de biens sociaux » (utilisation des services ou des employés de leur entreprise à des fins personnelles). Des ministres, des maires sont inculpés – voire même emprisonnés – pour avoir reçu des pots-de-vin* lors de la passation de marchés avec de grosses entreprises. Pour la première fois dans l'histoire politique française, les membres du gouvernement et les candidats à la présidence de la République sont sommés de rendre publics leurs revenus réels et le montant de leur patrimoine ∎

1
BONS USAGES ET MAUVAISES MANIÈRES

Indiquez pour chacune de ces situations ce qui, de nos jours, est considéré par les Français comme…

a. gentil

b. pas très apprécié, mais toléré

c. une attention charmante, même si elle est désuète

d. impoli

e. très choquant

f. interdit par la loi

1. Dans l'autobus, un homme laisse sa place à une femme.

2. Dans le train, un jeune homme aide une jeune fille à monter sa valise dans le porte-bagages.

3. Vous entrez dans le métro, la personne qui vous précède vous tient la porte ouverte.

4. Sur le quai du métro, une jeune fille est en train de fumer.

5. … et un jeune homme en train de cracher.

6. À la poste, un monsieur veut vous doubler dans la file d'attente parce qu'il est très pressé : sa voiture est mal garée !

7. Au cinéma, des spectateurs mangent des biscuits pendant le film.

8. Au restaurant, votre fils met les coudes sur la table pendant le repas.

9. … et votre fille met sa serviette autour du cou.

10. Invité à dîner, vous apportez un bouquet de fleurs à la maîtresse de maison. Elle va le mettre à rafraîchir dans le lavabo de la salle de bains.

11. Vous offrez un cadeau à son mari. Il attend d'être seul pour ouvrir tranquillement le paquet.

12. Au moment de partir, un des invités vous aide à mettre votre manteau.

13. Une fois rentré chez vous, vous sortez votre chien pour qu'il fasse ses besoins sur le trottoir.

2
SERVICES RENDUS

À qui donne-t-on un pourboire ?	oui	non
1. au coiffeur	☐	☐
2. au chauffeur de taxi	☐	☐
3. au facteur	☐	☐
4. au boulanger	☐	☐
5. au pompiste	☐	☐
6. à la femme de ménage	☐	☐
7. à un mendiant	☐	☐
8. à l'ouvreuse de cinéma	☐	☐
9. à un enfant qui fait les courses	☐	☐
10. à une personne qui vous a aidé à traverser la rue	☐	☐

Voici les résultats d'un sondage réalisé quelques jours après qu'une personne eut gagné 99 millions de francs au loto (un chiffre record !).

49 % des personnes interrogées pensent qu'il est immoral qu'il existe des jeux où l'on puisse gagner autant d'argent alors que le pays est en crise économique

42 % pensent le contraire

S'ils avaient été le gagnant :

86 % auraient préféré garder l'anonymat

54 % auraient d'abord partagé avec leurs proches

42 % auraient fait un don à une grande cause

Quelle serait votre attitude si vous gagniez une énorme somme à une loterie ?

Pourquoi la très grande majorité des personnes interrogées pense-t-elle qu'il est préférable de garder l'anonymat ?

4
LA POLITESSE À LA MODE PARISIENNE

« Être poli à Londres, c'est premièrement s'en tenir à des règles… et à sa parole.[…] Rien de tel à Paris, où aucune règle n'est inviolable, où une délicieuse indulgence veut que la politesse consiste, bien au contraire, à tout comprendre et à tout pardonner. Si vous pouvez penser que votre hôte s'est attardé en quelque aimable compagnie, c'est tout juste s'il ne convient pas de l'en féliciter. […] Alors qu'ailleurs, l'honnêteté et la bienséance veulent qu'on réponde clairement à une demande qui vous est adressée, il n'en est point ainsi à Paris, où il est recommandé de ne jamais dire non. On préférera ne pas répondre, on ne « sera pas là », on vous fera antichambrer des heures, téléphoner dix fois pour éviter d'avoir à articuler un refus. S'il faut malgré tout s'y résoudre, on enveloppera son refus de tant de compliments, de promesses, d'éloges, que vous aurez peine à comprendre ce que l'on veut dire. Ces procédés, qui choquent en particulier nos hôtes des pays anglo-saxons, s'expliquent en dernière analyse par un trait fort louable : la crainte de faire mal. »

Frédéric Hoffet, *Psychanalyse de Paris*, Grasset, 1953.

Relevez les spécificités de la politesse parisienne énumérées ici par l'auteur.

S'agit-il de règles établies ou de tolérances ?

Trouvez-vous ces comportements sympathiques ou choquants ?

Est-ce que cette description vous semble faire référence à un milieu social particulier ? Vous paraît-elle toujours d'actualité (ce texte date des années 50) ?

5
ALLÔ, ALLÔ, NE QUITTEZ PAS!

Reconstituez l'ordre normal des phrases dans cette communication télépho-nique entre la standardiste et la personne qui appelle.

a. Bon, alors ne quittez pas.   I

b. Bonjour, pourrais-je parler
   à Madame Mauchamp ?   a

c. De la part de qui ?   b

d. Désolée, elle est toujours
   en communication.   H

e. Elle a raccroché, je vous la passe.   J

f. J'aurais besoin de la joindre
   tout de suite.   D

g. C'est personnel.   E

h. Madame de Peyret.   C

i. Elle est déjà en ligne.
   Préférez-vous patienter
   ou voulez-vous qu'elle vous rappelle ?   I G

j. Merci.   H F

k. Merci beaucoup.   K

l. Ne quittez pas, je vais voir…   E

m. Oui, j'attends.   G

n. Quelle société ?   D

Lexique

A

ACCORDER DU CRÉDIT Faire confiance.

ACCORD TACITE Accord sous-entendu, non dit.

ACNÉ (n. f.) Poussée de boutons apparaissant à la puberté.

ADEPTE (n. m, n. f.) Fidèle d'une religion, partisan d'une doctrine.

ADULTÈRE (n. m.) Infidélité d'une personne mariée.

AFFAMÉ (adj.) Qui a très faim.

AGUICHEUR, EUSE (adj. et n.) Qui excite, qui attire par ses manières provocantes

ALÉA (n. m.) Événement inattendu, imprévisible.

ALIÉNATION (n. f.) Contrainte forte qui prive l'homme de sa liberté.

ALLOCUTION (n. f.) Discours.

AMNISTIE (n. f.) Décision du président de la République par laquelle il annule les conséquences pénales de certaines infractions.

AMONCELLEMENT (n. m.) Tas, accumulation.

AMPUTER (v.) Couper, supprimer (amputer qqn, c'est lui enlever un membre) .

ANARCHO-GROGNARDISE Mot fabriqué par l'auteur à partir de l'adjectif « anarchiste » = qui refuse toute règle et de l'adjectif « grognard » = qui aime bien râler, protester. D'où anarcho-grognardise : qui râle tout le temps contre l'autorité établie.

ANTIMITE (n. m. et adj.) Produit que l'on met dans les armoires pour éloigner les mites, ces petits insectes qui font des trous dans les vêtements en laine.

ANTRE (n. m.) Caverne, grotte, lieu inquiétant (un antre de sorcière) .

APARTÉ (n. m.) Dans un groupe, se mettre à parler à qqn en particulier (faire des apartés).

APOGÉE (n. m.) Point le plus élevé.

APPLIQUER À LA LETTRE Appliquer strictement.

APPROXIMATIF, VE (adj.) Imprécis.

ARBITRAIRE (n. m. et adj.) Qui dépend du bon plaisir de qqn.

ARÉOPAGE (n. m.) Assemblée de juges ou de savants.

ARGOTIQUE (adj.) Qui relève non pas de la langue conventionnelle mais de l'argot (employer des termes argotiques).

ARRIVISTE (n. et adj.) Qui veut arriver, réussir, par n'importe quel moyen.

ARRONDIR LES ANGLES Atténuer les oppositions.

ASCENDANTS (n. m.) Ancêtres. Nos ascendants sont nos parents, nos grands-parents, etc. (le contraire : les descendants).

ASPIRATION (n. f.) Souhait, idéal.

ASSAISONNEMENT (n. m.) Ce qu'on utilise en cuisine pour relever le goût des aliments : le sel, le poivre, la moutarde, le thym, etc., (l'assaisonnement de la salade).

ASSIGNÉ À RÉSIDENCE Obligé par une décision de justice à rester dans un lieu déterminé.

ATTRIBUT (n. m.) Propriété, ce qui est particulier à un être ou à une chose.

AVATAR (n. m.) Événement inattendu ou désagréable.

AVEU (n. m., ici dans un sens rare) L'aveu était l'engagement du vassal envers son seigneur. Les hommes sans aveu : des hommes sans moralité, puisqu'aucun seigneur ne répond d'eux.

B

BAFFE (n. f. fam.) Gifle.

BANNIR (v.) Écarter, éloigner, exclure.

BEAU FIXE Si le baromètre est au beau fixe, c'est que le beau temps va continuer.

BÉDÉ (n. f.) Abréviation de bande dessinée (lire des bédés).

BEIGNE (n. f., fam.) Gifle.

BELLE ÉPOQUE (la) Les années autour de 1900, considérées comme caractéristiques d'une vie agréable et insouciante (du moins par la bourgeoisie).

BÉNÉVOLE (adj.) Qui est fait gratuitement.

BELLÂTRE (n. m.) Homme beau mais qui a l'air un peu idiot.

BIAIS (n. m.) Un des côtés, un des aspects. On peut analyser un problème par un biais ou par un autre.

BIENSÉANCE (n. f.) Ce qui convient, l'usage ou les règles à respecter.

BLANC (n. m.) Linge de maison, qui était autrefois toujours blanc : draps, serviettes de toilette. La saison du blanc : le mois de janvier, période habituelle de promotions sur le linge de maison dans tous les magasins.

BOHÈME (n. f.) Personne qui vit de manière fantaisiste. Les artistes mènent souvent une vie de bohème.

BONNE (n. f. pour « bonne à tout faire », terme vieilli) Employée de maison, domestique.

BOUC ÉMISSAIRE (n. m. et adj.) Personne sur laquelle on fait retomber les torts des autres.

BOUTE-EN-TRAIN (n. m.) Personne gaie qui met de l'ambiance dans une réunion.

BRICOLE (n. f.) Petite chose sans importance.

BROUTILLE (n. f.) Objet ou élément sans valeur (syn. de bricole).

C

CABARET (n. m.) Endroit où on peut voir un spectacle, mais aussi boire, dîner, danser.

CACOPHONIE (n. f.) Mélange de différents bruits qui fait mal aux oreilles.

CADASTRE (n. m.) Registre public dans lequel sont inscrites, dans chaque commune, les surfaces et les valeurs des propriétés.

CANTONADE (n. f.) Parler à la cantonade, c'est s'adresser à un groupe, et non pas à qqn de particulier.

CANTONNIER (n. m) Ouvrier qui travaille à l'entretien des routes.

CAPITONNER (v.) Un siège capitonné est un siège confortable parce qu'il est rembourré.

CASQUER (v. argot) Payer.

CASSE-CROÛTE (n. m.) Repas léger, sandwich.

CASUISTE (n.) Théologien qui s'applique à régler les cas de conscience.

CAUSETTE (n. f., fam.) Bavardage. Faire la causette avec qqn.

CAVEAU (n. m.) Tombe, construite en pierre ou en béton. Un caveau de famille est prévu pour servir de sépulture à plusieurs membres d'une même famille.

CELLULITE (n. f.) Grosseurs sur le corps qui ne sont pas dues à la graisse, comme dans l'embonpoint, mais à un gonflement des tissus (« la culotte de cheval » est la cellulite du haut des cuisses).

CÉRÉBRALITÉ (n. f.) Une personne « cérébrale » vit surtout par l'esprit et la pensée.

CHAGRIN, INE (adj.) Attristé. Un esprit chagrin a, de façon générale, un caractère triste.

CHALOUPER (v.) Marcher en balançant les épaules.

CHAMAILLER (v.) Se chamailler, c'est se disputer, se quereller, sans raison importante.

CHAMBOULER (v.) Bouleverser.

CHANOINE (n. m.) Ecclésiastique rattaché à une cathédrale ou à une basilique.

CHAPELLE ARDENTE Pièce où repose un mort (ou plusieurs). En général, des cierges (des bougies) y sont allumés en l'honneur du mort.

CHÂTIMENT (n. m.) Punition.

CHEMIN VICINAL (n. m., pl. chemin vicinaux) Petite route de campagne.

CHÈRE (n. f.) Faire bonne chère, c'est faire un bon repas.

CHICHI (n. m., fam.) Comportement qui manque de simplicité, prétentieux, snob. Faire des chichis.

CHINER (v.) Chercher une bonne occasion. Chiner au marché aux Puces.

CHIQUENAUDE (n. f.) Un petit coup.

CHOUCHOUTER (v.) Cajoler, gâter.

CIRCONSCRIRE (v.) Limiter.

CLEBS (n. m. fam.) Chien.

CLICHÉ (n. m.) Idée toute faite, banalité, stéréotype.

CLINQUANT, ANTE (adj.) Qui brille mais est sans valeur ; vulgaire.

CLIVAGE (n. m.) Séparation.

COLPORTER (v.) Transmettre une information.

CONDESCENDANCE (n. f.) :Traiter qqn avec condescendance, c'est s'adresser à lui avec supériorité, avec un certain mépris.

CONFÉRER (v.) Attribuer.

CONFLICTUEL, UELLE (adj.) Qui est source de conflits.

CONJOINT, CONJOINTE (adj. et n. m., n. f.) Mari, épouse.

CONSENTEMENT (n. m.) Accord (donner ou refuser son consentement).

CONSOLE (n. f.) Petite table. Une console, c'est aussi l'écran et le clavier d'un ordinateur.

CONTRACEPTION (n. f.) Ensemble des moyens utilisés pour contrôler les naissances.

CONVENANCES (n. f.) Être à cheval sur les convenances, c'est respecter les usages

de manière très stricte.

COQUELUCHE (n. f.) Maladie contagieuse. Être « la coqueluche » des jeunes, c'est être aimé et admiré par les jeunes.

CORROMPRE (v.) Conduire qqn à agir contre son devoir ou sa conscience, notamment en lui donnant de l'argent.

COTE (n. f.) Valeur. Avoir la cote auprès de qqn, c'est être apprécié, estimé par cette personne.

CÔTOYER (v.) Être à côté, être proche.

COUINEMENT (n. m.) Petit cri.

COURROUX (n. m.) Colère.

COUSIN GERMAIN Cousin qui a le même grand-père ou la même grand-mère que vous (c'est le fils de votre oncle ou de votre tante).

CREDO (n. m.) Principe qui fonde une opinion, une conduite.

CRÊPE (n. m.) Morceau de tissu noir (du crêpe), que l'on porte en signe de deuil. On porte un crêpe au revers de sa veste ou en brassard.

CUBIQUE (adj.) Qui a la forme d'un cube.

CUCUL (adj., fam., s'écrit aussi cucu) Un peu ridicule (Il est cucul la praline !). Les enfants utilisent aussi cucul pour désigner les fesses (panpan cucul : un coup sur les fesses).

CUITE (n. f., fam.) Prendre une (bonne !) cuite, c'est être ivre.

CUIVRES (n. m. pl.) Les instruments à vent, en cuivre, utilisés dans un orchestre.

CUPIDE (adj.) Qui aime beaucoup l'argent.

CYNIQUE (adj.) Qui exprime avec intention des opinions assez choquantes.

D

DAIGNER (v.) Accepter de faire qqch.

DÉBIT (n. m.) Rythme d'élocution, vitesse à laquelle on parle.

DÉBROUILLER (v.) Débrouiller qqn, c'est lui apprendre un minimum de choses dans un domaine (= on apprend à qqn à se débrouiller).

DÉCONSIDÉRER (v.) Discréditer, porter atteinte à la réputation de qqn.

DÉFAUT (n. m.) Faute, manque. Pour défaut d'assimilation : par insuffisance d'intégration à la société.

DÉGÉNÉRER (v.) Se dégrader, se transformer en pire.

DÉGOURDI, IE (adj.) Habile, malin. Qqn de peu dégourdi est donc maladroit ou peu débrouillard.

DÉLINQUANT (n. et adj.) Qui commet un délit, une faute interdite par la loi.

DÉLIT (n. m.) Faute vis-à-vis de la loi (commettre un délit).

DÉLIT D'INITIÉ Infraction commise par une personne qui, disposant d'informations privilégiées, les utilise pour des opérations en bourse (ce peut être un homme politique).

DÉMISSIONNAIRE (adj.) Qui n'assume pas ses responsabilités.

DENTS DE LAIT Les premières dents qui tombent vers l'âge de six ans.

DÉONTOLOGIE (n. f.) Éthique, ensemble des devoirs qu'impose l'exercice d'une profession.

DÉROUTANT, ANTE (adj.) Déconcertant, inattendu.

DÉSARROI (n. m.) Trouble moral.

DESCENDANT (n. m.) Issu d'un ancêtre. Les enfants et les petits enfants sont les descendants de leurs parents, de leurs grands-parents, etc. (le contraire : les ascendants).

DÉSOPILANT, ANTE (adj.) Comique (une histoire désopilante).

DESPOTISME (n. m.) Pouvoir absolu, dictature.

DÉTRITUS (n. m.) Déchet, ordure.

DEVISE (n. f.) Qui exprime une pensée. « Liberté, Égalité, Fraternité » est la devise de la République française.

DÉVOLU (n. m.) Jeter son dévolu sur qqn ou qqch, c'est fixer son choix sur celui-ci, manifester qu'on est décidé à l'obtenir.

DÉVOT, OTE (adj.) Très attaché à la pratique de la religion.

DIALECTIQUE (n. f. et adj.) Art du raisonnement.

DIVERGENT, ENTE (adj.) Différent, éloigné.

DIVINATOIRE (adj.) Qui prédit l'avenir.

DOMINICAL, E, AUX (adj.) Qui concerne le dimanche (le repos dominical).

DRAGÉE (n. f.) Confiserie ; sorte de bonbon composé d'une amande recouverte de sucre.

DRAGUE (n. f., fam.) Recherche d'une aventure, d'un flirt.

DROIT DE CITÉ Avoir droit de cité, c'est avoir un titre ou une raison pour être admis quelque part.

DUELLISTE (n.) Personne qui se bat en duel, qui cherche des occasions de se battre.

E

EAU-FORTE (n. f.) Genre de gravure.

ÉCONDUIRE (v.) Repousser qqn.

ÉDUCATION DU PALAIS Éduquer qqn à être un gourmet, à savoir apprécier la bonne nourriture.

ÉLOGE (n. m.) Compliment. Faire l'éloge de qqn, c'est dire beaucoup de bien de lui.

ÉMANCIPER (v.) S'émanciper de qqn ou de qqch, c'est se libérer d'une contrainte.

ÉMASCULER (v.) Castrer, enlever les organes virils.

EMBLÉMATIQUE (adj.) Qui est une sorte d'emblème, symbolique.

ÉMINENCE (n. f.) Titre d'honneur donné aux cardinaux. « L'éminence grise » d'un homme politique est la personne qui exerce sur lui une influence non officielle.

EMPIRIQUE (adj.) Qui tire les leçons non pas de la théorie, mais de l'expérience, du terrain.

ÉNARCHIE (n. f.) Le pouvoir des énarques, les anciens élèves de l'ENA, (École nationale d'administration).

ENCENS (n. m.) Substance que l'on fait brûler pour son odeur (en particulier dans les églises).

ENCHÈRE (n. f.) Offre d'un prix supérieur à celui qui est proposé. Une vente aux enchères attribue l'objet à vendre à celui qui offre la plus grosse somme.

ENGENDRER (v.) Causer, produire.

ENGOUEMENT (n. m.) Admiration, passion.

ÉNIGMATIQUE (adj.) Difficile à comprendre.

ENORGUEILLIR (v.) Rendre orgueilleux. S'enorgueillir de ses diplômes : être fier de ses diplômes.

ENTÉRINER (v.) Confirmer sur le plan juridique.

ÉPANCHER (v.) S'épancher auprès de qqn, c'est lui confier des pensées intimes.

ÉPHÈBE (n. m.) Très beau jeune homme.

ÉREINTEMENT (n. m.) Critique violente. Un éreintement « fielleux » est encore pire, puisqu'il est chargé de haine.

ESBROUFE (n. f.) Frime. Faire de l'esbroufe, c'est se donner un air important.

ESCLANDRE (n. m.) Faire de l'esclandre, c'est faire un scandale en public.

ESCOUADE (n. f.) Troupe de quelques hommes.

EUCHARISTIE (n. f.) Communion ; sacrement du christianisme dans lequel le pain et le vin rappellent le sacrifice de Jésus-Christ.

EUPHÉMISME (n. m.) Expression d'une idée de manière atténuée pour ne pas choquer.

EUPHORIE (n. f.) Sentiment de joie intense.

EXACERBÉ, ÉE (adj.) Poussé à l'extrême.

EXALTER (v.) Célébrer, admirer.

EXCÉDER (v.) Exaspérer, irriter.

EXHIBER (v.) Montrer en public de manière exagérée.

EXISTENTIALISTE (adj.) Qui se réfère à la doctrine philosophique de l'existentialisme, qui affirme que l'homme n'est pas déterminé par essence, mais qu'il est libre et responsable de son existence.

EXODE RURAL Départ massif de populations quittant les campagnes pour aller chercher du travail et vivre dans les villes.

EXORCISME (n. m.) Pratique de magie qui vise à chasser les démons. L'exorciste est celui qui pratique l'exorcisme.

EXTRAVAGANT, E (adj.) Exagéré, excessif, un peu fou.

EXUTOIRE (n. m.) Dérivatif ; ce qui permet de se débarrasser d'un besoin, d'une envie.

F

FAÇONNER (v.) Fabriquer.

FAIRE SAUTER UNE CONTRAVENTION Faire annuler une contravention.

FANFARE (n. f.) Orchestre de cuivres (saxophone, trompette, trombone, cor).

FARNIENTE (n. m.) Oisiveté, plaisir de ne rien faire.

FAUCHER (v., fam.) Voler.

FAUX (n. f.) Outil qui permet de couper l'herbe.

FÉRULE (n. f.) Être sous la férule de qqn, c'est être dans l'obligation de lui obéir.

FÉTICHISÉ Ce qui est adoré comme un fétiche, comme un objet au pouvoir magique.

FILIATION (n. f.) Lien de parenté unissant un enfant à son père ou à sa mère.

FILOU (n. m.) Homme rusé ou malhonnête au jeu ; petit voleur.

FISCAL, ALE, AUX (adj.) Qui se rapporte au fisc, à l'impôt.

FIXE Quand le temps est au beau fixe, il fait beau de façon durable.

FLAGRANT, ANTE (adj.) Évident, que l'on peut constater de ses propres yeux.

FLÂNERIE (n. f.) Promenade au hasard.

FRANQUETTE (à la bonne -) Simplement.

FRICHE (n. f.) Terre non cultivée. Laisser une terre en friche, c'est la laisser sans soins.

FRIGO (n. m.) Abréviation de réfrigérateur.

FRONT NATIONAL Parti politique d'extrême-droite.

FRUSTRER (v.) Tromper qqn dans son attente, dans ses désirs.

FUNÉRAILLES (n. f. pl.) Cérémonie de l'enterrement.

FUNESTE (adj.) Qui annonce la mort ou un malheur ; triste.

G, H

GERMINANT Mot créé par l'auteur. En germe, à l'état latent dans la nature.

GIRON (n. m.) Lieu où l'on se sent en sécurité. Un enfant est élevé dans le giron familial.

GLACER LE SANG (v.) Saisir d'une émotion si forte qu'on a l'impression que le sang ne circule plus.

GLAIREUX, EUSE (adj.) Visqueux (qui ressemble à un crachat).

GOUACHE (n. f.) Peinture à l'eau.

GRATIFICATION (n. f.) Récompense.

GUEUX (n. m.) Personne qui vit dans la misère ; une gueuse (n. f.), une femme de mauvaise vie (courir la gueuse : mener une vie de débauche).

GUINCHER (v., fam.) Danser.

GUINDÉ, ÉE (adj.) Raide, qui manque de naturel.

GUINGUETTE (n. f.) Café où l'on boit et où l'on danse en plein air.

GYNÉCOLOGUE (n. m. et f.) Médecin spécialiste de l'appareil génital féminin.

HÉBÉTUDE (n. f.) État de stupeur, d'abrutissement, dû à une forte émotion ou à des médicaments.

HULULEMENT (n. m.) Cri des oiseaux de nuit.

HUMECTER (v.) Mouiller légèrement.

HYPOCRISIE (n. f.) Attitude qui consiste à cacher son véritable caractère, ses véritables sentiments.

I, J, K

ICONOCLASTE (n. et adj.) Personne qui détruit les images saintes ; par extension, personne qui ne respecte pas les traditions.

IDIOSYNCRASIE (n. f.) Tempérament très personnel.

IDYLLE (n. f.) Petite histoire d'amour ; plus largement, une bonne entente entre deux personnes.

IDYLLIQUE (adj.) Idéal, merveilleux.

ILLETTRÉ (adj. et n.) Personne qui n'est pas capable de lire et d'écrire (un analphabète n'a jamais appris à lire ni à écrire).

IMMUABLE (adj.) Qui ne change jamais.

IMPAIR (n. m.) Maladresse choquante. Commettre un impair.

IMPERTURBABLE (adj.) Qui ne se laisse pas troubler.

IMPLICITE (adj.) Non-dit, sous-entendu.

INCAPACITÉ JURIDIQUE État d'une personne privée de certains droits par la justice.

INCINÉRATION (n. f.) Action d'incinérer, c'est-à-dire de brûler les morts.

INCONGRU, UE (adj.) Qui n'est pas convenable.

INCURABLE (adj.) Qui ne peut pas être guéri.

INDIVIS, E (adj.) Qui appartient en commun à plusieurs personnes.

INIMITIÉ (n. f.) Sentiment d'hostilité, haine.

INSÉRER (v.) Introduire. Être inséré dans la vie sociale, c'est être bien intégré, trouver sa place.

INTROSPECTION (n. f.) Observation de ses propres états d'âme, de ses sentiments.

IRRÉDUCTIBLE (adj.) Qui ne peut pas être vaincu ou réduit.

IRRÉSISTIBLE (adj.) À quoi ou à qui on ne peut résister ; séduisant.

JARRETIÈRE (n. f.) Bande élastique qui faisait tenir les bas sur la cuisse.

JÉSUITE (n. m. et adj.) Membre d'une société religieuse, la Compagnie de Jésus. Péjoratif : personne hypocrite.

JETEUR, EUSE DE SORT (n.) Un sorcier jette un sort.

JUTEUX, EUSE (adj., fam.) Qui rapporte beaucoup d'argent.

KERMESSE (n. f.) Foire, fête de bienfaisance.

L

LARCIN (n. m.) Petit vol.

LARGE (n. m.) La haute mer. La sensation du large, c'est l'impression de se sentir libre, comme si on était en pleine mer.

LAXISTE (adj. et n.) Qui laisse faire, qui n'exerce pas son autorité.

LÈCHE-BOTTE (n.) Personne qui cherche à se faire bien voir, qui flatte qqn de manière excessive.

LÉGUER (v.) Transmettre par testament.

LÈSE-MAJESTÉ (n. f.) Un crime de lèse-majesté est une atteinte grave à quelque chose ou à quelqu'un d'important.

LESTE (adj.) Souple, agile. Avoir la main leste, c'est être rapide pour donner une gifle.

LETTRES DE CRÉANCE Papier qui accrédite un diplomate, qui l'installe dans sa fonction officielle de diplomate auprès d'un pays étranger.

LETTRES PATENTES Lettres officielles du roi accordant une faveur à une personne particulière.

LÉVIATHAN Monstre de la mort dans la Bible.

LICENCIEUX, EUSE (adj.) Immoral.

LICHEN (n. m.) Herbe qui pousse sur la pierre ou sur les toits.

LIGNAGE (n. m.) Ensemble des individus descendant d'un ancêtre commun.

LOUFOQUE (adj.) Bizarre et drôle.

LUBIE (n. f.) Caprice, idée déraisonnable.

LYMPHATIQUE (adj.) Lent, mou.

M, N

MAISON CLOSE Maison de prostitution.

MANDALE (n. f., arg.) Gifle.

MANIÉRÉ, ÉE (adj.) Qui manque de naturel, de spontanéité.

MARC (n m.) Alcool fort, fait à partir de raisin.

MASOCHISTE (adj. et n.) Personne qui trouve du plaisir dans la souffrance. En langage familier : il est un peu maso !

MÉDIUMNIQUE (adj.) Le pouvoir mediumnique est le pouvoir du medium, celui qui communique avec les esprits.

MÉRITOCRATIE (n. f.) Hiérarchie sociale fondée sur le mérite individuel.

MESQUINERIE (n. f.) Attitude d'une personne mesquine, c'est-à-dire qui manque de générosité.

MÉTAPHORE (n. f.) Procédé de langage qui consiste à décrire une notion abstraite par un terme concret, par une image (ex : « c'est un monument de bêtise »).

METS (n. m.) Plat.

MIÈVRE (adj.) Joli mais fade, sans intérêt.

MIROBOLANT, ANTE (adj.) Merveilleux, extraordinaire, incroyable.

MŒURS (n. f. pl.) Habitudes de vie d'une société ou d'un individu. « Les bonnes mœurs » : l'ensemble des règles imposées par la morale d'une société.

MONARCHIE (n. f.) Royauté ; régime politique dans lequel le chef de l'État est un roi.

MORDORÉ, ÉE (adj.) De couleur brune avec des reflets dorés.

MOUROIR (n. m.) Hôpital dans lequel les vieillards ne peuvent qu'attendre la mort.

MOUVANCE (n. f.) Domaine dans lequel un groupe exerce une influence. La mouvance gauchiste, c'est l'ensemble des milieux politiques proches de l'extrême-gauche.

MUSE (n. f.) Dans la mythologie antique, les muses étaient les neuf déesses qui présidaient aux arts libéraux. Une muse est l'inspiratrice d'un artiste.

MUTATION (n. f.) Changement.

MUTUEL, ELLE (adj.) Réciproque, partagé(e). Une responsabilité mutuelle : il y a plusieurs responsables.

NOCTAMBULE (n. et adj.) Couche-tard, qui aime bien vivre la nuit.

NOIR (au noir) Travail qui n'est pas déclaré officiellement.

NOTABLE (n. m.) Personne importante par sa position sociale.

NOVATEUR, TRICE (n. et adj.) Qui innove, qui est audacieux.

O, P

OBSÈQUES (n. f. pl.) Enterrement.

OBSTRUCTION (n. f.) Obstacle à la circulation. Faire obstruction, c'est s'efforcer d'empêcher qu'un débat puisse se tenir.

OBSTRUER (v.) Boucher.

OCCULTATION (n. f.) Le fait de cacher.

OCCULTE (adj.) Caché.

OISIF, IVE (adj.) Inactif.

ORATEUR, TRICE (n.) Conférencier, personne qui sait parler en public.

ORATOIRE (adj.) Qui concerne l'art de parler en public.

ORIFLAMME (n. f.) Sorte de drapeau.

OSTENTATOIRE (adj.) Montré de façon excessive.

OUTRANCIER, IÈRE (adj.) Excessif, qui va trop loin.

PAIE OU PAYE (n. f.) Salaire.

PANIER PERCÉ Se dit de quelqu'un qui a l'habitude de dépenser beaucoup d'argent.

PAPOTER (v.) Bavarder, parler beaucoup pour dire des choses sans intérêt.

PARCIMONIEUX, EUSE (adj.) Trop économe.

PARIA (n. m.) Méprisé, exclu d'un groupe ou de la société toute entière.

PAROISSE (n. f.) Circonscription ecclésiastique où s'exerce le ministère d'un curé.

PARVENU, UE (adj. et n.) Personne qui a atteint depuis peu une position sociale importante (sous-entendu : elle n'en a pas acquis les manières, le savoir-vivre).

PASCAL, ALE, AUX (adj.) Relatif à la fête de Pâques des chrétiens.

PASSE-DROIT (n. m.) Faveur ou privilège accordé en dépit du règlement.

PASTICHER (v.) Imiter le style de quelqu'un (pasticher un écrivain).

PATHOLOGIQUE (adj.) Maladif, anormal.

PECTORAL, ALE, AUX (adj. et n.) Qui a trait à la poitrine. Les muscles pectoraux sont les muscles de la poitrine. Avoir des pectoraux, gonfler les pectoraux : montrer qu'on est un vrai homme !

PÉJORATIF, IVE (adj.) Qui dévalorise.

PÉNAL, ALE, AUX (adj.) Relatif aux infractions, aux délits passibles de justice. Le droit pénal établit les sanctions liées à chaque type d'infraction.

PÉRIPHRASE (n. f.) Faire une périphrase, c'est utiliser un groupe de mots synonyme d'un seul mot. Une définition est une périphrase puisqu'on fait toute une phrase pour expliquer un mot.

PERMANENCE (n. f.) Stabilité.

PERMISSIF, IVE (adj.) Qui comporte peu de contraintes, peu d'interdictions.

PERSONNALISTE (adj. et n.) Qui a trait au personnalisme, une philosophie pour laquelle la personne est la valeur suprême.

PERSPICACITÉ (n. f.) Finesse d'esprit, subtilité.

PERVERSION (n. f.) Trouble du comportement, vice.

PHILTRE (n. m.) Un philtre est toujours magique puisque c'est une boisson magique destinée à inspirer l'amour.

PIQUETTE (n. f.) Vin de mauvaise qualité.

PIVOT (n. m.) Point central d'un ensemble d'éléments. Un rôle pivot : un rôle très important.

PLASTICITÉ (n. f.) Élasticité, souplesse.

PLATONIQUE (adj.) Un amour

platonique est purement idéal, sans relations sexuelles.

PLÉONASME (n. m.) Façon de répéter ce qui vient d'être dit, sans apporter quelque chose de nouveau.

PLÉTHORIQUE (adj.) Trop abondant, excessif.

PLOUC (adj. et n.) (populaire et péjoratif) Paysan (il a l'air d'un plouc).

PMU Pari mutuel urbain, organisme qui gère un jeu organisé par l'État, où les joueurs parient sur des courses de chevaux.

POINTILLEUX, EUSE (adj.) Très (trop) exigeant sur des détails.

POIREAU (fam.) Faire le poireau, c'est attendre quelqu'un.

POLARD (adj. fam.) Personne qui ne s'intéresse qu'à ses études ; par extension, personne qui ne s'intéresse qu'à un seul sujet.

POLARISATION (n. f.) Concentration de l'intérêt ou de l'activité sur un même point, un même sujet.

POLARISER (v.) Concentrer en un seul point. Se polariser sur son travail : ne s'intéresser qu'à son travail.

POLÉMIQUER (v.) Débattre de manière agressive, pour le plaisir de la critique.

POLYMORPHE (adj.) Qui se présente sous de multiples formes.

POMPE (n. f.) Luxe d'une cérémonie. En grande pompe : de manière très solennelle.

POMPES FUNÈBRES Services chargés de l'organisation des funérailles.

POMPETTE (adj.) Un petit peu ivre.

POT-DE-VIN (n. m.) Somme d'argent versée illégalement à quelqu'un pour obtenir une faveur ou un avantage.

POUCE Manger (un morceau) sur le pouce, c'est manger debout, très rapidement.

POURFENDRE (v.) Critiquer violemment.

PRÉCEPTEUR (n. m.) Professeur particulier. Autrefois, quand les enfants (de la noblesse) n'allaient pas à l'école, un précepteur assurait leur formation.

PRÉJUDICIABLE (adj.) Qui peut porter préjudice (à qqn, à qqch) , qui cause du tort.

PRÉPARTURITION (n. f.) Mot créé à partir de parturition, accouchement. La préparturition est donc la période qui précède l'accouchement.

PROCÉDURIER, IÈRE (adj.) Qui recourt volontiers aux procédures, qui est trop attaché au respect des règles.

PROFANE (adj. et n.) Étranger à la religion. Par extension : ignorant dans un domaine. (Je suis profane en la matière.)

PROGÉNITURE (n. f.) La descendance, les enfants (mot utilisé de façon assez ironique).

PROMPT, PROMPTE (adj.) Rapide.

PRÔNER (v.) Vanter, préconiser.

PROPENSION (n. f.) Tendance, penchant naturel.

PROPICE (adj.) Favorable. Un lieu propice à la rêverie.

PROSAÏQUE (adj.) Sans poésie, qui manque d'élégance ; très commun ou trop matériel.

PRUDERIE (n. f.) Attitude austère, trop attachée à la vertu.

PRUNE (n. f., fam.) Gifle.

PSEUDONYME (n. m.) Nom d'emprunt. Les acteurs sont souvent connus sous un pseudonyme.

PUISSANCE MARITALE ET PATERNELLE Autorité que le droit accordait autrefois aux hommes, au mari sur sa femme, au père sur ses enfants.

PULPE (n. f.) Chair du corps ou d'un fruit. La pulpe molle : la chair tendre.

PV (n. m.) Abréviation de procès-verbal. Acte dressé par un policier ou un juge pour constater un délit ou un fait ayant des conséquences juridiques.

Q, R, S

QUADRAGÉNAIRE (adj. et n.) Personne qui a entre 40 et 50 ans.

QUANTIFIER (v.) Donner une quantité, un chiffre pour désigner quelque chose.

QUASIMENT (adv.) Presque.

QUILLE (n. f.) Fin du service militaire.

RACLÉE (n. f., fam.) Correction. Flanquer une raclée à qqn, c'est lui donner des coups.

RADIN, INE (adj. fam.) Avare.

RÂLEUR, EUSE (n. et adj.) Qui est tout le temps mécontent. Un râleur professionnel passe sa vie à être de mauvaise humeur !

RAS-LE-BOL (n. m., inv.) Le fait d'en avoir assez de qqch. J'en ai ras-le-bol du boulot : ça suffit, j'en ai marre, je ne veux plus travailler (ou bien le travail me prend trop de temps).

RÉACTIONNAIRE (adj. et n.) Qui défend des positions conservatrices.

RÉCALCITRANT, ANTE (adj.) Qui résiste, qui est rebelle.

RECELEUR OU RECÉLEUR, EUSE (n.) Personne qui conserve des objets volés.

RÉCURRENT, ENTE (adj.) Qui se répète.

RENAISSANCE (n. f.) Période historique où une société change beaucoup. La renaissance justinienne : Justinien 1er empereur de Byzance au IVe siècle après J.-C., a profondément transformé le droit. La renaissance aristotélicienne : Aristote, philosophe grec du IVe siècle avant J.-C., a fait évoluer la pensée politique.

RÉPARTIE (n. f.) Réponse rapide, adaptée à une situation (avoir la répartie facile).

RÉPRIMANDE (n. f.) Blâme, reproche.

RÉPUBLIQUE BANANIÈRE Régime politique dominé par la corruption.

RESTREINT, E (adj.) Étroit, limité.

RHÉTEUR (n. m.) Orateur ou écrivain pour lequel le discours brillant est plus important que la vérité.

RIGUEUR (n. f.) Sévérité, exactitude. La tenue sombre est de rigueur : elle est obligatoire, elle est imposée par l'usage ou le règlement.

RINGARD, ARDE (n. et adj., fam.) Qui n'est pas à la mode, vieillot.

RIPAILLE (n. f.) Festin. Faire ripaille : manger beaucoup.

ROTURIER, IÈRE (adj. et n.) Qui n'appartient pas à l'aristocratie.

ROUGE (n. m., fam.) Vin rouge. Du gros rouge, du rouge qui tache : du mauvais vin rouge.

RUSTRE (n. m. et adj.) Homme grossier, aux manières peu raffinées.

RUTILANT, ANTE (adj.) Qui brille avec éclat.

SARCASME (n. m.) Ironie méchante.

SAUGRENU, UE (adj.) Inattendu, bizarre et un peu ridicule.

SCABREUX, EUSE (adj.) Qui crée une situation embarrassante ou qui choque la décence.

SCHIZOPHRÉNIE (n. f.) Maladie mentale qui se manifeste par une perte du contact avec la réalité. Par extension : terme utilisé pour indiquer un dédoublement de la personnalité ou une séparation anormale entre différents éléments.

SÉCABLE (adj.) Qui peut être coupé ou divisé.

SEMELLOÏDE Mot créé par l'auteur à partir de semelle : qui a la consistance d'une semelle.

SÉPULTURE (n. f.) Tombe, lieu où repose un mort.

SÉVICES (n. m. pl.) Brutalités, violences exercées sur une personne dont on a la garde.

SEXAGÉNAIRE (adj. et n.) Personne qui a entre 60 et 70 ans.

SOLLICITEUR, EUSE (n.) Qui demande une faveur.

STALINISME (n. m.) Période où Staline a exercé le pouvoir en URSS. Par extension : les régimes des pays communistes.

STEAK TARTARE OU TARTARE (n. m.) Viande hachée de bœuf ou de cheval que l'on mange crue (avec des assaisonnements).

STIPULER (v.) Préciser de manière très précise.

STRATAGÈME (n. m.) Ruse.

SUBLIME (adj.) Magnifique, extraordinaire.

SUBSTANTIELLEMENT (adv.) Pour ne parler que de l'essentiel, de ce qui est le plus important.

SUPPLANTER (v.) Remplacer. Être supplanté par un autre, c'est se faire prendre la place qu'on avait.

SUPRÉMATIE (n. f.) Situation dominante.

SUSCEPTIBILITÉ (n. f.) Caractère d'une personne qui se vexe très facilement, qui est facilement blessée par les paroles des autres.

T

TARGUER (se -, v.) Se targuer de qqch, s'est s'en vanter.

TARTE (n. f., fam.) Gifle.

TARTUFFE OU TARTUFE (n. m. ou adj.) Hypocrite.

TATILLON, ONNE (adj.) Qui s'attache à des détails sans importance.

TAURIN, INE (adj.) Relatif au taureau. La corrida est un spectacle taurin.

TCHATCHE (n. f., fam.) Bagout, disposition à parler beaucoup. Il aime la tchatche : il adore parler !

TÉNÉBREUX, EUSE (adj.) Difficile à comprendre. Un beau ténébreux : un bel homme à l'air mystérieux et mélancolique.

TIERCÉ (n. m.) Jeu de l'État portant sur des courses de chevaux. Il faut parier sur les trois chevaux qui arriveront en tête.

TISON (n. m.) Ce qui reste d'un morceau de bois dans la cheminée quand une partie a déjà brûlé.

TOLLÉ (n. m.) Cris d'indignation.

TOPONYMIE (n. f.) Les noms de lieux d'un pays ou d'une région.

TRAFIQUER (v.) Faire du trafic, acheter ou vendre, souvent en trompant sur la marchandise (trafiquer un vin). Mais : Qu'est-ce que tu trafiques aujourd'hui ? signifie tout simplement, en langage familier : qu'est-ce que tu fais aujourd'hui ?

TRIVIAL, IALE, IAUX (adj.) Grossier, vulgaire (le langage trivial). Mais aussi : banal, évident.

TRUFFÉ, E (adj.) Rempli.

TYPOLOGIE (n. f.) Classification (par type, par genre).

V, X

VANITÉ (n. f.) Orgueil, autosatisfaction.

VERTUEUX, EUSE (adj.) Qui a des vertus, des qualités morales (courageux, honnête).

VEUVAGE (n. f.) Situation d'une personne veuve (dont le conjoint est mort), non remariée.

VINICOLE (adj.) Relatif à la production du vin. Une région vinicole : une région où il y a beaucoup de vignes.

VIRILITÉ (n. f.) Caractères physiques et sexuels de l'homme. Par extension, la vigueur de l'homme.

XÉNOPHOBE (adj.) Qui n'aime pas les étrangers.

Index

Crédits photographiques

p. 7 : R.M.N. ; p. 8 : Michel Gounot ; p. 10 : Plantu ; ; p. 16 : Le Livre de Poche ; Plantu ; p. 18 :
C. Charillon-Paris ; p. 19 : Pessin ; p. 24 : Secours populaire français ; p. 27 : C. Charillon-Paris ; p. 29 :
C. Charillon-Paris ; p. 34 : Wolinsky ; p. 36 : Coll. CAT'S ; p. 37 : D.R. ; p. 38 : Coll. CAT'S ; p. 44 : D.R. ;
p. 45 : Rapho/Sylvester ; p. 46 : Région Midi Pyrénées/Thierry Blandino ; p. 48 : Hachette Livre/ Gautier
Languereau ; p. 49 : Scope/Jacques Guillard ; p. 54 : Pessin ; p. 56 : Coll. Musée de la Publicité ; pp. 58-
59 : Zaü ; p. 60 : Dictionnaires Le Robert ; p. 66 : Régis Franc ; p. 68 : Cabu ; p. 69 : Stills/Pat-Arnal ;
p. 74 : Keystone ; p. 75 : ARTE ; p. 82 : Zivy/Paulot ; p. 85 : Agence Vu/Agnès Bonnot ; pp. 86-87 : Michel
Gounot ; p. 89 : Marco Polo/ F. Bouillot ; p. 94 : Kharbine-Tapabor ; p. 97 : Michel Gounot ; p. 99 :
Michel Gounot ; p. 100 : Diaf/Bernard Minier ; p. 106 : Coll. Viollet ; p. 108 : Coll. CAT'S ; pp. 110-111 :
C. Charillon-Paris ; p. 113 : Coll. Christophe L. ; p. 120 : Zivy/Paulot ; p. 121 : D.R. Coll. Bibliothèque
Marguerite Durand ; p. 123 : Agence Vu/Michel Vanden Eeckhaut ; p. 125 : Michel Gounot ; p. 127 :
Pessin ; pp. 132-133 : C. Charillon-Paris ; pp. 134-135 : Michel Gounot ; p. 137 : Michel Gounot ;
p. 143 : Michel Gounot ; p. 144 : Télé VII/Félix Gilbert ; p. 146 : Nathan ; p. 147 : Blachon

Édition : Françoise Lepage
Composition et mise en pages CND international
N° Éditeur : 10149438 - Février 2008
Imprimé en France par la Nouvelle Imprimerie Laballery - 58500 Clamecy - N° d'impression : 712195

La Nouvelle Imprimerie Laballery est titulaire du label Imprim'Vert®